Navegando 1

Authors

James F. Funston

Alejandro Vargas Bonilla

Contributing Writers
Belia Jiménez Lorente
Karin Fajardo
Rolando Castellanos

Consultants

Paul J. Hoff
University of Wisconsin—Eau Claire
Eau Claire, Wisconsin

Anne Marie Quihuis
Paradise Valley High School
Phoenix, Arizona

Heidi Oshima
Parsippany High School
Parsippany, New Jersey

Ana Selvás Watson
Henrico High School
Richmond, Virginia

Marne Patana
Middle Creek High School
Apex, North Carolina

Nancy Wrobel
Champlin Park High School
Champlin Park, Minnesota

EMCParadigm Publishing, Saint Paul, Minnesota

CREDITS

Editorial Consultants
Judy Cohen
Lori Coleman
Sharon O'Donnell
David Thorstad
Sarah Vaillancourt

Readers
Pat Cotton
Mónica Domínguez
Barbara Forney
Daniela Guzmán
Charisse Littiken
Barbara Peterson
Roy Sweezy
Beth Verdin

Proofreaders
Susana Petit
Mercedes Roffé
Gilberto Vázquez

Illustrators
Kristen Copham
Len Ebert
Tune Insisiengmay
Susan Jaekel
Nedo Kojic
Paul Mirocha
Hetty Mitchel
D.J. Simison

Photo Research
Jennifer Anderson

Design
Interior Design: Tina Widzbor,
Monotype Composition
Cover Design: Suzanne Montazer and
Ken Croghan, Monotype Composition

Cover Photo
Mónica Béjar Latonda

Production
Precision Graphics
Matthias Frasch, scan technician

ISBN 0-8219-2798-1

Published by EMC/Paradigm Publishing
875 Montreal Way
St. Paul, Minnesota 55102
800-328-1452
www.emcp.com
Email: educate@emcp.com

Printed in the United States of America
6 7 8 9 10 X X X 08 07 06

¡Saludos!

You are about to embark on a journey that will take you to many countries and that will open doors you may never have imagined. Whether you are drawn to Spanish because of your interest in travel or your desire to learn how to communicate with others, this year offers you rewarding possibilities as you navigate your way through the Spanish-speaking world. This sense of real-life adventure and travel is reflected in the covers of the *Navegando* series.

Learning a language has always meant more than merely memorizing words and grammar rules and then putting them together, hoping to actually be able to communicate. Just as language is inseparable from culture, so is it inseparable from the authentic communication of thoughts and emotions. The culture of the Spanish-speaking world varies from one country to another. In *Navegando,* you will navigate your way, learning about others while at the same time learning how to share your ideas and feelings. These real-life learning experiences will introduce you to and expand your knowledge of language, geography, history and the arts. In *Navegando* you will learn not only fascinating information, but also problem-solving, survival and employment skills so that when you leave the classroom you can step right into the real world.

Are you ready to learn to use Spanish in the real world? Experience the authentic: *Navegando.*

Contents

Groenlandia (Din.)

Alaska (EE.UU.)

CANADÁ

NORUEGA
ISLANDIA
SUECI
REINO UNIDO   DINAMARCA
IRLANDA
ALEMANIA   POLO
FRANCIA
ANDORRA
PORTUGAL   ESPAÑA   Andorra la Vella   ITALIA
Madrid

ESTADOS   Chicago
Denver
Nueva York
UNIDOS
Los Ángeles
San Diego
San Antonio

OCÉANO
ATLÁNTICO

MARRUECOS   TUNICIA   MA
I. Canarias
Sahara   ARGELIA   LIBI
Occidental

Miami   BAHAMAS   Trópico de Cáncer
MÉXICO   La Habana
C. de México   CUBA   REPÚBLICA
DOMINICANA
BELIZE   HAITÍ   Puerto Rico (EE. UU.)
GUATEMALA   Belmopán   JAMAICA   Santo
Guatemala   HONDURAS   Domingo
EL SALVADOR   Tegucigalpa
San Salvador   NICARAGUA
Managua   1
COSTA RICA   PANAMÁ   3
San José   Panamá   2   4
Caracas   TRINIDAD Y TOBAGO
VENEZUELA   Puerto España
GUYANA
Bogotá, D.C.   SURINAM
COLOMBIA   Guayana Francesa (Fr.)
Quito
ECUADOR

MAURITANIA   MALI   NÍGER   CH
CABO VERDE
SENEGAL   BURKINA
GAMBIA   FASO   NIGERIA
GUINEA-BISSAU   GUINEA
COSTA
SIERRA LEONA   DE
MARFIL
LIBERIA   CAMERÚN
Malabo
GUINEA ECUAT.
SANTO TOMÉ   REP.
Y PRÍNCIPE   GABÓN   POP.
CONGO

OCÉANO
Ecuador
0°
Is.Galápagos
(Arch. de Colón)
(Ec.)

160°
Is. Hawai
(EE.UU.)
20°

BRASIL

PERÚ
Lima
La Paz
BOLIVIA
Sucre
PARAGUAY
Asunción

OCÉANO
ATLÁNTICO

ANGO

NAMIB

PACÍFICO

ARGENTINA   CHILE
Santiago
URUGUAY
Montevideo
Buenos Aires

SUD

I. Malvinas

MAPA
La lengua espa

OCÉANO   GLA

Oeste de Greenwich   0°   Este de Green

O GLACIAL ÁRTICO

RUSIA

KAZAJSTÁN

MONGOLIA

Alaska
(EE.UU.)

NDIA

26
27

IELORRUSIA

UCRANIA

CA
29

ANIA

BULGARIA

TURQUÍA

30
31 32

UZBEKISTÁN 33

TURKMENISTÁN 34

REP. POP. CHINA

COREA
DEL NORTE

COREA
DEL SUR

JAPÓN

OCÉANO

PACÍFICO

CHIPRE 21

SIRIA

IRAK

IRÁN

AFGANISTÁN

40°

ISRAEL 22
Jerusalén

EGIPTO

ARABIA
SAUDITA

KUWAIT

25

QATAR
EMIRATOS
ARABES UNIDOS

PAKISTÁN

NEPAL

BHUTAN

BANGLA-
DESH

INDIA

BIRMANIA

LAOS

VIETNAM

TAIWÁN

Manila

EP.
NTRO-
CANA

SUDÁN

ERITREA

OMÁN

YEMEN

36

THAILANDIA

CAMBOYA

FILIPINAS

REP. DE PALAOS

ÚBLICA

ETIOPÍA

SOMALIA

UGANDA

CRÁTICA 37
38

KENYA

MALDIVAS

SRI LANKA

BRUNEI

MALASIA

SINGAPUR

CONGO

TANZANIA

SEYCHELLES

OCÉANO

INDONESIA

PAPÚA·
NUEVA GUINEA

SALOMÓN

MALAWI

COMORES

ÍNDICO

0°

ZAMBIA

ZIMBABWE

MAURICIO

'SWANA

MOZAMBIQUE

24

MADAGASCAR

Trópico de Capricornio

AUSTRALIA

EP. 23
RICANA

NUEVA
40°

MUNDI
ola en el mundo

ZELANDA

Línea internacional
de cambio de hora

CIAL ANTÁRTICO

TÁRTIDA

h 40°   80°   120°   160°   160°

XV

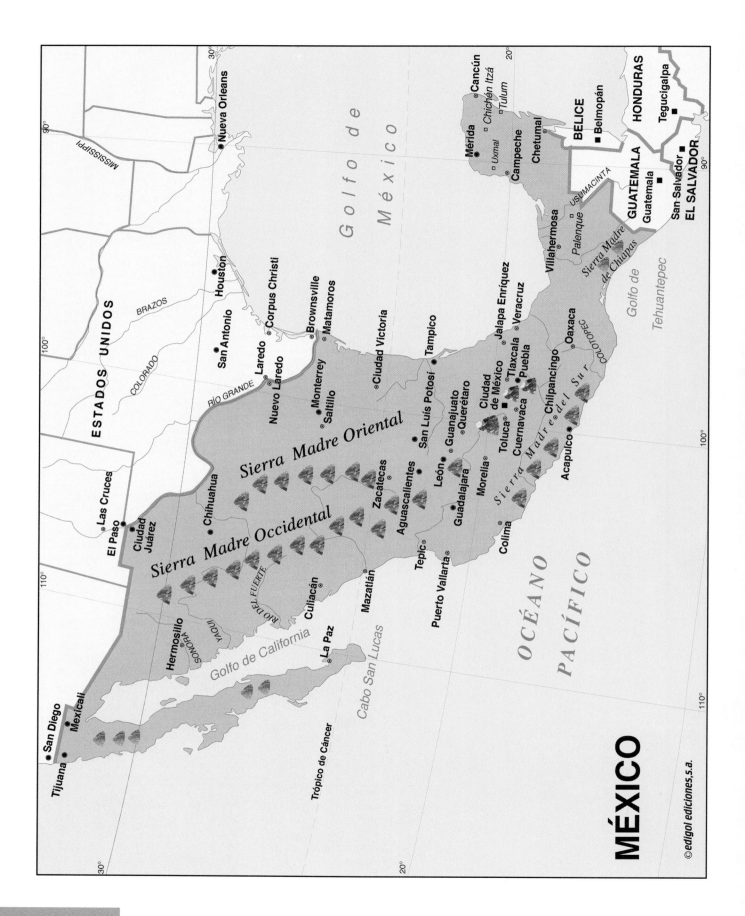

MÉXICO

ESTADOS UNIDOS

Golfo de México

OCÉANO PACÍFICO

Sierra Madre Occidental

Sierra Madre Oriental

Sierra Madre del Sur

Sierra Madre de Chiapas

Golfo de California

Golfo de Tehuantepec

Cabo San Lucas

Trópico de Cáncer

MISSISSIPPI
BRAZOS
COLORADO
RÍO GRANDE
SONORA
YAQUI
RÍO DEL FUERTE
COLOTOPEC
USUMACINTA

BELICE
GUATEMALA
HONDURAS
EL SALVADOR

San Diego
Tijuana
Mexicali
Las Cruces
El Paso
Ciudad Juárez
Chihuahua
Hermosillo
La Paz
Culiacán
Mazatlán
Tepic
Puerto Vallarta
Colima
Guadalajara
Morelia
León
Guanajuato
Querétaro
Aguascalientes
Zacatecas
San Luis Potosí
Toluca
Ciudad de México
Cuernavaca
Tlaxcala
Puebla
Chilpancingo
Acapulco
Oaxaca
Jalapa Enríquez
Veracruz
Tampico
Ciudad Victoria
Matamoros
Brownsville
Corpus Christi
Nuevo Laredo
Laredo
San Antonio
Houston
Nueva Orleans
Monterrey
Saltillo
Villahermosa
Palenque
Chetumal
Campeche
Mérida
Uxmal
Chichén Itzá
Tulum
Cancún
Belmopán
Guatemala
Tegucigalpa
San Salvador

90°
100°
110°
30°
20°

© edigol ediciones, s.a.

xvi

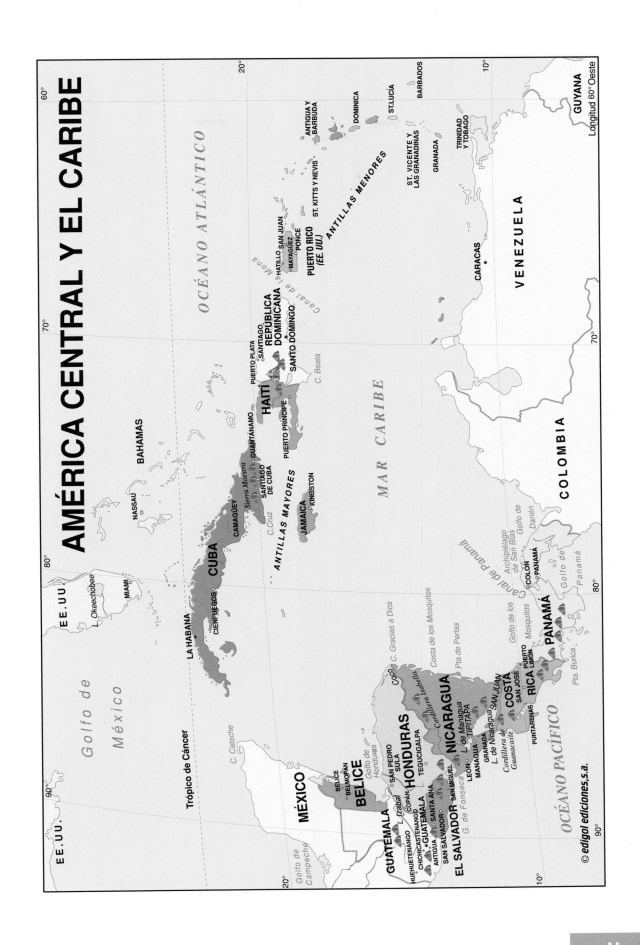

AMÉRICA CENTRAL Y EL CARIBE

EE.UU.

Golfo de México

Trópico de Cáncer

C. Catoche

Golfo de Campeche

MÉXICO

BELICE
BELICE
BELMOPÁN

GUATEMALA
HUEHUETENANGO
CHICHICASTENANGO
ANTIGUA
GUATEMALA
SANTA ANA
SAN SALVADOR
EL SALVADOR
SAN MIGUEL

Golfo de Honduras
L. Izabal
COPÁN
SAN PEDRO SULA
HONDURAS
TEGUCIGALPA

G. de Fonseca
LEÓN
MANAGUA
GRANADA
L. de Managua
L. de Nicaragua
Cordillera de Guanacaste
NICARAGUA
Cordillera Isabella
TIPITAPA
SAN JUAN

PUNTARENAS
SAN JOSÉ
COSTA RICA
PUERTO LIMÓN

OCÉANO PACÍFICO

Pta. Burica

Coco C. Gracias a Dios
Costa de los Mosquitos
Pta de Perlas
Golfo de los Mosquitos

PANAMÁ
PANAMÁ
COLÓN
Golfo de Panamá
Canal de Panamá
Archipiélago de San Blas
Golfo de Darién

COLOMBIA

MIAMI
L. Okeechobee
EE.UU.

LA HABANA
CIENFUEGOS
CUBA
CAMAGÜEY
Sierra Maestra
GUANTÁNAMO
SANTIAGO DE CUBA
C. Cruz

BAHAMAS
NASSAU

ANTILLAS MAYORES

JAMAICA
KINGSTON

MAR CARIBE

PUERTO PRÍNCIPE
HAITÍ
PUERTO PLATA
SANTIAGO
REPÚBLICA DOMINICANA
SANTO DOMINGO
C. Beata
Canal de la Mona

OCÉANO ATLÁNTICO

HATILLO
MAYAGÜEZ
SAN JUAN
PONCE
PUERTO RICO
(EE. UU.)

ANTILLAS MENORES

ST. KITTS Y NEVIS
ANTIGUA Y BARBUDA
DOMINICA
ST. LUCÍA
BARBADOS
ST. VICENTE Y LAS GRANADINAS
GRANADA
TRINIDAD Y TOBAGO

CARACAS

VENEZUELA

GUYANA

Longitud 60° Oeste

© edigol ediciones, s.a.

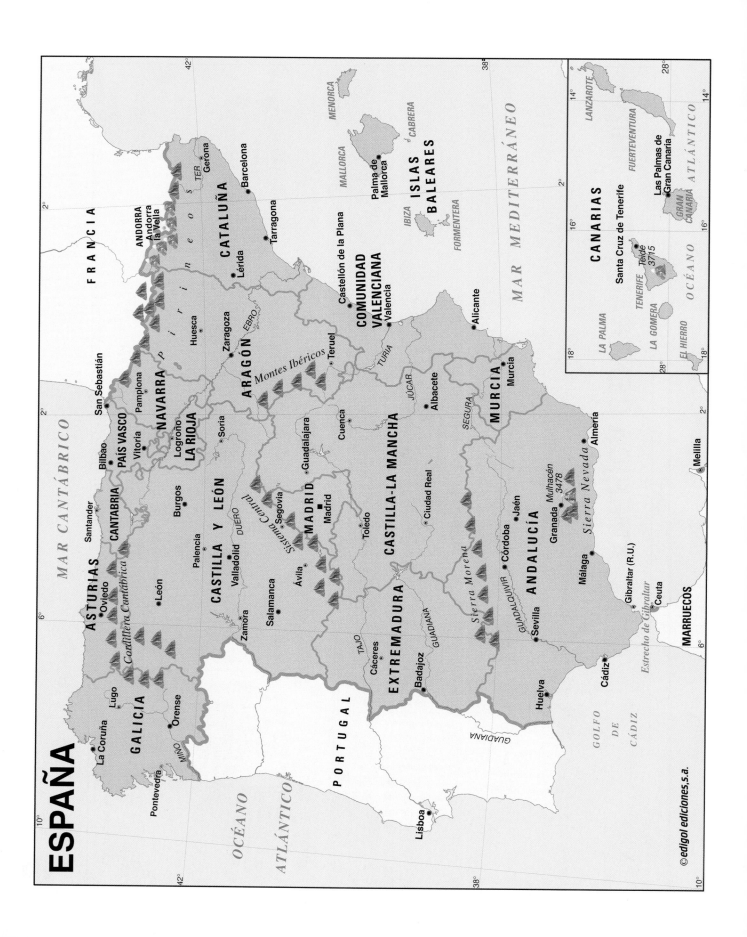

ESPAÑA

FRANCIA

ANDORRA
Andorra la Vella

MAR CANTÁBRICO

GALICIA
La Coruña
Lugo
Pontevedra
Orense
MIÑO

ASTURIAS
Oviedo
Santander
CANTABRIA
Cordillera Cantábrica

PAÍS VASCO
San Sebastián
Bilbao
Vitoria

NAVARRA
Pamplona

LA RIOJA
Logroño

Soria

CASTILLA Y LEÓN
León
Palencia
Burgos
Valladolid
Zamora
Salamanca
Ávila
Segovia
Sistema Central
DUERO
MADRID
Madrid

ARAGÓN
Huesca
Zaragoza
EBRO
Montes Ibéricos
Teruel

Pirineos
TER
Gerona
CATALUÑA
Lérida
Barcelona
Tarragona

MENORCA
MALLORCA
Palma de Mallorca
IBIZA
ISLAS BALEARES
CABRERA
FORMENTERA

MAR MEDITERRÁNEO

COMUNIDAD VALENCIANA
Castellón de la Plana
Valencia
TURIA
Alicante
JÚCAR

CASTILLA-LA MANCHA
Guadalajara
Cuenca
Toledo
Ciudad Real
Albacete
SEGURA

MURCIA
Murcia

PORTUGAL
TAJO
Cáceres
EXTREMADURA
Badajoz
GUADIANA

Sierra Morena
Córdoba
Jaén
GUADALQUIVIR
ANDALUCÍA
Sevilla
Huelva
GUADIANA
Málaga
Granada
Mulhacén 3478
Sierra Nevada
Almería

Gibraltar (R.U.)
Ceuta
Estrecho de Gibraltar

GOLFO DE CÁDIZ
Cádiz

MARRUECOS
Melilla

Lisboa

OCÉANO ATLÁNTICO

CANARIAS

LANZAROTE
FUERTEVENTURA
LA PALMA
TENERIFE
Santa Cruz de Tenerife
Teide 3715
LA GOMERA
GRAN CANARIA
Las Palmas de Gran Canaria
EL HIERRO
OCÉANO ATLÁNTICO

© edigol ediciones, s.a.

xviii

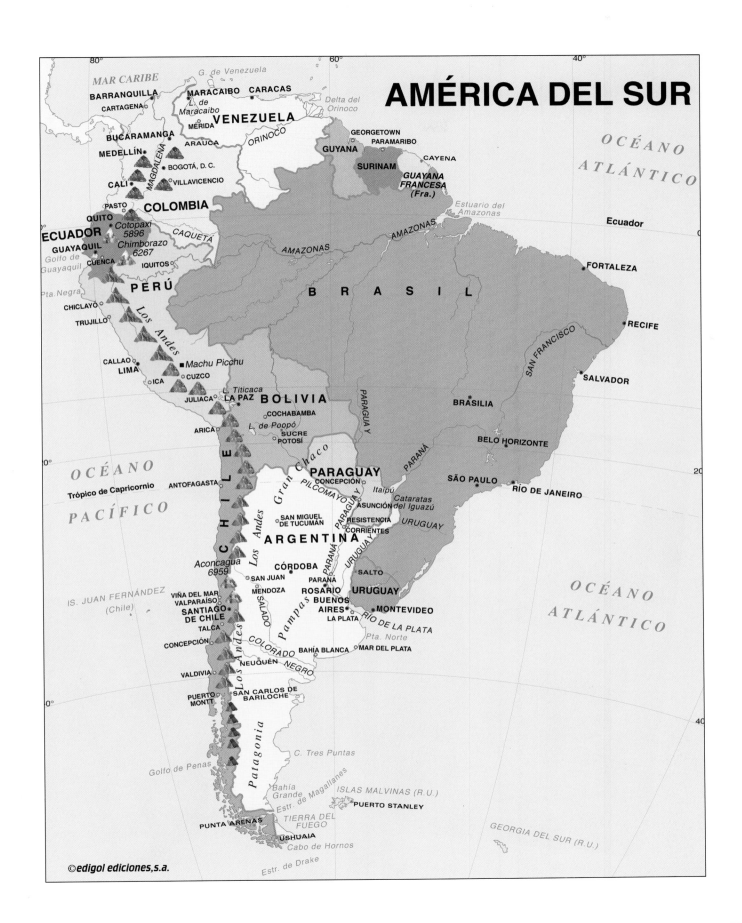

AMÉRICA DEL SUR

MAR CARIBE
BARRANQUILLA
CARTAGENA
MARACAIBO
L. de Maracaibo
CARACAS
G. de Venezuela
Delta del Orinoco
OCÉANO ATLÁNTICO

BUCARAMANGA
MÉRIDA
VENEZUELA
ARAUCA
ORINOCO
GEORGETOWN
PARAMARIBO
MEDELLÍN
MAGDALENA
BOGOTÁ, D. C.
VILLAVICENCIO
GUYANA
SURINAM
CAYENA
CALI
GUAYANA FRANCESA (Fra.)
PASTO
COLOMBIA
CAQUETA
Estuario del Amazonas
QUITO
Ecuador
ECUADOR
Cotopaxi 5896
Chimborazo 6267
AMAZONAS
FORTALEZA
GUAYAQUIL
Golfo de Guayaquil
CUENCA
IQUITOS
AMAZONAS
B R A S I L

Pta. Negra
PERÚ
CHICLAYO
Los Andes
RECIFE
SAN FRANCISCO
TRUJILLO
CALLAO
Machu Picchu
LIMA
ICA
CUZCO
SALVADOR
JULIACA
L. Titicaca
BOLIVIA
BRASILIA
ARICA
LA PAZ
COCHABAMBA
L. de Poopó
SUCRE
POTOSÍ
BELO HORIZONTE
PARAGUAY
PARANÁ
SÃO PAULO

OCÉANO
Trópico de Capricornio
ANTOFAGASTA
Gran Chaco
PILCOMAYO
PARAGUAY
CONCEPCIÓN
Itaipú
Cataratas del Iguazú
RÍO DE JANEIRO
20
PACÍFICO
CHILE
Los Andes
SAN MIGUEL DE TUCUMÁN
PARAGUAY
ASUNCIÓN
RESISTENCIA
CORRIENTES
URUGUAY
ARGENTINA
Aconcagua 6959
CÓRDOBA
PARANÁ
URUGUAY
IS. JUAN FERNÁNDEZ (Chile)
VIÑA DEL MAR
VALPARAÍSO
SANTIAGO DE CHILE
SAN JUAN
MENDOZA
SALADO
Pampas
ROSARIO
BUENOS AIRES
LA PLATA
SALTO
URUGUAY
MONTEVIDEO
RÍO DE LA PLATA
OCÉANO
TALCA
CONCEPCIÓN
COLORADO
BAHÍA BLANCA
Pta. Norte
MAR DEL PLATA
ATLÁNTICO
VALDIVIA
NEGRO
NEUQUÉN
PUERTO MONTT
SAN CARLOS DE BARILOCHE
Patagonia
40
Golfo de Penas
C. Tres Puntas
Bahía Grande
Estr. de Magallanes
ISLAS MALVINAS (R.U.)
PUERTO STANLEY
PUNTA ARENAS
TIERRA DEL FUEGO
USHUAIA
Cabo de Hornos
GEORGIA DEL SUR (R.U.)
Estr. de Drake

©edigol ediciones,s.a.

Un día de fiesta en Oaxaca, México.

Susana es de Chile.

Bailan el tango.

¡Vamos a esquiar!

Unos amigos en un café.

Un gaucho argentino.

Carlos vive en Bogotá, Colombia.

Puertorriqueños en Nueva York.

¡Jugamos al fútbol!

Ellos van en bicicleta.

¡Somos del Perú!

Hernán es de España.

Somos de Bolivia.

Una fiesta en Quito, Ecuador.

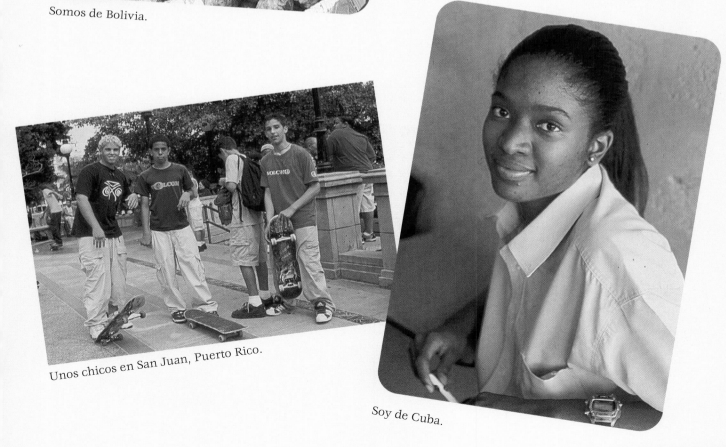

Unos chicos en San Juan, Puerto Rico.

Soy de Cuba.

Isla de Pascua, Chile

Machu Picchu, Perú

Chichicastenango, Guatemala

La Mancha, España

Ciudad de Panamá, Panamá

La Paz, Bolivia

Tierra del Fuego,
Argentina

Parque Nacional los Glaciares, Argentina

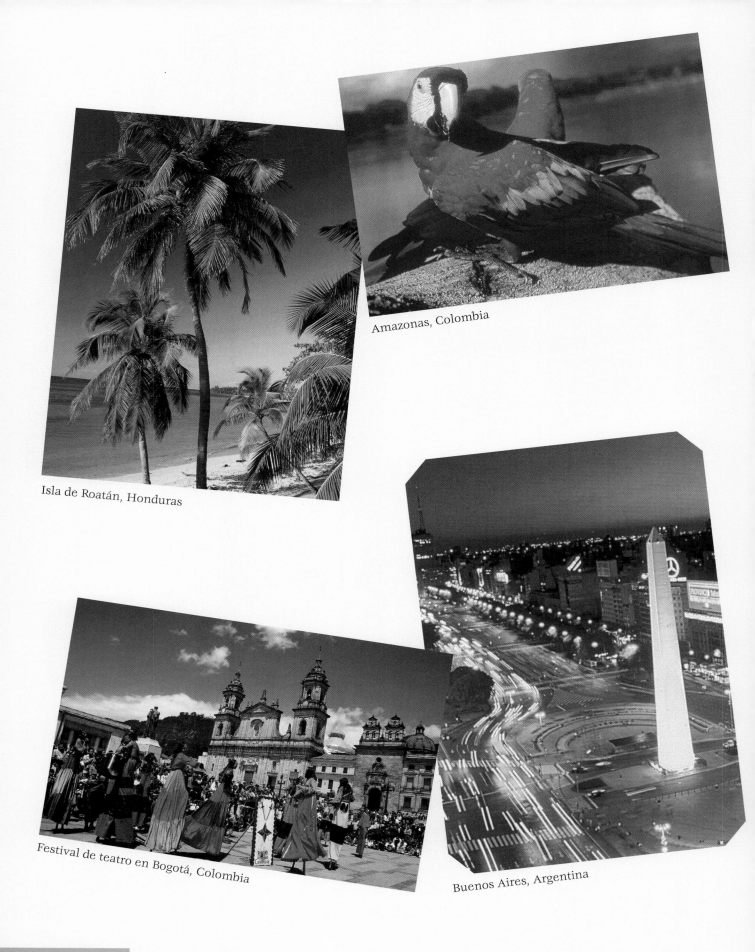

Amazonas, Colombia

Isla de Roatán, Honduras

Festival de teatro en Bogotá, Colombia

Buenos Aires, Argentina

Ciudad de México

Catedral de la Sagrada Familia, Barcelona, España

El Castillo de San Felipe del Morro, Puerto Rico

Volcán Arenal, Costa Rica

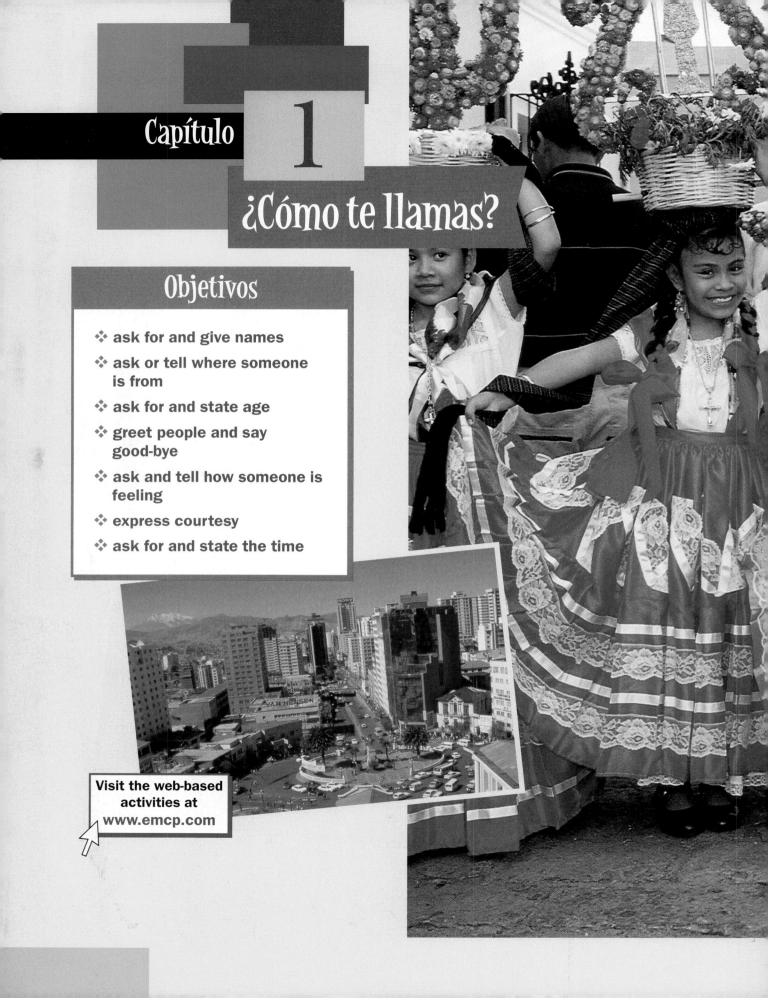

Capítulo 1

¿Cómo te llamas?

Objetivos

- ❖ ask for and give names
- ❖ ask or tell where someone is from
- ❖ ask for and state age
- ❖ greet people and say good-bye
- ❖ ask and tell how someone is feeling
- ❖ express courtesy
- ❖ ask for and state the time

Visit the web-based activities at
www.emcp.com

Vocabulario I
¿Cómo te llamas?

Hasta luego, Susana.

Adiós, Marcos.

Me llamo Raúl.

¡Hola! ¿Cómo te llamas?

Me llamo Juan. ¿Y tú?

Yo me llamo Ana.

¡Mucho gusto!

¿Cómo se escribe Hernán? ¿Con hache?

Sí, con hache mayúscula, e, ere, ene, a con acento, ene.

El alfabeto

a	a	ñ	eñe
b	be	o	o
c	ce	p	pe
d	de	q	cu
e	e	r	ere
f	efe	rr	erre
g	ge	s	ese
h	hache	t	te
i	i	u	u
j	jota	v	ve
k	ka	w	doble ve
l	ele	x	equis
m	eme	y	i griega
n	ene	z	zeta

H → mayúscula
h → minúscula

1 ¿Cómo se escribe?

Escribe los nombres que oyes.

MODELO Carlos

muchachas

Alicia	Dolores	Laura	Pilar
Ana	Elena	Luisa	Raquel
Ángela	Elisa	Luz	Rosa
Bárbara	Esperanza	Margarita	Sandra
Blanca	Eva	María	Sara
Carlota	Gabriela	Marta	Susana
Carmen	Gloria	Mercedes	Teresa
Carolina	Inés	Mónica	Verónica
Catalina	Isabel	Natalia	Virginia
Claudia	Josefina	Patricia	Yolanda
Cristina	Juana	Paula	
Diana	Julia	Paz	

muchachos

Alberto	Ernesto	José	Ramón
Alejandro	Esteban	Juan	Raúl
Andrés	Felipe	Julio	Ricardo
Ángel	Francisco	Lorenzo	Roberto
Antonio	Gerardo	Luis	Rodrigo
Benjamín	Guillermo	Marcos	Rogelio
Carlos	Héctor	Martín	Santiago
Daniel	Hernán	Miguel	Timoteo
David	Hugo	Nicolás	Tomás
Diego	Jaime	Pablo	Víctor
Eduardo	Jesús	Pedro	
Enrique	Jorge	Rafael	

2 Me llamo....

Write the words *muchacho* and *muchacha* on a piece of paper. In the appropriate column, list any names from activity 1 of people you know. Then, list up to five names of your friends or family and write the name that you think is the Spanish equivalent. Can you find your own name or one that is similar to yours?

¡Extra!

Los apodos

Nicknames (*apodos*) are common in Spanish. Examples include **Isa** (for *Isabel*), **Fina** or **Pepa** (for *Josefina*), **Lola** (for *Dolores*), **Lupe** (for *Guadalupe*), **Paco** or **Pancho** (for *Francisco*), **Pepe** (for *José*) and **Quique** (for *Enrique*). Personal characteristics are also used for nicknames in Spanish: **Flaco** (Slim).

3 ¡Mucho gusto!

Contesta las siguientes preguntas. *(Answer the following questions.)*

1. How would you greet someone in Spanish?
2. What would you say to find out a person's name?
3. What would you answer if someone asked ¿*Cómo te llamas*?
4. How might you politely tell someone you are pleased to meet him/her?
5. How do you say **Good-bye** in Spanish? And **See you later**?

4 ¿Cómo se escribe?

With a classmate, read aloud at least five male and five female names from activity 1 as your partner writes the names in Spanish. Next, take turns asking one another how to spell the names on the lists.

MODELO A: ¿Cómo se escribe *(name from list)*?
    B: Se escribe con *(spell name)*.
    A: ¿*(Spell name)*?
    B: Sí.

Diálogo I
¡Hola!

CARMEN: ¡Hola! ¿Cómo te llamas?
HUGO: Yo me llamo Hugo. ¿Y tú?
CARMEN: Me llamo Carmen.

HUGO: ¡Mucho gusto, Carmen!
CARMEN: ¿Cómo se escribe Hugo?
HUGO: Se escribe con hache mayúscula, u, ge, o.

HUGO: Hasta luego.
CARMEN: Adiós.

5 ¿Qué recuerdas?

Completa las frases de la izquierda con una de las frases de la derecha, según el diálogo ¡Hola! *(Complete the sentences on the left with the appropriate sentence on the right, according to the dialog ¡Hola!)*

1. ¡Hola! ¿Cómo...   A. ...gusto, Carmen!
2. Yo me...   B. ...te llamas?
3. Me llamo...   C. ...escribe Hugo?
4. ¡Mucho...   D. ...llamo Hugo. ¿Y tú?
5. ¿Cómo se...   E. ...hache mayúscula, u, ge, o.
6. Se escribe con...   F. ...Carmen.

6 Algo personal

1. ¿Cómo te llamas?
2. ¿Cómo se escribe *(your name)*?

7 ¿Cuál es la respuesta correcta?

Escoge una respuesta correcta a lo que oyes. *(Choose a correct response to what you hear.)*

Adiós.   Me llamo Carmen.

¡Mucho gusto, Carmen!   Sí, con hache.

Saludos y despedidas

Learning how to speak Spanish involves more than just learning vocabulary and grammar. Gestures *(los gestos)* go hand in hand with speaking, which makes conversation in Spanish seem much more animated than in English. Spanish-speaking people commonly greet one another with a quick, relaxed handshake, which may be followed by a hug *(un abrazo)* as they pat each other on the back. Often women and young girls greet each other with a light kiss on the cheek. In some countries, men and women who know each other well also greet one another with a kiss on the cheek (or on both cheeks in Spain). These same gestures are often repeated when saying good-bye. The next time you see people speaking Spanish, watch how they use their hands, eyes and bodies to communicate.

¡Mucho gusto!

¡Hola!

8 Comparando

In two columns (labeled *Similar* and *Diferente*) compare how you think the gestures and body language of a native Spanish speaker are similar to or different from yours when greeting someone or saying good-bye.

MODELO

Similar	Diferente
1. We shake hands sometimes.	1. We do not kiss on the cheeks.
2.	2.

Me llamo Juan.

Idioma

Estructura

Punctuation

¡Mucho gusto!

Have you noticed any punctuation marks in Spanish that are not used in English? Written Spanish requires two question marks and two exclamation points, one at the beginning and the other at the end of the sentence. The first is written upside down and tells you that a question or an exclamation will follow. No other punctuation (e.g., period, comma) follows this pattern.

¡Hola!

 Práctica

¿Y tú?

¿Cómo te llamas?

9 Puntuación

Señala la puntuación que falta en el siguiente diálogo. *(Point out the missing punctuation marks in the following dialog.)*

A: ¡Hola!
B: ¡Hola! ¿Cómo te llamas?
A: Me llamo Inés. ¿Y tú?
B: Yo me llamo Andrés.
A: ¡Mucho gusto, Andrés!
B: Mucho gusto. ¿Cómo se escribe Inés? ¿Con i?
A: Sí, con i mayúscula, ene, e con acento, ese
B: ¡Adiós, Inés!

Estrategia

Learning tip: Recognizing classroom expressions
You will see and hear many of the following common expressions. You do not have to memorize them, but learning to recognize them will help you understand instructions and complete activities in class during this school year. Look through the textbook to find examples of these expressions. Do they help you understand instructions?

Abre/Abran (el libro).	Open (your book).
Busca/Busquen… en la página….	Look for… on page….
Cierra/Cierren (el libro).	Close (your book).
Contesta/Contesten….	Answer….
Da/Den….	Give….
Di/Digan….	Say (or tell)….
Escoge/Escojan….	Choose….
Escribe/Escriban….	Write….
Escucha/Escuchen.	Listen.
Habla/Hablen en español.	Speak in Spanish.
Haz/Hagan….	Make (or do)….
Lee/Lean….	Read….
Levanta/Levanten (la mano).	Raise (your hand).
Mira/Miren.	Look.
Pasa/Pasen a (la pizarra).	Go to (the board).
Responde/Respondan….	Respond….
Saca/Saquen (una hoja de papel).	Take out (a sheet of paper).
Señala/Señalen (el mapa).	Point at (the map).
Siéntate/Siéntense.	Sit down.

10 ¿En qué orden?

Haz oraciones lógicas usando las siguientes pistas. *(Make complete sentences using the following cues.)*

MODELO   llamo / Me / Alejandro / .
         Me llamo Alejandro.

1. ¡ / ! / Hola
2. llamas / ? / te / ¿ / Cómo
3. Carlota / . / llamo / Me / ¿ / tú? / Y
4. Yo / Carlota / Jaime / . / me / gusto, / ! / llamo / ¡Mucho
5. se / ¡Mucho / ¿ / Cómo / Jaime? / gusto / ! / escribe
6. escribe / Se / jota / i, / con / eme, / mayúscula, / a, / e / .

Comunicación

11 A escribir

Imagine you are a scriptwriter for a video that is being produced in Spanish. Write a scene in which two Spanish-speaking teenagers meet. They should: 1) greet one another; 2) ask each other's name and how to spell it; 3) say good-bye. Be sure to add director's notes, where appropriate, suggesting gestures and body language the actors should use.

SCENE ONE: THEY MEET

Boy: Hola. ¿Cómo te llamas?
Girl: Me llamo Claudia.
Boy: Yo me llamo Daniel.
       (They shake hands.)
       Mucho gusto.

Vocabulario II

¿De dónde eres?

Los países hispanohablantes

Argentina
Bolivia
Chile
Colombia
Costa Rica
Cuba
Ecuador
El Salvador

España
Estados Unidos
Guatemala
Guinea Ecuatorial
Honduras
México
Nicaragua
Panamá

Paraguay
Perú
Puerto Rico
República
   Dominicana
Uruguay
Venezuela

Los números del 0 al 20

0	cero	11	once
1	uno	12	doce
2	dos	13	trece
3	tres	14	catorce
4	cuatro	15	quince
5	cinco	16	dieciséis
6	seis	17	diecisiete
7	siete	18	dieciocho
8	ocho	19	diecinueve
9	nueve	20	veinte
10	diez		

12 Los países

Practice saying the names of the Spanish-speaking countries you hear. Write the name of each country after it is repeated.

13 Los números

In pairs, begin counting with *cero* and continue by twos to *veinte*. Start over, beginning with *uno*, and count by twos to *diecinueve*.

 14 Del cero al veinte

Soy de Honduras.

Create your own pattern of at least four numbers from zero to twenty. Then with a classmate, read the numbers aloud as your partner writes them down. Next, have your partner spell aloud the numbers from the list while you write them. Compare the lists and make any needed corrections. Switch roles.

MODELO **A:** cinco, diez, quince, veinte
        B: *(Write* cinco.*)*
        B: ce, i, ene, ce, o
        A: *(Write* cinco.*)*
           (Compare the numbers you have written.)

 15 Una encuesta

Survey classmates to find out the range of ages in your Spanish class. Begin by preparing a chart. Then ask ten classmates how old they are in Spanish, filling in the blank space with their age and adding a mark in the column underneath for each person who is the same age. Summarize your findings for the class.

Encuesta			
14	15		
\\	|||		

¿Cuántos años tienes?

Diálogo II

¿De dónde eres, Hugo?

CARMEN: ¿De dónde eres, Hugo?
HUGO: Soy de Bogotá, la capital de Colombia.

HUGO: ¿Y tú? ¿Eres de aquí?
CARMEN: No. Yo soy de México.

CARMEN: ¿Cuántos años tienes, Hugo?
HUGO: Tengo dieciséis años. ¿Y tú?
CARMEN: Yo tengo quince años.

16 ¿Qué recuerdas?

Completa las frases de la izquierda con una de las frases de la derecha, según el diálogo *¿De dónde eres, Hugo?*

1. ¿De dónde...
2. Soy de Bogotá,...
3. ¿Y tú? ¿Eres...
4. No. Yo soy...
5. ¿Cuántos años...
6. Tengo...

A. ...de aquí?
B. ...tienes, Hugo?
C. ...la capital de Colombia.
D. ...dieciséis años.
E. ...eres, Hugo?
F. ...de México.

17 Algo personal

1. ¿De dónde eres?
2. ¿Cuántos años tienes?

18 ¿Cuántos años tienes?

 Escribe los números que oyes.

MODELO

dieciséis

1

3

2

4

19 Conexión con otras disciplinas: geografía

Using the map at the front of the textbook, identify the capitals of the Spanish-speaking countries.

Los chambelanes en mi cumpleaños.

Los cumpleaños

Birthdays (los cumpleaños) are important events throughout the Spanish-speaking world. Carmen's fifteenth birthday (la quinceañera) was a big occasion since the event often symbolizes that a girl is ready to date. Traditionally, this coming-of-age celebration begins with a religious ceremony followed by a fancy reception at home or in a local banquet hall. The festivities include food, music and, often, a choreographed dance performed by the birthday girl and her court, which is composed of male escorts (chambelanes) and maids of honor (damas). It takes a lot of time, money and effort to plan a fiesta de quinceañera. Today, instead of the traditional party, a growing number of fifteen-year-old girls (quinceañeras) prefer to receive a special gift. Spanish-speaking males, on the other hand, celebrate their fifteenth birthday (el quinceañero) like any other cumpleaños with a small party, an informal dance, a trip to the beach or a special dinner with their family.

Tengo quince años.

Soy quinceañera.

20 Comparando

Is the way Latin American teenagers celebrate their birthdays different from what you and your friends do? If you were a *quinceañero* or *quinceañera* in Mexico, how would you choose to celebrate your coming of age? Explain.

Estructura

Definite articles and countries

Some Spanish speakers use the definite articles *(artículos definidos) el, la* and *los* with these country names, whereas others prefer to omit the articles. Their use is optional.

la	Argentina	→	Argentina
el	Ecuador	→	Ecuador
los	Estados Unidos	→	Estados Unidos
el	Paraguay	→	Paraguay
el	Perú	→	Perú
la	República Dominicana	→	República Dominicana
el	Uruguay	→	Uruguay

Práctica

21 Los países hispanohablantes

Working in pairs, list as many Spanish-speaking countries as you can in three minutes. Check your work by looking at the map in the book. How many are there?

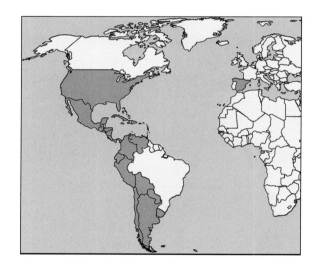

22 Soy de la capital

Selecciona la respuesta más apropiada. *(Select the most appropriate response.)*

1. ¿Eres de Venezuela?
2. ¿Eres de la Argentina?
3. ¿Eres de España?
4. ¿Eres de Ecuador?
5. ¿Eres de El Salvador?

A. Sí, soy de la capital, San Salvador.
B. Sí, soy de la capital, Quito.
C. Sí, soy de la capital, Madrid.
D. Sí, soy de la capital, Caracas.
E. Sí, soy de la capital, Buenos Aires.

23 ¿Qué países quieres visitar?

What countries in the Spanish-speaking world would you like to visit? Why?

◈ Comunicación

With a classmate, take turns asking for one another's names and where each of you is from. In your answer, choose a city and country from one of the Spanish-speaking countries you have studied.

Estructura

Cognates

Words in Spanish often resemble English words you already know (e.g., *acento* looks similar to the English word **accent**). Words that resemble one another and that have the same meaning in two languages are called **cognates** *(cognados)*. Do you recognize these cognates?

Argentina   *capital*   *diálogo*   *persona*   *teléfono*   *vocabulario*

When words look similar but have entirely different meanings in Spanish and English, they are called **false cognates.** Here are a few examples: *colegio* (school), *éxito* (success), *lectura* (reading), *sin* (without).

Buenos Aires, la capital de Argentina.

Práctica

25 Los cognados

Practice pronouncing these cognates. Try to guess the meaning of the words as you say them.

1. favorito
2. estudiar
3. el chocolate
4. formal
5. México
6. el actor
7. la persona
8. la capital
9. el animal
10. la televisión
11. el restaurante
12. el teléfono
13. la posibilidad
14. el diálogo
15. el vocabulario

¡Oportunidades!

¿Por qué estudiar español?
Knowing Spanish offers you opportunities to communicate with people throughout the Spanish-speaking world. In addition, learning Spanish will...

- help you understand other cultures.
- offer you insights into and a better understanding of your own culture.
- improve your English skills.
- increase employment opportunities.

26 ¡Varias profesiones son cognados!

Indica la letra de la foto que corresponde con la profesión de las siguientes personas.

A   **B**   **C**   **D**

1. Es veterinario.
2. Es actor de televisión.
3. Es profesora.
4. Es policía.

✧ Comunicación

27 A conversar

Working with a classmate, read and discuss this article. Do not use a dictionary to look up words. Then, prepare a list of the cognates. Finally, write a short summary of what you understood.

WWW

www.mrshowbiz.go.com/celebrities/people

Si deseas ver la historia, la biografía, las fotos más recientes y las anécdotas de tus artistas favoritos, entra en esta página Web. Aquí encuentras toda la información sobre las estrellas; noticias y novedades de los famosos de Hollywood, así como enlaces que te llevan a los sitios personales de numerosos personajes.

Penélope Cruz

28 ¡Mucho gusto!

Working with a partner, create a dialog in which you ask for one another's names and ages, and where each of you is from. Each person should prepare at least four lines. Practice the dialog and then present it in class. Remember to shake hands when appropriate.

¿De dónde eres tú?

Capítulo 1

Lectura cultural

¡Visita las diez maravillas del mundo hispanohablante!

La Catedral de Sevilla, España.

Si estás buscando[1] un destino diferente para tus próximas[2] vacaciones, te invitamos[3] a visitar los sitios de nuestro[4] "tour de los récords del mundo hispanohablante[5]". El tour incluye[6] diez maravillas fascinantes en diferentes lugares[7] del mundo: España, la república africana de Guinea Ecuatorial, América del Sur, América Central, México y el Caribe.

Diez maravillas para visitar:

1. La **Catedral** en Sevilla, España, el edificio[8] gótico[9] más grande[10] de Europa.
2. **Guinea Ecuatorial,** uno de los países más húmedos del planeta.
3. **Ojos del Salado,** Argentina, el volcán activo más alto[11] del planeta.
4. El **Desierto de Atacama,** Chile, el desierto más árido del planeta.
5. **La Paz,** Bolivia, la capital más alta del planeta.
6. **Cuzco,** Perú, la ciudad más antigua[12] habitada de forma continua[13] del continente.
7. El **Salto del Ángel,** Venezuela, la catarata[14] más alta del planeta.
8. **Granada,** Nicaragua, la ciudad colonial más antigua de América Central.
9. La **pirámide Quetzalcóatl** en Cholula, México, la pirámide más grande del planeta.
10. La **Universidad Autónoma de Santo Domingo,** la República Dominicana, la universidad más antigua de América.

[1]If you are looking for [2]for your next [3]we invite you [4]our [5]Spanish-speaking world [6]includes [7]places [8]building [9]Gothic (style of architecture) [10]biggest [11]highest [12]oldest city [13]continuously inhabited [14]waterfall

29 ¿Qué recuerdas?

Corrige las siguientes oraciones. *(Correct the following sentences.)*

1. El desierto más árido del planeta está en Guinea Ecuatorial.
2. La capital más alta del planeta es Cuzco, Perú.
3. La universidad más antigua de América está en México.
4. El Salto del Ángel es el volcán activo más alto del planeta.
5. La pirámide más grande del planeta está en Egipto.

30 Algo personal

1. Name three facts that you learned in this reading. What is the most surprising one? Which world records, if any, did you already know about?
2. If you took this trip around the Spanish-speaking world, which of the ten places would you like to visit the longest? Explain why.

El Salto del Ángel, Venezuela.

¿Qué aprendí?

Autoevaluación

As a review and self-check, respond to the following:

1. Answer the question *¿Cómo te llamas?*

2. Say hi to someone in Spanish.

3. How can you ask where someone is from?

4. What do you say to find out how old someone is? How would you answer that question?

5. How can you tell someone in Spanish that you are pleased to meet them?

6. How will learning Spanish be beneficial to you in the future?

Palabras y expresiones

Despedidas
Adiós.
Hasta luego.

Números
cero
uno
dos
tres
cuatro
cinco
seis
siete
ocho
nueve
diez
once
doce
trece
catorce
quince
dieciséis
diecisiete
dieciocho
diecinueve
veinte

Países
la Argentina
Bolivia
Chile
Colombia
Costa Rica
Cuba
el Ecuador
El Salvador
España
los Estados Unidos
Guatemala
Guinea Ecuatorial
Honduras
México
Nicaragua
Panamá
el Paraguay
el Perú
Puerto Rico
la República
    Dominicana
el Uruguay
Venezuela

Palabras interrogativas
¿cómo?
¿(de) dónde?

Personas
tú
yo

Saludos
Hola.
Mucho gusto.

Verbos
eres
me llamo
se escribe
soy
te llamas
tengo
tienes

Otras expresiones
el acento
aquí
la capital
¿Cómo te llamas?
con
¿Cuántos años tienes?

de
¿Eres (tú) de...?
la mayúscula
la minúscula
el muchacho,
    la muchacha
no
el país
sí
Tengo *(number)* años.
y

¡Extra!

¡Ojo!

The section *Palabras y expresiones* lists vocabulary that you are responsible for knowing how to use. Words and expressions that are for recognition only are not included here. Refer to the *Vocabulario* at the end of *Capítulo 1* for a reference list of definitions or learn to use the Spanish/English dictionary at the back of this book to look up any words and expressions you cannot figure out.

1 ¿Saludo o despedida?

Di si lo que oyes es: *un saludo; una despedida; un saludo y una despedida.* (*Say if what you hear is:* a greeting, a farewell or a greeting and a farewell.)

Es un saludo.

ES UN SALUDO Y UNA DESPEDIDA.

Es una despedida.

2 ¡Hola!

Completa los siguientes diálogos de una manera lógica. (*Complete the following dialogs logically.*)

A: ¡Hola! ¿Qué (1)?
B: Estoy (2).

A: Buenos días, Sra. Fernández. ¿Cómo (3) Ud.?
B: Estoy bien, (4).

A: ¿(5) tal?
B: (6), muy (7).

A: ¿(8) estás, Julia?
B: Estoy (9) mal, Pedro.

> **¡Extra!**
>
> **Las abreviaturas**
>
> Just as **Mr.** is a shortened form of the word **mister** in English, *Sr.* is an abbreviation (*abreviatura*) for *señor* in Spanish. Other abbreviations: *Srta.* (*señorita*), *Sra.* (*señora*), *Ud.* (*usted*), *Uds.* (*ustedes*), *Dr.* (*doctor*) and *Dra.* (*doctora*).

3 ¿Adiós?

Escoge la despedida apropiada para las siguientes situaciones.

> **Hasta luego.**   **Buenas noches.**
> **Adiós.**
> Hasta pronto.   Hasta mañana.

1. A friend's family is moving away to live in Madrid.
2. It is Monday morning and you are leaving home to go to school.
3. You are leaving friends at the end of the school day.
4. It is Saturday night and you are leaving your friends to go home after a basketball game.

Diálogo I

Buenos días

ALICIA: Buenos días, Quique. ¿Cómo estás?
QUIQUE: Estoy muy bien.

QUIQUE: ¿Y tú? ¿Qué tal?
ALICIA: Bien, gracias.

ALICIA: Adiós, Quique.
QUIQUE: Adiós, no. Hasta pronto.

4 ¿Qué recuerdas?

Completa las frases de la izquierda con una de las frases de la derecha, según el diálogo *Buenos días*.

1. ¿Cómo...   A. ...muy bien.
2. Estoy...   B. ...gracias.
3. ¿Y tú? ¿Qué...   C. ...estás?
4. Bien,...   D. ...pronto.
5. Adiós,...   E. ...Quique.
6. Hasta...   F. ...tal?

5 Algo personal

Greet four or five students in class and ask how each one is. Your classmates then answer and ask how you are.

MODELO   A: Buenos días/Buenas tardes, *(name of student B)*. ¿Qué tal?
         B: Mal. ¿Y tú?
         A: Muy bien, gracias.

> **¡Extra!**
>
> **¡Estoy muy mal!**
>
> | | |
> |---|---|
> | ¿Por qué? | *Why?* |
> | Me duele la cabeza. | *I have a headache./ My head hurts.* |
> | Me duele el estómago. | *My stomach hurts.* |
> | Me duele la garganta. | *I have a sore throat.* |
> | Tengo catarro. | *I have a cold.* |

6 ¿Cuál es una respuesta correcta?

 Escoge una respuesta correcta a lo que oyes.

Bien, gracias.

BUENOS DÍAS.

Adiós, no. Hasta pronto.

Más sobre los saludos

Spanish is the official language in Spain, in eighteen Latin American countries, in the African nation of Equatorial Guinea and in the Commonwealth of Puerto Rico. Spanish is also used extensively in the United States, in Europe and elsewhere for both business and pleasure. Because so many people speak Spanish in so many places around the world, you can well imagine that the words and expressions people use vary a great deal. For example, the most

Buenos días.

Buenas tardes.

common Spanish greetings are the informal *hola* and the more formal *buenos días* (which is used until around noon), *buenas tardes* (which is used until around dusk) and *buenas noches* (which can be used as an evening greeting or as another way to take leave of someone). However, *buenas* is sometimes used by itself as a short form of either *buenas tardes* or *buenas noches*. The word *muy* can then be added to these expressions for emphasis, as in *muy buenos días* or *muy buenas*.

7 Los saludos en el mundo hispano

¿*Sí* o *no*? Corrige lo que no es lógico.

1. *Hola* and *Buenos días* are both formal ways to say good-bye.
2. *Buenas tardes* is used to greet someone in the morning.
3. *Buenas noches* is used to greet someone in the evening.
4. You may hear *Buenas* or *Muy buenas* when someone is greeting you in the afternoon or in the evening.

8 Saludos y despedidas

Haz una lista en español de saludos y una lista de despedidas.

MODELO

Saludos	Despedidas
Muy buenas.	Hasta pronto.

Estructura

Formal/Informal

Spanish has several words for **you.** Use the informal *tú* when talking to someone you refer to by a first name. Use the more formal *usted* (abbreviated *Ud.*) when talking to someone you would address using a title (*señor Torres, señorita Jiménez*).

Although throughout the Spanish-speaking world the plural **you** is *ustedes* (abbreviated *Uds.*), in Spain you have two choices for **you** when speaking to more than one person: 1) use the informal *vosotros* (for males or a combination of males and females) or *vosotras* (for females) with two or more friends, family members or younger people; 2) use the more polite and formal *ustedes* (or *Uds.*) when talking with two or more people you address using a title.

	singular	plural
informal	tú	ustedes (*Uds.*)
		vosotros (*masculine*)/vosotras (*feminine*)
formal	usted (*Ud.*)	ustedes (*Uds.*)

 Práctica

 A saludar

How would you address these people? Choose either *tú, Ud., Uds., vosotros* or *vosotras*.

1. a friend at school *tú*
2. your sister *tú*
3. your teacher *Ud.*
4. an elderly couple you have just met *Uds.*
5. the principal at your school *Ud.*
6. two close friends (Latin America) *Uds.*
7. two close female friends (Spain) *vosotros*
8. two close male friends (Spain) *vosotros*

10 ¿Tú, usted, ustedes, vosotros o vosotras?

Would you use *tú*, *usted*, *ustedes*, *vosotros* or *vosotras* when talking to these people?

1. María y Lupe (México)

2. Amalia y José (España)

3. la Sra. Sánchez (República Dominicana)

4. Paz, Mercedes y Marta (España)

5. Pepe (Ecuador)

6. el Sr. Fernández y el Sr. García (España)

11 ¿Cómo están?

Greet these people in Spanish and ask how they are feeling.

MODELO
Paula
Hola, Paula. ¿Cómo estás?/¿Qué tal?

1. Sr. y Sra. Uribe   **2.** Antonio   **3.** Jaime y Marta   **4.** Srta. Sosa   **5.** Teresa y Raquel

◈ Comunicación

12 Estoy....

You have just walked up to some friends. In groups of three, talk about how you are feeling. Be sure everyone in the group practices each of the roles shown (*A*, *B* and *C*).

MODELO
A: *(Greet two classmates and ask how they feel.)*
B: *(Say how you feel.)*
C: *(Say how you feel and ask how student A feels.)*
A: *(Say how you feel.)*

Vocabulario II
¿Qué hora es?

Los números del 21 al 100

21	veintiuno	31	treinta y uno
22	veintidós	32	treinta y dos
23	veintitrés	40	cuarenta
24	veinticuatro	50	cincuenta
25	veinticinco	60	sesenta
26	veintiséis	70	setenta
27	veintisiete	80	ochenta
28	veintiocho	90	noventa
29	veintinueve	100	cien
30	treinta		

13 Los números hasta cien

 Escribe los números que oyes.

MODELO treinta

14 Conexión con otras disciplinas: matemáticas

Completa de forma lógica las siguientes series de números hasta 100.

1. cero, cinco, diez...
2. cero, siete, catorce...
3. cero, once, veintidós...
4. cero, trece, veintiséis, treinta y nueve...

Nueve por nueve, ochenta y uno.

Diálogo II

¿Cómo te llamas?

QUIQUE: Por favor, ¿qué hora es?
PALOMA: Son las tres y diez.
QUIQUE: Muchas gracias.

QUIQUE: Perdón, ¿cómo te llamas?
PALOMA: Me llamo Paloma.
QUIQUE: Mucho gusto. Me llamo Quique.

PALOMA: Con permiso.
QUIQUE: Sí, lo siento.

15 ¿Qué recuerdas?

1. ¿Qué hora es en el diálogo?
2. ¿Qué dice el muchacho antes de preguntar el nombre a la muchacha? (*What does the boy say before asking the girl's name?*)
3. ¿Cómo se llama la muchacha?
4. ¿Cómo se llama el muchacho?
5. ¿Qué dice la muchacha antes de bajar del autobús? (*What does the girl say before getting off the bus?*)

16 Algo personal

1. ¿Qué hora es?
2. ¿Cómo te llamas?

17 ¿Qué hora es?

 Escribe la hora que oyes. (*Write the time you hear.*)

MODELO 9:25

3:10   1:30   6:00   4:20
9:25   12:40   5:15

Cultura viva

Con cortesía

The expressions *Perdón* and *Con permiso* are equivalent to "Excuse me." However, these expressions are used in different situations. Use *Perdón* to interrupt a conversation, to get someone's attention, to indicate you do not understand what someone said or to excuse yourself if you bump into someone. *Con permiso*, on the other hand, is used more specifically to ask someone to let you pass by or to politely let someone know you are about to leave.

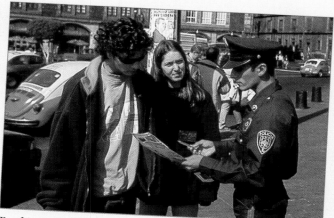

Perdón, ¿dónde está... ?

18 Lo cortés no quita lo valiente

Selecciona la respuesta más apropiada para cada (*each*) situación en la ilustración.

- De nada.
- Muchas gracias.
- Perdón, ¿qué hora es?
- Con permiso.
- Cuatro, por favor.
- Perdón.
- Con mucho gusto.
- Perdón. Lo siento.

19 ¿Qué dices?

Indicate which of these expressions you would use in the following situations.

Con permiso.   Perdón.   Dos, por favor.
De nada.   Con mucho gusto.   No, gracias.
Muchas gracias.   Perdón. Lo siento.   Perdón, ¿qué hora es?

1. You want to politely refuse an offer to do something. *no, gracias*
2. A friend asks you for help. *con mucho gusto*
3. Someone thanks you for doing something. *de nada*
4. You step on someone's foot. *Perdón. Lo siento*
5. You are on an elevator standing behind other people and you want to exit. *Con permiso*
6. You politely ask for two movie tickets. *dos, por favor*
7. Someone speaks to you so quickly in Spanish that you cannot understand what the person is saying. *perdón*

Estructura

Time

You can find out what time it is by asking *¿Qué hora es?* When giving the time in Spanish, use *Es la una* to refer to one o'clock and *Son las* (+ number) to indicate any other hour.

   1:00 *Es la una.*   2:00 *Son las dos.*

Use *y* (+ number of minutes through *veintinueve*) to add minutes after the hour or *menos* (+ number of minutes through *veintinueve*) to indicate time before the hour.

   2:29 *Son las dos y veintinueve.*   2:31 *Son las tres menos veintinueve.*

Add *y cuarto* for a quarter past the hour, *y media* for half past the hour and *menos cuarto* for a quarter to the hour.

   4:15 *Son las cuatro y cuarto.*   4:30 *Son las cuatro y media.*
   4:45 *Son las cinco menos cuarto.*

In Spanish, the expression A.M. is equivalent to *de la mañana* (in the morning). Morning goes from midnight to noon. P.M. is equivalent to *de la tarde* (in the afternoon) or to *de la noche* (at night). Afternoon is from noon to around 6:00 P.M., and night extends from 6:00 P.M. to midnight.

Two additional useful expressions: *Es mediodía* (It is noon) and *Es medianoche* (It is midnight).

Práctica

20 La hora

MODELO

Indica qué hora es.

Son las cinco.

1

2

3

4

5

6

7

8

21 La entrevista

Completa el siguiente diálogo de una manera lógica.

LORENZO:	Buenos (1), Sra. Vargas.
SRA. VARGAS:	¡Hola, Lorenzo! ¿Cómo (2)?
LORENZO:	Estoy bien, (3). ¿Y (4)?
SRA. VARGAS:	(5) muy bien.
LORENZO:	(6), ¿(7) hora es?
SRA. VARGAS:	(8) las diez y media de la (9).
LORENZO:	¿No son (10) nueve y media?
SRA. VARGAS:	No.
LORENZO:	¡Uy! Tengo clase de español. Hasta (11).
SRA. VARGAS:	Adiós, hasta (12).

¡Extra!

Los gestos

Gestures and other non-spoken language are important when talking with people in Spanish about how they feel: In several countries, turning your thumb up indicates you feel well, whereas turning your thumb down signals you do not feel well.

bien 👍   **mal** 👎

✿ Comunicación

22 Por favor, ¿qué hora es?

Imagine you have stopped someone on the street to politely ask what time it is. Take turns asking for and stating the indicated time.

MODELO

A: Por favor, ¿qué hora es?
B: Son las siete y cuarto (y quince) de la mañana.
A: Muchas gracias.

1

2

3

4

5

6

7

8

Lectura personal

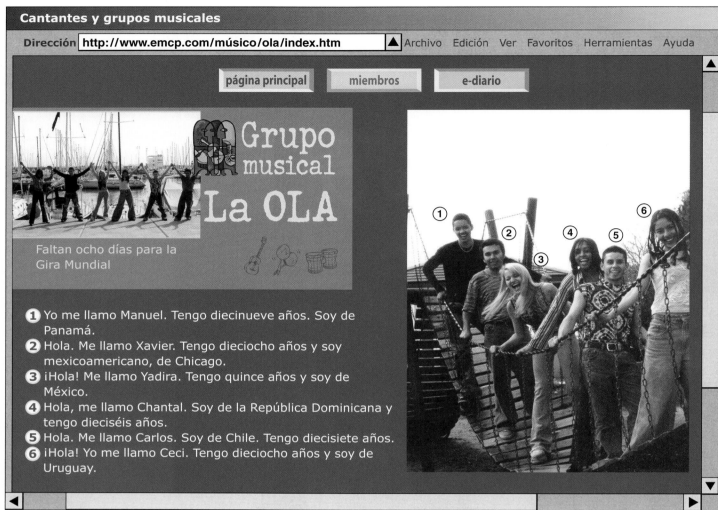

Cantantes y grupos musicales

Dirección http://www.emcp.com/músico/ola/index.htm ▲ Archivo Edición Ver Favoritos Herramientas Ayuda

página principal | miembros | e-diario

Grupo musical La OLA

Faltan ocho días para la Gira Mundial

① Yo me llamo Manuel. Tengo diecinueve años. Soy de Panamá.

② Hola. Me llamo Xavier. Tengo dieciocho años y soy mexicoamericano, de Chicago.

③ ¡Hola! Me llamo Yadira. Tengo quince años y soy de México.

④ Hola, me llamo Chantal. Soy de la República Dominicana y tengo dieciséis años.

⑤ Hola. Me llamo Carlos. Soy de Chile. Tengo diecisiete años.

⑥ ¡Hola! Yo me llamo Ceci. Tengo dieciocho años y soy de Uruguay.

23 ¿Qué recuerdas?

Match the person on the right with the information on the left.

D **1.** 19 años   **A.** Yadira
C **2.** Uruguay   **B.** Xavier
E **3.** 17 años   **C.** Ceci
A **4.** México   **D.** Manuel
F **5.** 16 años   **E.** Carlos
B **6.** Chicago   **F.** Chantal

24 Algo personal

1. What kind of music do you think the band La Ola plays? Do you listen to music in Spanish? If so, what is the name of the band or singer?

2. You have now seen pictures of people who are from various Spanish-speaking countries. Do you think you can tell what language someone speaks just by looking at the person?

¿Qué aprendí?

Autoevaluación

As a review and self-check, respond to the following:

1. How would you greet your teacher in the morning in Spanish?
2. What might you ask to find out how a friend feels? Two classmates?
3. Ask for the time in Spanish.
4. Say it is 8:45 at night.
5. What should you say to ask for something politely in Spanish?
6. What do you say to thank someone in Spanish?

Palabras y expresiones

Cortesía
con mucho gusto
con permiso
de nada
(muchas) gracias
lo siento
perdón
por favor

Gente
el señor (Sr.)
la señora (Sra.)
la señorita (Srta.)
usted (Ud.)
ustedes (Uds.)
vosotros,-as

La hora
de la mañana
de la noche
de la tarde
Es la.... / Son las....
Es medianoche.

Es mediodía.
la hora
la mañana
menos
la noche
¿Qué hora es?
la tarde
y cuarto
y media

Números
veintiuno
veintidós
veintitrés
veinticuatro
veinticinco
veintiséis
veintisiete
veintiocho
veintinueve
treinta (y uno, etc.)

cuarenta
cincuenta
sesenta
setenta
ochenta
noventa
cien

Saludos y despedidas
Buenas noches.
Buenas tardes.
Buenos días.
Hasta mañana.
Hasta pronto.

Verbos
es
está (él, ella)
está (Ud.)

están (Uds.)
estás (tú)
estoy
son

Otras expresiones
bien
mal
muy
pronto
¿Qué tal?
regular

¡Con permiso!

Tú lees

Estrategia

Using cognates to understand Spanish

Spanish will be more enjoyable to read if you learn some techniques that will help you recognize cognates. For example, many words that end in *-ión* have English counterparts that end in **-tion,** such as *información* (information). Look at the endings in these words: *adicional, biología.* Can you guess what they mean? What would be the endings of their English equivalents?

Preparación

Contesta a las siguientes preguntas como preparación para la lectura:

1. Give five examples of cognates you have seen in *Capítulo 1*.
2. Find at least five cognates in the country information that follows.

El mundo hispanohablante

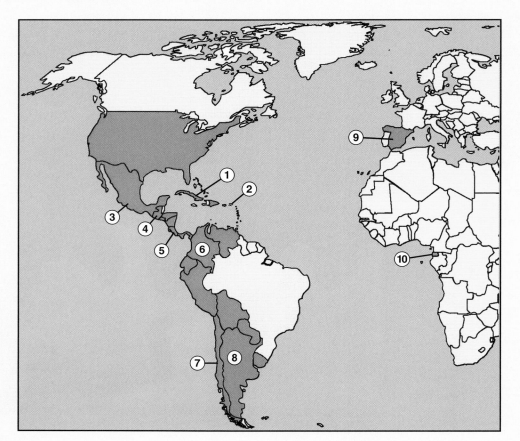

1 **Nombre oficial:** República de Cuba
Capital: La Habana
Poblacion aproximada: 11,2 millones
Moneda: el peso
Persona famosa: José Martí (escritor, revolucionario)

2 **Nombre oficial:** Puerto Rico
Capital: San Juan
Población aproximada: 3,9 millones
Moneda: el dólar (EE.UU.)
Persona famosa: Ricky Martin (cantante)

3 **Nombre oficial:** Estados Unidos Mexicanos
Capital: México, D.F.
Población aproximada: 101 millones
Moneda: el peso
Persona famosa: Octavio Paz (escritor, premio Nobel de Literatura)

4 **Nombre oficial:** República de El Salvador
Capital: San Salvador
Poblacion aproximada: 6,3 millones
Moneda: el colón
Persona famosa: Francisco Gavidia (dramaturgo)

5 **Nombre oficial:** República de Costa Rica
Capital: San José
Población aproximada: 3,9 millones
Moneda: el colón
Persona famosa: Óscar Arias Sánchez (ex-presidente, premio Nobel de la Paz)

6 **Nombre oficial:** Colombia
Capital: Bogotá
Población aproximada: 43 millones
Moneda: el peso
Persona famosa: Gabriel García Márquez (escritor, premio Nobel de Literatura)

7 **Nombre oficial:** República de Chile
Capital: Santiago de Chile
Población aproximada: 15 millones
Moneda: el peso
Persona famosa: Isabel Allende (escritora)

8 **Nombre oficial:** República Argentina
Capital: Buenos Aires
Población aproximada: 37 millones
Moneda: el peso
Persona famosa: Jorge Luis Borges (escritor, poeta)

9 **Nombre oficial:** España
Capital: Madrid
Población aproximada: 40 millones
Moneda: el euro
Persona famosa: Pablo Picasso (pintor)

10 **Nombre oficial:** Guinea Ecuatorial
Capital: Malabo
Población aproximada: 500.000
Moneda: el franco CFA
Persona famosa: Teodoro Obiang (presidente)

A ¿Qué recuerdas?

Match the famous person named in column A with the country he or she is from under column B.

Column A	Column B
1. Jorge Luis Borges	A. México
2. Isabel Allende	B. Costa Rica
3. Pablo Picasso	C. Chile
4. Octavio Paz	D. Guinea Ecuatorial
5. Teodoro Obiang	E. Argentina
6. Óscar Arias	F. España
7. José Martí	G. El Salvador
8. Francisco Gavidia	H. Cuba

B Algo personal

1. Can you name any famous Hispanic people? Who? Name four or five people, if you can, and say why they are well known.
2. If you could have a conversation with one of the famous people mentioned above, who would it be? Why?

Tú escribes

A How many of these words can you recognize?

Look them up in the dictionary and decide which are cognates *(cognados)* and which are false cognates *(cognados falsos)*.

B Make a list of some cognates you have learned.

Use what you know about word endings to think of words that might have cognates in Spanish. Then check your guesses in the dictionary. Find at least three new cognates.

Proyectos adicionales

A Comunidades

You have already learned where Spanish is spoken in the world. Working in groups of three or four, prepare a list of several famous people *(las personas famosas)* who speak Spanish and say where they are from.

Estrategia

Recognizing community connections
As you learn Spanish this year, you will also learn about the culture of the people who speak Spanish. Who are they? Where do they live? What is their history? What contributions have they made to the world? Read newspapers, watch television, search the Internet and try to find out more about the influence Spanish has on the world today.

B Conexión con la tecnología

Research one of the countries where Spanish is the official language. You might surf the Web to try to find a home page that provides information on festivals, holidays, restaurants, maps and so forth. Then create your own travel brochure that features that country.

C Conexión con otras disciplinas: geografía

Draw your own map of the Spanish-speaking world. Include the names of the Spanish-speaking countries, their capital cities, major bodies of water, large mountain chains, etc. Make the finished map attractive by adding color and any other details you wish. Present the map to the class.

Visita Honduras

Repaso

Now that I have completed this chapter, I can ... **Go to these pages for help:**

ask for and give names.	2
ask or tell where someone is from.	8
ask for and state age.	8
greet people and say good-bye.	18
ask and tell how someone is feeling.	18
express courtesy.	24
ask for and state the time.	24

I can also ...

spell words in Spanish.	2
use appropriate gestures to greet people.	5
identify where Spanish is spoken.	8
state why learning Spanish may be beneficial in one's life.	14
recognize the difference between informal and formal in Spanish.	22
read a simple narrative in Spanish.	30

Trabalenguas

Tres tristes tigres tragaban trigo en tres tristes trastos sentados tras un trigal.

Vocabulario

el **acento** accent *1A*
Adiós. Good-bye. *1A*
aquí here *1A*
la **Argentina** Argentina *1A*
bien well *1B*
Bolivia Bolivia *1A*
Buenas noches. Good night *1B*; *Buenas tardes.* Good afternoon *1B*
Buenos días. Good morning *1B*
la **capital** capital *1A*
catorce fourteen *1A*
cero zero *1A*
Chile Chile *1A*
cien one hundred *1B*
cinco five *1A*
cincuenta fifty *1B*
Colombia Colombia *1A*
¿cómo? how?, what? *1A*; *¿Cómo te llamas?* What is your name? *1A*
con with *1A*; *con mucho gusto* I would be very glad to *1B*; *con permiso* excuse me, may I *1B*
Costa Rica Costa Rica *1A*
¿Cuántos años tienes? How old are you? *1A*
cuarenta forty *1B*
cuatro four *1A*
Cuba Cuba *1A*
de from *1A*; *¿de) dónde?* (from) where? *1A*; *de la mañana* in the morning, A.M. *1B*; *de la noche* at night, P.M. *1B*; *de la tarde* in the afternoon, P.M. *1B*; *de nada* you are welcome *1B*
diecinueve nineteen *1A*
dieciocho eighteen *1A*
dieciséis sixteen *1A*
diecisiete seventeen *1A*
diez ten *1A*
doce twelve *1A*
dos two *1A*
el **Ecuador** Ecuador *1A*
El Salvador El Salvador *1A*
eres you (informal) are *1A*; *¿Eres (tú) de...?* Are you from...? *1A*
es you (formal) are, he/she/it is *1B*; *Es la una.* It is one o'clock. *1B*; *Es medianoche.* It is midnight. *1B*; *Es mediodía.* It is noon. *1B*
España Spain *1A*
está (él, ella) you are *1B*; *está (Ud.)* you (formal) are *1B*
los **Estados Unidos** United States *1A*
están (Uds.) you are (pl.) *1B*
estás (tú) you (informal) are *1B*
estoy I am *1B*
Guatemala Guatemala *1A*

Guinea Ecuatorial Equatorial Guinea *1A*
Hasta luego. See you later. *1A*; *Hasta mañana.* See you tomorrow. *1B*; *Hasta pronto.* See you soon. *1B*
Hola. Hello. *1A*
Honduras Honduras *1A*
hora hour *1B*
lo siento I am sorry *1B*
mal badly *1B*
mañana tomorrow *1B*
la **mañana** morning *1B*
la **mayúscula** capital letter *1A*
me llamo my name is *1A*
menos (cinco, cuarto, etc.) minus, to, until, before (to express time) *1B*
México Mexico *1A*
la **minúscula** lowercase *1A*
la **muchacha** girl, young woman *1A*
el **muchacho** boy, guy *1A*
(muchas) gracias thank you (very much) *1B*
muy very *1B*
Nicaragua Nicaragua *1A*
no no *1A*
la **noche** night *1B*
noventa ninety *1B*
nueve nine *1A*
ochenta eighty *1B*
ocho eight *1A*
once eleven *1A*
el **país hispano** Hispanic country *1A*
Panamá Panama *1A*
el **Paraguay** Paraguay *1A*
perdón excuse me, pardon me *1B*
el **Perú** Peru *1A*
por favor please *1B*
pronto soon, quickly *1B*
Puerto Rico Puerto Rico *1A*
¿Qué hora es? What time is it? *1B*
¿Qué tal? How are you? *1B*
quince fifteen *1A*
regular average, so-so, regular *1B*
la **República Dominicana** Dominican Republic *1A*
se escribe it is written *1A*
seis six *1A*
el **señor (Sr.)** gentleman, sir, Mr. *1B*
la **señora (Sra.)** lady, madame, Mrs. *1B*

la **señorita (Srta.)** young lady, Miss *1B*
sesenta sixty *1B*
setenta seventy *1B*
sí yes *1A*
siete seven *1A*
son they are *1B*; *Son las* (+ number). It is (+ number) o'clock. *1B*
soy I am *1A*
la **tarde** afternoon *1B*
te llamas your name is *1A*
tengo I have *1A*; *Tengo (number) años.* I am (number) years old. *1A*
tienes you have *1A*
trece thirteen *1A*
treinta (y uno, etc.) thirty (one, etc.) *1B*
tres three *1A*
tú you (informal) *1A*
uno one *1A*
el **Uruguay** Uruguay *1A*
usted (Ud.) you (s.) *1B*
ustedes (Uds.) you (pl.) *1B*
veinte twenty *1A*
veinticinco twenty five *1B*
veinticuatro twenty four *1B*
veintidós twenty two *1B*
veintinueve twenty nine *1B*
veintiocho twenty eight *1B*
veintiséis twenty six *1B*
veintisiete twenty seven *1B*
veintitrés twenty three *1B*
veintiuno twenty one *1B*
Venezuela Venezuela *1A*
vosotros,-as you (Spain, pl.) *1B*
y and *1A*; *y cuarto* quarter past, quarter after *1B*; *y media* half past *1B*
yo I *1A*

Estrategia

Learning vocabulary
Try to learn new vocabulary in a context (illustration, dialog, word groupings, etc.), since that will help you to use Spanish without having to translate word for word. Look at the words and expressions in the *Vocabulario* to see how many you remember. Say them aloud. If you have forgotten a word, return to where it was first introduced in order to check its meaning.

Capítulo 2

En mi colegio

Objetivos

- ❖ identify people and classroom objects
- ❖ ask for and give names
- ❖ ask or tell where someone is from
- ❖ discuss school schedules and daily activities
- ❖ describe classroom objects and clothing
- ❖ say some things people do
- ❖ state location
- ❖ talk about how someone feels

Visit the web-based activities at www.emcp.com

Vocabulario I
¿Quién es?

1 ¿Quién?

 Selecciona la foto de la(s) persona(s) apropiada(s).

A   **B**   **C**   **D**

2 Minidiálogos

Completa los minidiálogos con las palabras apropiadas. *(Complete the mini-dialogs with appropriate words.)*

A

eres   **quién**   **él**

dónde   te llamas   *ella*

B

soy   *es*   **me**   se llama

A: ¿Quién <u>es</u> él?
B: <u>Él</u> es José.

A: ¿Cómo se llama (1)?
B: (2) Alejandro.

A: ¿(3) es?
B: ¿Ella?
A: No, (4) no. ¿Quién es él?

A: ¿De (5) es Daniel?
B: (6) de Miami.

A: Y, ¿cómo (7) tú?
B: Yo (8) llamo Marta.

A: ¿De dónde (9) tú?
B: (10) de El Paso.

Él es José.

Diálogo I

¿Cómo se llama ella?

RAÚL: Laura, ¿quién es?
LAURA: ¿Él?
RAÚL: No, ella.

RAÚL: ¿Cómo se llama ella?
LAURA: Se llama Diana.
RAÚL: ¿Es de aquí?
LAURA: No, ella es de Los Ángeles.

DIANA: ¿Quién eres tú?
RAÚL: Perdón. Me llamo Raúl.
DIANA: Mucho gusto, Raúl.
RAÚL: Mucho gusto, Diana.

3 ¿Qué recuerdas?

1. ¿Quién es el muchacho?
2. ¿Es Laura un muchacho?
3. ¿Cómo se llama la muchacha de Los Ángeles?

4 Algo personal

1. ¿Eres tú de California? ¿De dónde eres?
2. ¿Cómo se llama la capital de los Estados Unidos?

5 ¡No es lógico!

 Escucha la información y corrige lo que no es lógico. (*Listen to the information and correct what is not logical.*)

1. Raúl

2. Laura y Diana

3. María

La influencia hispana en los Estados Unidos

Have you been to a Mexican or Spanish restaurant? Do you recognize the names Sammy Sosa or Shakira? Perhaps you have studied art by famous Latino/Hispanic artists. Examples of how the Hispanic culture has influenced daily life in the United States abound. Words that have Spanish origins are one example that you experience every day of the strong influence that Spanish cultures have probably had in your community. Have you ever

Adobe en Santa Fe, Nuevo México.

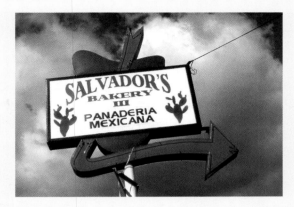

sat outside on a **patio** or taken a **siesta** in your free time? If so, then you have enjoyed some of the rich Hispanic heritage that exists in the United States today. Here are other words that have been borrowed from Spanish:

adobe   rodeo   plaza   mosquito   chile

The Spaniards explored and settled parts of America years before the arrival of the pilgrims on the *Mayflower*. Thanks to these early settlers, communities throughout the United States today reflect their rich Spanish colonial architecture, delicious foods, interesting geographical names and much more.

6 Conexión con otras disciplinas: geografía

Using a dictionary, encyclopedia or the Internet, research these geographical names that have come to the English language from the Spanish language. Give the English equivalent for each word. Then find each place on a map.

1. Los Ángeles
2. Las Vegas
3. Amarillo
4. Boca Ratón
5. Florida
6. Río Grande
7. Colorado
8. Alcatraz
9. Nevada

7 Conexión con la comunidad

Tell where Spanish is used in your community or state. Are you aware of any other Hispanic influences in your community?

Estructura

Subject pronouns and the verb *ser*

You will often use subject pronouns *(pronombres personales)* when discussing people in Spanish. You have already used subject pronouns with the following forms of the verb *ser* (to be) to identify people and to say where someone is from.

ser					
yo	**soy**	*I am*	nosotros nosotras	**somos**	*we are*
tú	**eres**	*you are*	vosotros vosotras	**sois**	*you are*
Ud. él ella	**es**	*you are* *he (it) is* *she (it) is*	Uds. ellos ellas	**son**	*you are* *they are* *they are*

Make a sentence negative in Spanish by placing *no* before the verb.

Alicia es de Arizona.　　　→　　　*Alicia **no** es de Arizona.*

Subject pronouns may be used with or without a verb. They may not be needed if the subject is already known or if the verb form itself identifies the subject.

*¿De dónde eres **(tú)**?*　　　　　　Where are **you** from?
***(Yo)** Soy de Indiana. ¿Y **él**?*　　　I am from Indiana. And **he**?
***(Él)** Es de Virginia.*　　　　　　**He** is from Virginia.

The plural forms *nosotras, vosotras* and *ellas* refer only to females, while the subject pronouns *nosotros, vosotros* and *ellos* are used to refer either to males only or to a mixed group of both males and females.

***Ellos** son de Miami.*　　　　　**They (the boys)** are from Miami.
***Ellas** son de Charleston.*　　　**They (the girls)** are from Charleston.

but:

***Ellos** son de los Estados Unidos.*　　**They (the boys and girls)** are from the United States.

✦ Práctica

8 En tu colegio

Complete this conversation with your teacher as you review a list of people who speak Spanish. Use the appropriate subject pronoun.

MODELO   A: ¿Felipe?
　　　　　B: No, él no.

1. A: ¿Yo?
   B: Sí, _tú_ sí.
2. A: ¿La Srta. Barnés?
   B: No, _ella_ no.
3. A: ¿Paul y Luisa?
   B: Sí, _ellos_ sí.
4. A: ¿David y Ud.?
   B: Sí, _nosotros_ sí.
5. A: ¿La profesora de música?
   B: No, _ella_ no.

6. A: ¿Uds.?
   B: Sí, _nosotros_ sí.
7. A: ¿Teresa, Daniel y yo?
   B: Sí, _Uds_ sí.
8. A: ¿Miguel y Jaime?
   B: Sí, _ellos_ sí.
9. A: ¿Tú y yo?
   B: Sí, _nosotros_ sí.

9 Los estudiantes de mi colegio

Completa las oraciones de una manera lógica con la forma correcta del verbo *ser*. (*Complete the sentences logically with the correct form of the verb* ser.)

1. ¿Tú _eres_ de South Bend, Indiana?
2. Él _es_ de Seattle, Washington.
3. Ellas _son_ de San Antonio, Texas.
4. Ella _es_ de Denver, Colorado.
5. Ellos _son_ de San Diego, California.
6. Yo _soy_ de (*name of your city and state*).
7. Nosotros _somos_ de (los)....

¡Extra!

Ser

Ser is irregular, which means its six different forms do not follow the same predictable pattern that regular verbs do. Also, although the subject pronouns *Ud., él* and *ella* are different in meaning, they share the same verb form, as do *Uds., ellos* and *ellas*.

10 ¡No!

Show that you disagree with these statements by making them negative.

MODELO   Teresa y Daniel son de España.
　　　　　Teresa y Daniel no son de España.

1. _no_ Soy de París.
2. Diana _no_ es de Nueva York.
3. Ella _no_ es de aquí.
4. _no_ Me llamo Hernán.
5. _no_ Se llama Luz.
6. _no_ Nosotros somos de la Argentina.

Teresa y Daniel no son de España.

11 La influencia hispana

 Your class is studying Hispanic influence in the United States. With a classmate, take turns asking and answering where some well-known people are from.

MODELO Shakira / Colombia

    A: ¿De dónde es Shakira?

    B: Ella es de Colombia.

1. Penélope Cruz y Antonio Banderas / España
2. Jimmy Smits y Christina Aguilera / Estados Unidos
3. Don Francisco / Chile
4. Pedro Martínez y Sammy Sosa / la República Dominicana
5. Juan Pablo Montoya y Carlos Vives / Colombia
6. Rubén Blades / Panamá
7. Daisy Fuentes y Gloria Estefan / Cuba
8. Salma Hayek / México

Shakira es de Colombia.

12 ¿Por qué son famosos?

You are going to do a report about famous Spanish-speaking people. Find out who these people are and say what field of expertise they have in common.

MODELO Jorge Luis Borges, Isabel Allende, José Martí

Ellos son escritores.

> cantantes (*singers*)
>
> atletas (*athletes*)
>
> actores (*actors*)
>
> pintores (*painters*)   escritores (*writers*)

1. Jimmy Smits, Penélope Cruz, Salma Hayek
2. Shakira, Enrique Iglesias, Ricky Martin
3. Sergio García, Sammy Sosa, Juan Pablo Montoya
4. Fernando Botero, Pablo Picasso, Diego Rivera

Comunicación

13 ¡Son de muchos países!

 With a classmate, talk about where the famous people mentioned in activity 12 are from. Then look up a few other Spanish-speaking celebrities, indicating their profession and/or where they are from.

MODELO Jorge Luis Borges

    A: ¿De dónde es Jorge Luis Borges?

    B: Es de Argentina.

14 Es de...

With a partner, discuss where the following people are from, according to the illustration.

MODELO Alicia

A: ¿De dónde es Alicia?

B: Es de (los) Estados Unidos.

¡Extra!

EE.UU.

Can you guess the abbreviation (*abreviatura*) in Spanish for *Estados Unidos?* It is *EE.UU.* As in English, some proper nouns are abbreviated in Spanish. Although most abbreviations use only one letter, this Spanish abbreviation uses double letters because *Estados Unidos* is a plural noun.

1. Pablo
2. Luis
3. tú ~yo
4. Jorge y Luisa
5. Daniel, tú y yo
6. la Srta. Muñoz
7. yo
8. el Sr. y la Sra. Vargas

15 Juego: ¿De dónde es?

Write the names of three famous Hispanics who are well known in the United States, adding where they are from. Next, in groups of three, take turns asking where someone on your list is from. Others in the group must try to guess where each celebrity is from until one person guesses the correct country.

MODELO **A:** ¿De dónde es Jennifer López?

B: Es de Ecuador.

A: No, no es de Ecuador.

C: Es de Estados Unidos.

A: Sí, es de Estados Unidos.

16 ¿Qué es?

Identifica los objetos que oyes. *(Identify the objects you hear.)*

A   **B**   **C**

D   **E**   **F**

17   No comprendo una palabra

With a classmate, take turns pretending you do not know the word in Spanish to identify various objects in your classroom. Ask one another *¿Cómo se dice (plus a word in English)?* as you point to an object. Your partner must then tell you how to say the word in Spanish using *Se dice (plus the word in Spanish)*.

MODELO   **A:** ¿Cómo se dice *wall?*
               B: Se dice *pared.*

Diálogo II

La nueva estudiante de Los Ángeles

CARLOS: ¿Quién es la chica con la mochila?

RAÚL: ¿Qué quiere decir la palabra *mochila*?

CARLOS: Quiere decir *backpack*.

RAÚL: Ella es la estudiante nueva de Los Ángeles.

CARLOS: ¿Cómo se llama?

RAÚL: Se llama Diana y es mi amiga.

DIANA: Perdón, chicos. ¿Cómo se dice *clock* en español?

CARLOS: Se dice *reloj*.

DIANA: Muchas gracias.

18 ¿Qué recuerdas?

1. ¿Qué quiere decir la palabra *mochila*?
2. ¿De dónde es la chica con la mochila?
3. ¿Quién es la estudiante nueva?
4. ¿Es la estudiante nueva amiga de Carlos?
5. ¿Cómo se dice *clock* en español?
6. ¿Hay un reloj en la clase?

¡Extra!

En otras palabras

As in English, Spanish words and expressions can vary according to where the speaker has lived. Look at these examples:

el bolígrafo	*el boli, la pluma, el lapicero, el estilo*
el borrador	*la goma*
el cesto de papeles	*la papelera, la caneca, el basurero*
el escritorio	*el buró*
el estudiante	*el alumno, el compañero (de clase)*
la estudiante	*la alumna, la compañera (de clase)*
la mochila	*la bolsa, el bulto*
el sacapuntas	*el afilalápices, el cortalápices*

19 Algo personal

1. ¿Tienes una mochila?
2. ¿Tienes un reloj? ¿Qué hora es?

20 ¿Sí o no?

 ¿Son lógicos los diálogos? Corrige lo que no es lógico.

21 Tu propio diálogo

 With a partner, use the previous dialog as a model to create your own dialog. Use your own names, change the italicized words and make any other changes you feel are appropriate.

Cultura Viva

El español en los Estados Unidos

In the United States, over thirty million people use Spanish daily for business or pleasure. Many American cities are becoming bilingual because of their large Spanish-speaking communities. In fact, Spanish is the second language of the United States. Los Angeles, Miami, San Antonio, New York and numerous other cities across the United States have Spanish television and radio stations, Spanish newspapers and magazines and bilingual signs in most public places. The Hispanic presence is increasing rapidly in the United States and influencing many aspects of the American culture and economy. Look around, you may find you can experience more Spanish than you ever realized!

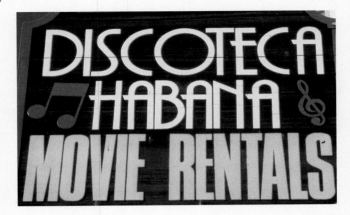

22 Oportunidades de trabajo

Answer the questions below based on the following classified advertisements.

Compañía multinacional ubicada en Chicago
busca
Secretario/a bilingüe Español-inglés
Responsabilidades: mantener archivos, contestar teléfonos y escribir cartas para los clientes hispanohablantes.
Experiencia mínima: 1 año
Salario: $30.000 anuales
Para mayor información llame al (312) 100-7799.

BANCO CAMINO REAL
necesita
Director(a) de Servicio al Cliente
Se prefiere persona bilingüe (español e inglés), con fluidez y excelentes habilidades de escritura en ambas lenguas, buen manejo de las relaciones personales e impecable presentación. Se requiere experiencia mínima de 3 años. Interesados por favor enviar curriculum vitae a: Banco Camino Real, 201 SW Black Rd., Austin, TX 78701-6384.

Se requieren profesores para Español y Literatura
Prestigiosa escuela privada busca profesores de español y literatura para la primavera. Los interesados deben tener un Masters en educación y tener licencia para enseñar en el estado de New Mexico. Se requiere un mínimo de dos años de experiencia. Candidatos favor enviar su CV con carta de presentación a P.O Box 75634, Albuquerque, NM 87106.

1. How much experience is needed for the job as a bilingual secretary? For the position as a teacher? For the position as the director of customer service at the bank?
2. How do you find out about the *secretario/a bilingüe* job? About the other two jobs?
3. Where is the company located that is looking for a bilingual secretary?
4. What type of business do you think *Banco Camino Real* is?
5. Which job includes keeping archives, answering phones and writing letters?
6. Which job requires a college degree? Why do you think a degree is important for this job?

¡Oportunidades!

Las ventajas de ser bilingüe
Many American companies today are searching for bilingual employees who can expand their market and increase sales to the growing population of Spanish speakers in the United States. Being bilingual may be the advantage you need to compete in the job market.

Estructura

Using definite articles with nouns

Nouns refer to people, places, things or concepts. All nouns in Spanish have a gender: They are either masculine or feminine. Nouns that end in -o are generally masculine and are often used with the definite article *el* (the), whereas nouns that end in *-a, -ción, -sión* or *-dad* are usually feminine and are often used with the definite article *la* (the).

masculino: *el chico*
femenino: *la chica*   *la pronunciación*   *la misión*   *la posibilidad*

Some nouns do not follow these patterns.

masculino: *el día*   **femenino:** *la noche*

Also, some nouns that refer to people have only one form and the gender of the person being referred to is indicated by the definite article.

masculino: *el estudiante*   **femenino:** *la estudiante*

Make most nouns in Spanish plural by adding -s. The accompanying plural of the definite articles are *los* (masculine) or *las* (feminine).

masculino: *el amigo* → **los** *amigos*   *el libro* → **los** *libros*
femenino: *la amiga* → **las** *amigas*   *la revista* → **las** *revistas*

Make nouns that end with a consonant plural by adding *-es*.

el papel → **los** *papeles*   *la actividad* → **las** *actividades*
el reloj → **los** *relojes*   *la pared* → **las** *paredes*

Nouns that end in *-z* change the *-z* to *-c* in the plural.

el lápiz → *los lápices*

It may be necessary to add or remove an accent mark when making a noun plural.

el examen → **los** *exámenes*   *la lección* → **las** *lecciones*

¡Extra!

¿Masculino o femenino?
Remember … use the masculine form of the noun when you refer to males and females as a group or to masculine and feminine objects simultaneously.

los chicos   the boys
           the boys and the girls

✦ Práctica

23 Objetos en la clase

Da cada sustantivo con su artículo definido. Sigue el modelo. *(Give each noun with its definite article. Follow the model.)*

MODELO pupitre
el pupitre

1. puerta
2. cuaderno
3. ventana
4. borrador
5. escritorio
6. lápiz
7. lección
8. página
9. mapa
10. actividad

24 Más de uno

Da la forma plural de cada palabra de la actividad anterior. *(Give the plural of each word in the preceding activity.)*

MODELO el pupitre
los pupitres

25 Periódicos en la clase de español

Identify the nouns in these magazine and newspaper headlines and ads and tell which ones are masculine *(masculino)* and which are feminine *(femenino).*

1.
CULTURA
Exposición
Por la puerta grande

2.
¡Es la hora de comer bien!

3.
OPINIÓN
Contra la pared
Por Felipe López

4.

Bento
El reloj que marca la hora

5.
Los lápices
PRISMACOLOR
Dan color a tu clase

6.

Todo está en las Páginas Amarillas

7.

El papel reciclado está de moda

26 **Juego**

 Working in pairs, take two minutes to list in Spanish everything you can see in your classroom.

MODELO

> el papel
> la tiza

✵ Comunicación

 27 **Unos amigos**

 Pretend you are looking at pictures of friends with a classmate. Working in pairs, take turns asking and answering questions about the people shown. For each question, mention what the person is holding or whom the person is with. Answer by giving the person's name and then say he or she is your friend.

¡Extra!

En la clase

la computadora	*computer*
el disco compacto (el CD)	*compact disc (CD)*
el disco DVD (el DVD)	*digital video disc (DVD)*
la pantalla	*computer screen*
el proyector	*overhead projector*
el reproductor	*CD player*
de discos compactos	
el reproductor de DVDs	*DVD player*
la videocasetera	*VCR*

MODELO Adriana

A: ¿Quién es la chica con la profesora?
B: Se llama Adriana y es mi amiga.

1. Felipe

2. Rosa

3. Doris

4. Luis

5. Sandra

6. Daniel

28 Objetos en la clase

Working in pairs, take turns telling one another to point at an object in the classroom. Use the phrase *Señala...* and add any of the classroom objects you have learned. Check to be sure your partner has pointed at the correct object before continuing.

MODELO   Señala la puerta.

29 En la clase

Identify and talk about the people and objects in your classroom with another student. You may wish to use some of the words shown and add some of your own as needed.

MODELOS   **A:** ¿Quién es el chico con la *mochila*?
B: Es Pablo.

A: ¿Cómo se dice *pencil sharpener*?
B: Se dice sacapuntas.

¿cómo?   la pizarra   ¿qué?   el chico
se escribe
¿quién?   se dice   es   quiere decir

Estructura

Using indefinite articles with nouns

Whereas the definite articles *el, la, los* and *las* (the) are used to designate a specific person or thing, indefinite articles refer to nonspecific people or things (e.g., **a, an, some** or **a few**). The singular forms of the indefinite articles are *un* (masculine) and *una* (feminine).

el lápiz	→	**un** *lápiz*		*la página*	→	**una** *página*
(the pencil)		(**a** pencil)		(the page)		(**a** page)

The plural forms of the indefinite articles are *unos* (masculine) and *unas* (feminine).

los lápices	→	**unos** *lápices*		*las páginas*	→	**unas** *páginas*
(the pencils)		(**a few/some** pencils)		(the pages)		(**a few/some** pages)

¡Extra!

Las palabras *un, una* y *uno*
The words *un* and *una* can also mean **one** when used before a singular noun. *Uno* (the number **one**) is never used before a noun.

dos cuadernos y **un** *libro*   *tres chicos y* **una** *chica*

Práctica

30 ¿Qué ves?

Di lo que ves en las ilustraciones. *(Say what you see in the illustrations.)*

 MODELOS Es un escritorio.

 Son unos estudiantes.

1

2

3

4

5

6

7

8

31 En la clase hay...

Completa el párrafo con *un, una, unos* o *unas* para indicar qué hay en la clase. *(Complete the paragraph with a, an or some/a few to indicate what is in the classroom.)*

La clase tiene cuatro paredes y dos ventanas. La profesora es la Sra. Martínez. En la clase hay (1) escritorio, (2) cesto de papeles, (3) sillas y (4) pupitres con (5) libros, (6) lápices y (7) bolígrafos. En las paredes hay (8) reloj, (9) sacapuntas y (10) pizarra.

En la clase hay unas ventanas y un mapa.

32 Conexión con otras disciplinas: matemáticas

Create a shopping list of some school supplies you would like to buy. Write the prices offered at *Papelería Nueva Era* next to the items on your list. Then, add up the total cost of your purchases and write a complete sentence stating the total in dollars *(dólares)* and cents *(centavos)*. You only have $40.00, so be careful not to spend more than you have!

una mochila "Mochil-In"	$25,00
unos bolígrafos "Bolimétrico"	$ 2,22
un lápiz "Trazo"	$ 0,10
Total	$27,32

 ## Comunicación

 33 Es.../Son...

 In pairs, take turns identifying people or objects in class using the expressions *¿Qué es?/¿Quién es?* and adding any new words from this lesson. Point out where each person or object is located.

MODELOS **A:** *(Point to a chair.)* ¿Qué es?
B: Es una silla.

A: *(Point to a student.)* ¿Quién es?
B: Es mi amigo Rafael.

 34 ¿Qué hay en la clase de español?

In pairs, talk about what is or is not in the Spanish class. Make sure to ask about the meaning of words you do not remember.

MODELOS **A:** ¿Hay una ventana en la clase?
B: ¿Qué quiere decir *ventana*?

A: Quiere decir *window*.
B: No, no hay una ventana en la clase.

La Ola de gira

La gira[1] mundial[2] de La Ola arranca[3] con un concierto en Los Ángeles

tour world *starts*

La Ola, el nuevo grupo juvenil de rock en español, lanza[4] su CD *launches* con una serie de conciertos en todo el continente y España. Sus fans pueden ver[5] el primer concierto en el Greek Theatre *can see* en Los Ángeles, California a las ocho de la noche del 20 de septiembre. ¿Por qué[6] La Ola empieza[7] su gira en Los Ángeles? *why* *starts* ¿Qué quiere decir esto? ¿Es Los Ángeles la capital de la música latina en los Estados Unidos? Muchos opinan que sí. Después de todo[8], los Premios Grammy de la música latina se *After all* celebran en Los Ángeles. Con cinco millones de latinos, Los Ángeles es la ciudad con la mayor[9] concentración de latinos en *the highest* los Estados Unidos. Es la segunda ciudad con mayor población mexicana después[10] de la Ciudad de México. Tiene una *after* población salvadoreña mayor que[11] la población en San *larger than* Salvador, la capital de El Salvador.

[1]tour [2]world [3]starts off [4]launches [5]can see [6]Why [7]starts [8]After all
[9]the highest [10]after [11]larger than

35 ¿Qué recuerdas?

¿Sí o no?

1. El primer concierto del grupo La Ola es en España.
2. Los Premios Grammy de la música latina se celebran en Los Ángeles.
3. La mayor concentración de latinos en los Estados Unidos está en Los Ángeles.
4. Hay un millón de mexicanos en Los Ángeles.
5. Hay una mayor población salvadoreña en Los Ángeles que en San Salvador.

36 Algo personal

1. Have you ever seen the Latin Grammy Awards on television? What did you like about it? Why do you think the Latin Grammy Awards are celebrated in Los Angeles?
2. You can see Hispanic influences all over the United States, not only in large cities like Los Angeles. Discuss the Hispanic influence in your own community.

¿Qué aprendí?

Autoevaluación
As a review and self-check, respond to the following:

1. How might you ask who your classmates are and where they are from during the first day of school?
2. Name two Spanish-speaking celebrities and tell where they are from.
3. Identify objects in your classroom in Spanish.
4. Ask someone how to say "computer" in Spanish.
5. What are the benefits of learning Spanish?

Palabras y expresiones

La clase
- el bolígrafo
- el borrador
- el cesto de papeles
- el cuaderno
- el escritorio
- el lápiz
- el libro
- el mapa
- la mochila
- la página
- el papel
- la pared
- el periódico
- la pizarra
- la puerta
- el pupitre
- la regla
- el reloj
- la revista
- el sacapuntas
- la silla
- la tiza
- la ventana

Gente
- el amigo, la amiga
- el chico, la chica
- él
- ella
- ellas
- ellos
- el estudiante, la estudiante
- nosotros,-as
- el profesor, la profesora

Palabras interrogativas
- ¿qué?
- ¿quién?

Verbos
- comprendo (comprender)
- hay
- se dice
- sé
- ser

Otras expresiones
- hay
- ¿Cómo se dice...?
- ¿Cómo se llama (Ud./él/ella)?
- el, la
- en la clase
- la palabra

- los, las
- mi
- nuevo,-a
- ¿Qué quiere decir...?
- quiere decir
- (Ud./Él/Ella) se llama...
- un, una
- unos, unas

Unas estudiantes.

Unos estudiantes.

Vocabulario I
Las clases

Highland High School Horario de Clases							
HORA	LUNES	MARTES	MIÉRCOLES	JUEVES	VIERNES	SÁBADO	DOMINGO
7:55	español	español	español	español	español	N	C
8:50	historia	historia	historia	historia	historia	O	L
9:45	biología	biología	biología	biología	biología		A
10:40	biología	inglés	inglés	inglés	inglés	H	S
11:35	matemáticas	matemáticas	matemáticas	matemáticas	matemáticas	A	E
12:30	A L M U E R Z O					Y	S
1:00	computación	computación	computación	computación	computación		
1:55	música	arte	música	música	arte		

gris

negro

amarillo

blanco

rojo

verde

azul

Daniel y Teresa son amigos de Ernesto y Rosa.
Daniel y Teresa estudian mucho.
Daniel y Teresa no hablan en clase.
Teresa necesita un lápiz nuevo.
Daniel lleva una camiseta roja.

1 ¿Qué día es mañana?

Contesta la pregunta *¿Qué día es mañana?* según lo que oyes. *(Answer the question ¿Qué día es mañana? according to what you hear.)*

MODELO   *You hear:*   Es lunes. ¿Qué día es mañana?
You write: martes

2 A corregir

Corrige la información incorrecta, según el Vocabulario I. *(Correct the incorrect information, using Vocabulary I.)*

MODELO   La clase de español es <u>a las doce menos cinco.</u>
La clase de español es <u>a las ocho menos cinco.</u>

1. <u>La clase de inglés</u> es lunes, martes, miércoles, jueves y viernes a las diez menos cuarto de la mañana.
2. La clase de computación es <u>a la una y cinco de la mañana.</u>
3. Hay clases de música <u>martes y viernes</u> a las dos menos cinco de la tarde.
4. <u>La clase de historia</u> es a las doce y media.
5. No hay clases <u>los jueves y los viernes.</u>
6. Daniel y Teresa <u>son amigos de Eduardo y Amalia.</u>

¡Extra!

La palabra *de*
The word *de* (of, from) has several different uses in Spanish. For example, *de* can be used to talk about where someone is from (*¿De dónde eres?/Soy de...*) or to describe someone or something (*la clase de español*). Several expressions use *de* (*de nada, de la mañana*). In addition, *de* takes the place of the English apostrophe and the letter *s* (*'s*) to indicate possession or relationships.

*Es la mochila **de** Marta.*   It is Marta**'s** backpack.
*Son los amigos **de** Sara y **de** Rodrigo.*   They are Sara and Rodrigo**'s** friends.

3 ¿Qué llevan?

Name five people in class and say what each is wearing.

MODELO   La profesora lleva una falda.

Diálogo I

El horario de clases

RAÚL: Laura, ¿es nuevo tu pantalón?

LAURA: No, pero los zapatos son nuevos.

LAURA: Oye, Raúl, ¿hay clase de música mañana martes?

RAÚL: No, mañana no hay clase de música, mañana hay clase de arte. La clase de música es el viernes.

LAURA: ¡Ah, sí! Mañana hay clase de arte y necesito unos lápices rojos y verdes.

RAÚL: ¿Qué hora es?

LAURA: Son las once. ¿A qué hora es la clase de historia?

RAÚL: Es a las once y cinco.

LAURA: Bueno, es la hora de la clase.

4 ¿Qué recuerdas?

No es nuevbon

1. ¿Es nuevo el pantalón de Laura?
2. ¿Hay clase de música el martes? *No clase de musica el viernes*
3. ¿Hay clase de arte el martes? *No clase de viernes*
4. ¿Cuándo es la clase de música? *Es el viernes*

Necesita Rojos y verdes

5. ¿De qué colores necesita unos lápices Laura?
6. ¿A qué hora es la clase de historia? *Es a las once y cinco*

5 Algo personal

1. ¿De qué color es tu ropa?
2. ¿Qué clases hay en tu colegio?
3. ¿Cuántas clases hay en tu horario en un día?
4. ¿Hay clase de arte en tu horario?
5. ¿Tienes lápices de colores? ¿De qué colores son?
6. ¿A qué hora es tu clase de español?
7. ¿A qué hora terminan tus clases?

¡Extra!

Las clases: un poco más

el álgebra	*algebra*
las asignaturas	*subjects*
las ciencias naturales	*earth sciences*
la educación física	*physical education*
la geografía	*geography*
la geometría	*geometry*
la literatura	*literature*

6 ¿Qué clase es?

Escribe la letra que identifica cada clase que oyes.

A. arte
B. biología
C. computación
D. español
E. historia
F. inglés
G. matemáticas
H. música

Los colegios en el mundo hispano

What do you think schools are like in Spanish-speaking countries? The options include either public schools or somewhat expensive but numerous private schools. In addition, some teenagers attend technical institutes instead of traditional high schools. Secondary schools in Spanish-speaking countries are often very rigorous. Schools do not offer many extracurricular activities, such as clubs or sports, nor do they have a wide selection of elective courses to choose from. Instead, all students follow the same demanding curriculum consisting of courses such as calculus, chemistry, physics and philosophy.

The classroom atmosphere is different, too. In Spain, for example, students do not actively participate in class as much as in the United States since courses are usually taught through lectures. Students have few tests, must complete several projects and take a comprehensive exam at the end of the year to determine whether they will pass or fail. In many South American countries, however, quizzes and exams are more common, and a student's grade is determined by participation and achievements over the course of the entire grading period.

---

7 Los colegios en el mundo hispano

¿Sí o no?

1. Students in Spanish-speaking countries may choose from many extracurricular school activities.
2. Students in schools in many Spanish-speaking countries often follow the same demanding curriculum.
3. In Spain, courses are usually taught through lectures and students do not participate in class as much as in the United States.
4. In South America, quizzes and exams are not common, and a student's grade is based upon classroom participation and achievements during an entire grading period.

¡Extra!

En otras palabras
There are several words in Spanish that mean **school.** You have already learned *el colegio,* but here are a few additional words you might hear Spanish speakers use to talk about school: *la escuela, la preparatoria, la academia, el instituto, el liceo, la secundaria, el plantel.*

8 Comparando

Compare the schools in your community with what you know about schools elsewhere in Spanish-speaking countries of the world. What do you consider to be the advantages and disadvantages of the school system you attend? What would you change?

Idioma

Repaso rápido: nouns

Nouns in Spanish are either masculine or feminine. Many masculine nouns end in *-o* and many feminine nouns in *-a*. Make most nouns plural by adding *-s*.

	masculino	**femenino**
singular	*un bolígrafo*	*una silla*
plural	*unos bolígrafos*	*unas sillas*

Remember that some nouns may require you to add or remove an accent mark in their plural form.

el examen → **los exámenes**   *el calcetín* → **los calcetines**

9 ¿Qué sabes sobre los sustantivos?

Say if the following nouns are masculine (*masculino*) or feminine (*femenino*) by giving the corresponding definite article. Then, give the plural form of each.

`MODELO` clase
femenino, la clase, las clases

1. colegio
2. día
3. falda
4. lápiz
5. camiseta
6. papel
7. mapa
8. zapato
9. calcetín

Hay unos cuadernos rojos.

Estructura

Using adjectives to describe

Adjectives (*adjetivos*) describe (or modify) nouns. In Spanish, they must match the gender (masculine or feminine) and number (singular or plural) of the nouns they describe. Singular masculine adjectives often end in *-o (rojo)*, singular feminine adjectives often end in *-a (roja)* and either form can be made plural by adding *-s (rojos, rojas)*.

Hay un cuaderno amarillo.	There is one yellow notebook.
Hay una regla amarilla.	There is one yellow ruler.
Hay dos cuadernos amarillos.	There are two yellow notebooks.
Hay dos reglas amarillas.	There are two yellow rulers.

Adjectives that end in -*e* generally have only one singular form, which can be made plural by adding -*s*.

singular	plural
Hay un bolígraf**o** verd**e**.	Hay dos bolígraf**os** verd**es**.
Hay una puert**a** verd**e**.	Hay dos puert**as** verd**es**.

Adjectives that end with a consonant usually have only one singular form, which can be made plural by adding -*es*.

singular	plural
Hay un cuadern**o** azu**l**.	Hay dos cuadern**os** azu**les**.
Hay una puert**a** azu**l**.	Hay dos puert**as** azu**les**.

Although Spanish adjectives generally follow the nouns they modify, adjectives of quantity such as numbers (*dos, tres*) and question-asking words are exceptions. They precede their nouns.

Tengo **dos** cuadernos verdes.   I have two green notebooks.
¿**Cuántas** sillas hay?   How many chairs are there?

 Práctica

10 ¡No estoy de acuerdo!

Correct these descriptions by replacing the underlined words with the words in parentheses. Remember to make all the nouns and adjectives agree and to change the verb forms when necessary.

MODELOS   Es una camisa <u>azul</u>. (verde)
          No, es una camisa verde.

          <u>Julia</u> es la estudiante nueva. (Armando y Juan)
          No, Armando y Juan son los estudiantes nuevos.

1. <u>El chico</u> nuevo se llama Julián Fernández. (el profesor)
2. Marta lleva <u>la camiseta</u> gris. (el pantalón)
3. Hay <u>dos zapatos</u> nuevos en el pupitre. (una revista)
4. Hay <u>un cuaderno</u> blanco en el escritorio. (una tiza)
5. Son unos calcetines <u>verdes</u>. (negro)
6. Belia lleva los zapatos <u>blancos</u>. (negro)

Julia es la estudiante nueva.

11 ¿De qué color es?

Describe objects in your classroom by combining words from the two columns.

MODELO Los bolígrafos de Laura son verdes.

1. el escritorio
2. la puerta
3. la pizarra
4. los lápices
5. las sillas
6. los libros
7. las revistas
8. los bolígrafos

A. verde
B. negro
C. gris
D. amarillo
E. rojo
F. azul
G. blanco

12 Los colores de tu día

Imagine you are reading a newspaper in Spanish and you see this horoscope. How much can you understand? Pretend it pertains to your sign and answer the questions.

1. ¿Qué quiere decir el color negro? ¿El color amarillo? ¿El color azul?
2. ¿Es el jueves un día malo para el romance?
3. ¿Qué día es fatal para la energía física?
4. ¿Es el domingo un día excelente?
5. En general, ¿de qué color es la profesión?
6. ¿Tienes energía física el martes? ¿Y el lunes?
7. En tu opinión, ¿qué día es el mejor (best)?

Horóscopo: ¿de qué COLOR es tu día?

	Lunes	Martes	Miércoles	Jueves	Viernes	Sábado	Domingo
Amigos							
Familia							
Salud							
Dinero							
Profesión							
Romance							
Energía Física							

¿Qué quiere decir el color?
Superior — Muy Bien — No Muy Bien — Excelente — Regular — Fatal, Horrible

◈ Comunicación

13 Los objetos en la clase

En parejas, hablen Uds. de los siguientes objetos en la clase. (In pairs, talk about the following objects in the classroom.)

MODELOS
A: ¿Qué es?
B: Es una silla.

A: ¿De qué color es la silla?
B: Es amarilla.

1 2 3 4 5 6 7

Working in pairs, take turns describing three or four people and three or four objects in the classroom. See how quickly you can communicate to your partner what you are describing.

Estructura

Saying what someone does: present tense of -*ar* verbs

Verbs express actions (to do something) or states of being (to be). The form of the verbs found in Spanish dictionaries is called an **infinitive.** In English, an infinitive generally is used with the word **to** (to study, to eat, to live). Spanish infinitives end with -*ar, -er* or -*ir.*

Spanish verbs are considered regular if their various forms follow a predictable pattern. To form the present tense of a regular -*ar* verb, such as *hablar* (to speak), remove the -*ar* ending. Then attach the endings that correspond to each of the subject pronouns.

hablar			
yo	habl**o**	nosotros nosotras	habl**amos**
tú	habl**as**	vosotros vosotras	habl**áis**
Ud. él ella	habl**a**	Uds. ellos ellas	habl**an**

A present-tense Spanish verb may have several different equivalents in English.

Hablo español.

I **speak** Spanish.
I **do speak** Spanish.
I **am speaking** Spanish.

Other useful -*ar* verbs that follow the same pattern are: *estudiar* (to study), *llevar* (to wear), *necesitar* (to need) and *terminar* (to end, to finish).

Práctica

15 Un poema sobre el colegio

Busca los infinitivos que terminan en *-ar* en este poema.

EL BUS VUELVE A PASAR

Ya las vacaciones van a terminar,
y bastante te has dedicado a descansar
pero si burro no te quieres quedar,
de nuevo a la escuela has de regresar.

Carlos, José, Cristina y Pilar,
ansiosos de entrar al colegio deben estar,
ellos para fútbol y canicas jugar,
y ellas para en la rueda volver a cantar.

Todos gruñendo se van a levantar,
el día en que el bus los vuelva a buscar,
pero todos felices van a estar,
por el sólo hecho de volverse a encontrar.

Nuevos útiles y ropa te van a comprar,
para que tus estudios puedas disfrutar,
y tan buen mozo e inteligente vas a quedar
que Cristina y Pilar no se van a aguantar.

Estrategia

Scanning

Scanning is a quick way to get the main idea of what you are about to read. You can increase your understanding of this poem by first scanning the text for cognates (words with similar spelling and meaning in two languages). Also, by scanning headings, boldface words and lists, you are focusing on the important information that will help you get the main point of the text you are about to read.

Before doing activity 15, scan the poem *El bus vuelve a pasar* and jot down all the cognates you recognize. Can you understand the poem more easily now?

16 ¿Hablan español?

Di que las siguientes personas hablan español. (Say that the following people speak Spanish.)

MODELO ¿Tú?
Sí, tú hablas español.

1. ¿Yo?
2. ¿Mis amigos?
3. ¿Mi amiga?
4. ¿Mi amigo y yo?
5. ¿Uds.?
6. ¿El estudiante nuevo?

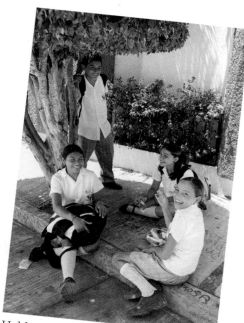

Hablamos español.

17 Un día típico en el colegio

Di lo que ocurre en un día típico en el colegio, usando los verbos indicados.
(Say what happens on a typical day at school, using the indicated verbs.)

MODELO Carolina y Víctor <u>necesitan</u> papel en la clase de historia. (necesitar)

1. Yo __ *hablo* español con mi profesor. (hablar)
2. La clase de historia __ *termina* a las ocho menos cinco. (terminar)
3. Paz y Ricardo __ *estudian* computación. (estudiar)
4. Tú y yo __ *hablamos* español en la clase de español. (hablar)
5. Rosita __ *necesita* un bolígrafo en la clase de matemáticas. (necesitar)
6. Tú __ *estudias* con una amiga. (estudiar)
7. Uds. __ *estudian* biología con unos amigos. (estudiar)
8. Las clases de mi colegio __ *termina* a las tres de la tarde. (terminar)
9. Nueve o diez estudiantes __ *lleva* jeans. (llevar)
10. Un estudiante o una estudiante __ *lleva* ropa nueva. (llevar)

18 En el colegio

Haz siete oraciones lógicas usando palabras de las tres columnas.

1. una estudiante	terminar	con el profesor de arte
2. mi amigo y yo	estudiar	unos cuadernos amarillos
3. unos estudiantes	necesitar	a las tres
4. la clase de español	hablar	unos jeans y zapatos negros
5. el estudiante nuevo	llevar	una mochila nueva
6. tú		arte y computación
7. yo		inglés y español

◈ Comunicación

19 Una encuesta

Working in groups of three, complete a survey of your classmates to find out what they are studying in school. Each person should select one subject (choosing from *arte, biología, computación, historia, matemáticas* or *música*). Then find out how many boys and how many girls in class study the subject you are investigating. Record the results under the headings *Chicos* and *Chicas.* Summarize your findings for the members of your group.

MODELO A: Mario, ¿estudias computación?
　　　　　B: Sí, estudio computación.

Sí, estudio computación.

Computación	
Chicos	Chicas
ЖЖ ЖЖ II	ЖЖ ЖЖ II

20 Los resultados de la encuesta

While working with the same students as in activity 19, tabulate the results of the three surveys each of you completed in the previous exercise. One member of each group should then report the findings to the class. Compare what you learned from the survey results of other students in the class to determine if your survey is accurate.

MODELO Veinticuatro estudiantes estudian computación.
Son doce chicos y doce chicas.

21 ¿Qué necesitan Uds.?

Pretend you are in a bookstore. Working in groups of four or five, take turns playing the roles of the clerk and customers. Find out which item(s) your customers need. If you would like, you may answer with *Aquí está* (Here it is) or *Aquí están* (Here they are).

Estructura

Talking about schedules: *¿A qué hora?*

To ask when something is going to occur ask *¿A qué hora* (+ verb + event)? Answer with the following: **Verb + *a la/las* (+ time)** or simply with **A *la/las* (+ time)**.

¿A qué hora es la clase de español?   When (At what time) is Spanish class?

Es *a la* una.   It is at one o'clock.
At one o'clock.

Note: The twenty-four hour clock (i.e., military time) often appears in railroad, airline and bus timetables or in movie and theater advertising. When expressing time this way, the day begins at one minute after midnight. The numbers one to twelve refer to the time of day between midnight and noon. After noon, each hour is added to twelve: 13:00 hours would be the equivalent of 1:00 P.M. *(Es la una de la tarde.)*.

Práctica

22 Mi horario en el colegio

Contesta las siguientes preguntas.

1. ¿A qué hora es tu clase de español? ¿A qué hora termina?
2. ¿A qué hora es tu clase de inglés? ¿A qué hora termina?
3. ¿A qué hora es tu clase de historia? ¿A qué hora termina?
4. ¿A qué hora es tu clase de matemáticas? ¿A qué hora termina?

¿Qué hora es?

23 En la televisión

Contesta las siguientes preguntas, según el horario de Telemundo.

1. ¿A qué hora es *De Mañanita*?
2. ¿A qué hora termina *Cotorreando*?
3. ¿Qué hay a las cinco de la tarde?
4. ¿A qué hora es *La Corte de Familia*?
5. ¿*Laura* termina a las siete de la noche?
6. ¿Es *Pobre Pablo* una telenovela *(soap opera)*?

HORARIO	PROGRAMA	GÉNERO
6:00	Noticiero Telemundo	Noticias
6:30	Noticiero Telemundo	Noticias
7:00	De Mañanita	Noticias
10:00	Pobre Pablo	Novela
10:30		
11:00	¿Sabía usted?	Variedad
11:30	¡Ay Caramba!	Comedia
12:00	Maritere	Talk Show
12:30		
13:00	Cotorreando	Variedad
13:30		
14:00	Sala de Parejas	Variedad
14:30		
15:00	La Corte de Familia	Variedad
15:30	La Corte del Pueblo	Variedad
16:00	Laura	Talk Show
16:30		
17:00	Al Rojo Vivo con María Celeste	Noticias
17:30		
18:00	La Corte del Pueblo	Variedad
18:30	Noticiero Telemundo	Noticias

✦ Comunicación

24 ¿A qué hora?

Ask several classmates about their school schedules. Discuss what they are studying and when each class is.

25 El horario de clases de Mónica

Mónica just e-mailed you a copy of her new class schedule. Working in pairs, look at her schedule and talk about what she is studying, when the classes are and when they end.

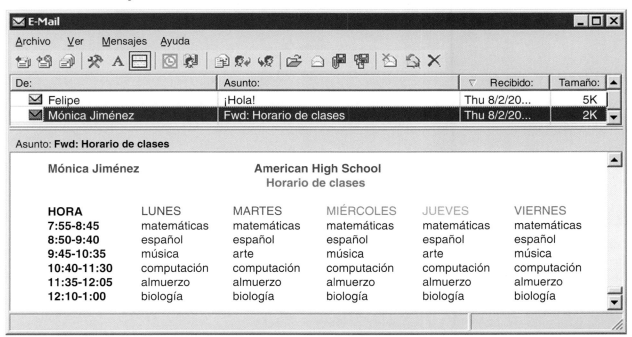

E-Mail

Archivo   Ver   Mensajes   Ayuda

De:	Asunto:	Recibido:	Tamaño:
Felipe	¡Hola!	Thu 8/2/20...	5K
Mónica Jiménez	Fwd: Horario de clases	Thu 8/2/20...	2K

Asunto: **Fwd: Horario de clases**

Mónica Jiménez   **American High School**
                            Horario de clases

HORA	LUNES	MARTES	MIÉRCOLES	JUEVES	VIERNES
7:55-8:45	matemáticas	matemáticas	matemáticas	matemáticas	matemáticas
8:50-9:40	español	español	español	español	español
9:45-10:35	música	arte	música	arte	música
10:40-11:30	computación	computación	computación	computación	computación
11:35-12:05	almuerzo	almuerzo	almuerzo	almuerzo	almuerzo
12:10-1:00	biología	biología	biología	biología	biología

26 ¿Qué necesitan?

 Write the names Pilar and Julio. Next, listen and list under each of their names what Pilar and Julio need before they leave for college. Then circle any items on the lists that they both need.

27 Información personal

In groups of four, take turns asking for your classmates' phone numbers, fax numbers and e-mail addresses. (You may invent any of the information you wish.)

28 La computadora

Mira la ilustración y contesta las siguientes preguntas en español.

1. ¿De qué color es la pantalla?
2. ¿Hay dos teclados?
3. ¿Dónde está la computadora?
4. ¿Dónde está el papel?
5. ¿Hay un ratón?
6. ¿Cuántos diskettes hay en el escritorio?

Diálogo II

¿Cuál es tu dirección de correo electrónico?

CARLOS: Diana, necesito una nota de ocho en computación. ¿Estudiamos?
DIANA: Sí, Carlos.
CARLOS: Muy bien... ¿Cuál es tu dirección de correo electrónico?
DIANA: Es dianavelez@....
CARLOS: ¡Ay, perdón!

CARLOS: ¿Dónde está mi bolígrafo?
DIANA: No sé. ¿No está en tu mochila?
CARLOS: No, no está y tampoco está sobre mi pupitre.

DIANA: ¡Mira! Allí hay un bolígrafo sobre el escritorio del profesor. ¿Es tu bolígrafo?
CARLOS: ¡Ay, sí! Muchas gracias. ¿Cuál es tu correo electrónico?
DIANA: Es dianavelez, arroba, latinored, punto, com.

29 ¿Qué recuerdas?

1. ¿Con quién habla Carlos? *Diana*
2. ¿En qué clase necesita Carlos una nota de ocho? *computación En la clase...*
3. ¿Está el bolígrafo de Carlos en la mochila? ¿Sobre el pupitre? *No está tampoco*
4. ¿Dónde está el bolígrafo de Carlos? *Profesor*
5. ¿Cuál es la dirección de correo electrónico de Diana? *Es dianavelez @ latinared . com*

¡Extra!

Más sobre la tecnología

la almohadilla	*mouse pad*
el archivo	*file*
el disco duro	*hard drive*
la Internet/la Red	*Internet*
el micrófono	*microphone*
navegar por Internet/la Red	*to surf the Web*
los parlantes	*speakers*
la unidad CD-ROM	*CD-ROM drive*
el software	*software*
la Web/la Red	*World Wide Web*

30 Algo personal

1. ¿Qué tienes en tu mochila?
2. ¿Cuál es tu dirección de correo electrónico?
3. ¿Cuál es tu dirección de internet favorita?

31 En la clase

 Trabajando en parejas, haz el papel de una de las personas del diálogo anterior. *(Working in pairs, play the part of one of the people in the preceding dialog.)*

¿Qué tienes en tu mochila?

¡Qué notas!

Escala:

10	Superior (S)
9	Excelente (EX)
8	Muy Bueno/Muy Buena (MB)
7-6	Bueno/Buena (B)
5	Necesita Mejorar (NM)
4-0	Deficiente (D)

Las notas

Schools in many Spanish-speaking countries often base report card grades *(las notas)* on a numerical scale such as 1-10 instead of using the letter grades *A-F*. Descriptive categories sometimes accompany the number grade to further clarify the numerical values. In general, *cinco* or *seis* is the minimum passing grade, while *un/una estudiante de diez* (an *A* student) is a very difficult distinction to achieve.

If you were a student in Mexico or the Dominican Republic and your report card contained the grades *EX* and *MB,* would you be pleased? Would the parents of a student from Chile or Honduras be happy with a *B*? Look at this grading scale found at the bottom of a report card and determine what grades they would be equivalent to at your school.

¿Soy una estudiante excelente?

32 ¿Qué nota?

Using the scale from the *Cultura viva* reading, what grade would you assign the following students based upon the comments about their work?

MODELO Paquito does okay in biology, but he does not study enough.
Cinco. Necesita mejorar en biología.

1. Sara is a computer genius. She aces every assignment!
2. Jaime scores 100 on every English test.
3. Luisa is an average student in history.
4. Julio didn't turn in three math assignments.
5. Teresa is a good singer and enjoys music class.
6. The average of Daniel's quizzes in Spanish is 84.
7. Laura likes to draw. Her artwork is good, but she does not pay attention to the instructor.

Estructura

Talking about location or how someone feels: *estar*

The verb *estar* (to be) is irregular in the present tense. You already have seen several forms of this verb.

estar					
yo	**estoy**	*I am*	nosotros nosotras	**estamos**	*we are*
tú	**estás**	*you are*	vosotros vosotras	**estáis**	*you are*
Ud. él ella	**está**	*you are* *he (it) is* *she (it) is*	Uds. ellos ellas	**están**	*they are*

Estar indicates location or a state of being or a condition at a given moment.

location: *¿Dónde **está** el profesor?* Where is the teacher?
   ***Está** en clase.* He is in class.

state of being or condition: *¿Cómo **estás**?* How are you?
   ***Estoy** bien, gracias.* I am well, thanks.

¿Cómo estás?

¿Dónde está el Alamo?

Práctica

33 Un mensaje para Felipe

Complete María's e-mail message to Felipe with the appropriate words before she sends him the message.

termina   estamos   estás   necesito   estoy

E-Mail

Archivo   Ver   Mensajes   ?

A... | Felipe
Cc... |
Asunto: | ¡Hola!

¡Hola!
Unos amigos y yo (1) *estamos* en la clase de español. ¿Cómo (2) *estás* tú? Yo (3) *estoy* muy bien.
La clase (4) *termina* en cinco minutos y yo (5) *necesito* hablar con la profesora.
Hasta pronto.

María

Estoy bien, gracias.

34 En EE.UU.

María is sending e-mail messages to family and friends across the United States. Tell where she and her acquaintances are located according to the illustration.

MODELO María está en Dallas.

1. Felipe *esta en Los Angeles*
2. Pedro y Francisco *estan en Denver*
3. Amalia y Virginia *estan en Atlanta*
4. Josefina, Kathy y yo *estamos en Santa Fe*
5. mi tía *(aunt)* Sandra *está es Maria.*
6. ¿Y tú? ¿Dónde estás? *estas en IN.*

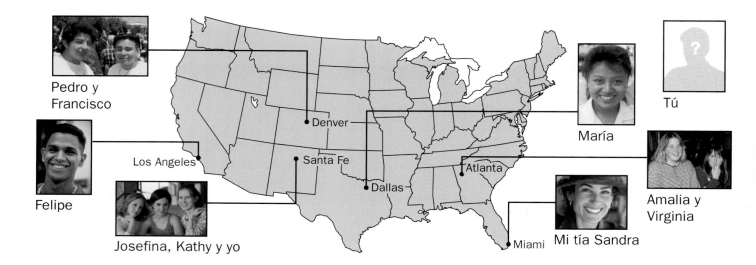

Pedro y Francisco

Felipe

Los Angeles

Josefina, Kathy y yo

Denver

Santa Fe

Dallas

Atlanta

Miami

Mi tía Sandra

María

Tú

Amalia y Virginia

35 Conexión con otras disciplinas: geografía

Amalia is studying for a geography quiz. Can you tell her where each of the following Spanish-speaking cities is located?

MODELO Malabo
Malabo está en Guinea Ecuatorial.

1. San Antonio y Santa Fe
2. Sevilla y Madrid
3. Santiago
4. Managua
5. Maracaibo
6. Montevideo
7. Potosí
8. La Plata
9. Cali
10. Concepción

Malabo está en Guinea Ecuatorial.

36 **En la clase del Sr. Ardila**

Mira la ilustración y contesta las preguntas en español.

Sarita Ortíz

el profesor Ardila

MODELO ¿Dónde está el profesor Ardila?
Está en clase.

1. ¿Dónde está el reloj?
2. ¿Dónde está Sarita Ortíz?
3. ¿Dónde están los libros verdes?
4. ¿Dónde está el mapa de México?
5. ¿Dónde está la revista *Shock*?
6. ¿Dónde están las sillas?

7. ¿Dónde está el periódico?
8. ¿Dónde están los libros de biología?
9. ¿Dónde está el colegio Highland High School?
10. ¿Dónde está Mazatlán?

 # Comunicación

 37 **Después de las clases**

 Pretend you are looking for someone or something. Working with a classmate, take turns asking about where several people and objects are. Be sure to be polite and say "please" and thank the other person for information about each person or object you are trying to find.

 38 **Mi colegio**

Create your ideal schedule for next year. Include six classes and a lunch. Then, in pairs, create a telephone conversation in which you discuss your schedules. Find out who has math, times for classes, if you have the same lunch period, how many books each of you will need and so forth.

Lectura personal

Cantantes y grupos musicales

Dirección http://www.emcp.com/música/ola/e.diario-1.htm ▲ Archivo   Edición   Ver   Favoritos   Herramientas   Ayuda

página principal   miembros   e-diario

Grupo musical La OLA

Nombre: **Yadira Ortega**
Edad: **15 años**
Nacionalidad: **mexicana**
Color favorito: **rojo**
Clase favorita: **inglés**

Mañana viernes tengo que decir[1] adiós a mi colegio. Se llama Preparatoria Benito Juárez. Tiene dos horarios: el horario de la mañana y el horario de la tarde. Yo tengo[2] el horario de la tarde, de las 2:00 P.M. a las 8:00 P.M. En mi clase hay cuarenta estudiantes. Los estudiantes y los profesores son buena onda[3]. ¡Los echaré de menos![4] Durante[5] la gira, estudio con un profesor particular[6]. No sé cómo se llama. Tampoco sé de dónde es. ¡Ojalá sea[7] buena onda[8]! Bueno, amigos, ¡hasta pronto!

[1]I have to say   [2]have   [3]nice   [4]I'll miss them   [5]During   [6]private   [7]I hope he will be   [8]lucky

39 ¿Qué recuerdas?

1. ¿Cómo se llama el colegio de Yadira?
2. ¿De qué hora a qué hora son sus clases?
3. ¿Cuál es su clase favorita?
4. ¿Cuántos estudiantes hay en su clase?
5. ¿Con quién estudia en la gira?

40 Algo personal

1. How many schedules does Yadira's school have? Why do you suppose many Latin American schools have more than one schedule? Which schedule would you choose? Explain why.
2. What are the advantages and disadvantages of studying with a private tutor? Do you think Yadira will like being tutored or will she miss being in a classroom with forty students?

¿Qué aprendí?

Autoevaluación
As a review and self-check, respond to the following:

1. Ask when Spanish class is.

2. How would you tell a friend that English ends at 2:15 P.M.?

3. Say you study art on Saturdays.

4. Identify differences between your high school and a high school in one of the Spanish-speaking countries.

5. Describe several objects around you by telling what color they are.

6. How would you ask a friend where the compact discs (CDs) are?

7. What might the person on the other end say to you in Spanish if you have dialed the wrong telephone number?

Palabras y expresiones

Clases
- el arte
- la biología
- el colegio
- la computación
- el español
- la historia
- el horario
- el inglés
- las matemáticas
- la música

Colores
- amarillo,-a
- azul
- blanco,-a
- gris
- negro,-a
- rojo,-a
- verde

Días
- el domingo
- el jueves
- el lunes
- el martes
- el miércoles
- el sábado
- el viernes

Por teléfono
- aló
- ¿cuál?
- la dirección (de correo electrónico)
- el número de teléfono/de fax/de teléfono celular/equivocado
- el teléfono

Ropa
- la blusa
- el calcetín
- la camisa
- la camiseta
- la falda
- los jeans
- el pantalón
- el zapato

Tecnología
- la arroba
- la computadora
- el disco compacto (CD)
- el diskette
- la impresora (láser)
- la pantalla
- el punto
- el ratón (pl. los ratones)
- el teclado

Verbos
- estar
- estudiar
- hablar
- llevar
- necesitar
- terminar

Otras expresiones
- a
- allí
- el almuerzo
- ¿a qué hora?
- el color
- ¿Cómo?
- ¿cuánto,-a?
- el día
- el examen
- ¡mira!
- o
- sobre
- tampoco
- tu

La clase de computación.

Mi número de teléfono es...

Tú lees

Conexión con otras disciplinas: literatura

Estrategia

Activating background knowledge

Applying what you already know about a topic when you read will prepare you for the type of information and vocabulary that will likely appear in the reading. For example, in this chapter, you have become more aware of how the Hispanic culture has influenced the United States. Do you know Hispanic culture also enriches American literature? The themes of Chicano literature reflect the difficulties faced by Hispanics as they adjust to life in the United States. In her bilingual book of Chicano poetry, *Puentes y fronteras/Bridges and Borders,* Gina Valdés patterns her poems after one of the oldest styles of Spanish poetry, called a *copla.* The *coplas* were popular in medieval Spain (13th century) because they were composed of short lines of poetry that were easily memorized. Minstrels often sang *coplas* to villagers they encountered in their travels. This established an oral tradition that passed stories and information from one person to another for centuries.

Preparación

Contesta las siguientes preguntas como preparación para la lectura.

1. Where do you think courses on Chicano literature might be offered?
2. What difficulties might Hispanic immigrants face when they move to the United States?
3. What key words in the following poems do you think most likely reflect some of the issues found in Chicano literature?

Cruzando la frontera *(crossing the border).*

Puentes y fronteras/*Bridges and Borders* (selecciones)
por Gina Valdés

Hay tantísimas fronteras
que dividen a la gente,
pero por cada frontera
existe también un puente.

* * *

Entre las dos Californias
quiero construir un puente,
para que cuando tú quieras
te pases del sur al norte,
caminando libremente
no como liebre del monte.

*There are so many borders
that divide people,
but for every border
there is also a bridge.*

* * *

*Between the two Californias
I want to build a bridge,
so whenever you wish
you can cross from south to
    north,
walking freely
not like a wild rabbit.*

A ¿Qué recuerdas?

1. What are the "two Californias" the poet talks about?
2. Whom is the author referring to that would cross the border "like a wild rabbit" *(como liebre del monte)*?
3. Which words rhyme in the two poems?

B Algo personal

1. Why do you think the author uses the old style of *coplas* to express her modern poetry?
2. Besides the physical border, in what other ways are the Mexican and American cultures divided?
3. Themes found in poetry are based upon human experiences. What themes are depicted in these poems?

Tú escribes

Estrategia

Writing a dialog journal

Whether you write in a spiral notebook, a composition book or a loose-leaf binder, writing your thoughts in a journal offers a written means of recording your experiences, wishes and dreams. In addition, keeping a journal offers a way for you as a student writer to respond personally to what you are reading or learning in class. You may even choose to create an electronic journal using a computer. Regardless of the format you choose, writing down your thoughts regularly and expressing yourself freely in a dialog journal can increase your motivation to write as you look back and reflect upon where you have been and as you consider where you are going. Communicating your thoughts and feelings through journal writing allows you and your teacher to get to know each other more rapidly on a deeper, more personal level.

Choose one of the topics below and write at least a paragraph to your teacher to express how you feel about it.

1. How will learning Spanish benefit you personally?
2. If you were attending school in a Hispanic country, what do you think you would like? What would you dislike?
3. How is the Hispanic culture evident in your community? What aspects of this culture would you like to learn more about?
4. What famous Spanish-speaking person would you like to interview? Why?
5. Imagine you are an immigrant who has just entered the United States to live. What is going through your mind?

El activista César Chávez.

La escritora Isabel Allende.

Proyectos adicionales

A Comparaciones

Imagine you are attending high school in a Spanish-speaking country and you are writing to a key pal in your Spanish class back home describing the experience. Compare what you know about school life in a Spanish-speaking country with school life in the United States. Create your class schedule based on what you have learned about the different systems of education and describe your daily routine. Use color and computer-generated artwork or designs to make the schedule appear interesting. Be prepared to discuss your schedule in class, naming similarities and differences between the different systems.

MODELO   El colegio se llama....
Tengo la clase de... a las dos y media.

B Conexión con la tecnología

Search the Internet for additional information about one of the famous Spanish speakers mentioned in *Capítulo 2*. Prepare a short report about the person and share the information with your classmates.

El artista Pablo Picasso.

C Comunidades

Do you know any people in your community who speak Spanish? Are there any restaurants, radio stations, grocery stores, etc. that are owned or run by a Spanish-speaking individual? Name some people and places in your community that have a connection to Spanish and the cultures of the Spanish-speaking world. If you can, interview someone on the list and find out more about that connection to Spanish (where the person is from, difficulties the person experienced coming to the United States, etc.).

Repaso

Now that I have completed this chapter, I can...   Go to these pages for help:

identify people and classroom objects.	40, 48
ask for and give names.	40
ask or tell where someone is from.	40
discuss school schedules and daily activities.	60
describe classroom objects and clothing.	60
say some things people do.	67
state location.	76
talk about how someone feels.	76

I can also...

identify Hispanic influences in the United States.	43
identify some well-known people who speak Spanish.	43
name places in the United States where Spanish is spoken.	51
name some ways learning Spanish can enhance career opportunities.	51
scan an article in Spanish for cognates.	68
talk about technology.	72
compare Hispanic and American school systems and grading scales.	75
read a poem in Spanish.	83
write in Spanish.	84

Trabalenguas

Teresa trajo tizas hechas trizas.

Vocabulario

a to, at, in *2B*
¿a qué hora? at what time? *2B*
allí there *2B*
el **almuerzo** lunch *2B*
aló hello (telephone greeting) *2B*
amarillo,-a yellow *2B*
el **amigo**, la **amiga** friend *2A*
la **arroba** at (the symbol @ used for e-mail addresses) *2B*
el **arte** art *2B*
¡ay! oh! *2A*
azul blue *2B*
la **biología** biology *2B*
blanco,-a white *2B*
la **blusa** blouse *2B*
el **bolígrafo** pen *2A*
el **borrador** eraser *2A*
el **calcetín** sock *2B*
la **camisa** shirt *2B*
la **camiseta** jersey, polo, t-shirt *2B*
el **cesto de papeles** wastebasket *2A*
el **chico**, la **chica** boy, girl *2A*
la **clase** class *2A*
el **colegio** school *2B*
el **color** color *2B*
¿Cómo se dice...? How do you say...? *2A*
¿Cómo se llama (Ud./él/ella)? What is (his/her) name? *2A*
¿Cómo? How? *2B*
comprendo (comprender) I understand (to understand) *2A*
la **computación** computer science *2B*
la **computadora** computer *2B*
el **cuaderno** notebook *2A*
¿cuál(es)? which one(s)? *2B*
¿cuánto,-a? how many? *2B*
el **día** day *2B*
la **dirección** (*de correo electrónico*) address (e-mail) *2B*
el **disco compacto (CD)** compact disc *2B*
el **diskette** diskette *2B*
el **domingo** Sunday *2B*

él he *2A*
el, la the *2A*
ella she *2A*
ellas they (f.) *2A*
ellos they (m.) *2A*
en in, on, at *2A*
el **escritorio** desk *2A*
el **español** Spanish *2B*
estar to be *2B*
el **estudiante**, la **estudiante** student *2A*
estudiar to study *2B*
el **examen** exam, test *2B*
la **falda** skirt *2B*
gris grey *2B*
hablar to speak *2B*
hay there is, there are *2A*
la **historia** history *2B*
el **horario** schedule *2B*
la **impresora (láser)** (laser) printer *2B*
el **inglés** English *2B*
los **jeans** jeans, blue jeans *2B*
el **jueves** Thursday *2B*
el **lápiz** pencil *2A*
el **libro** book *2A*
llevar to wear *2B*
los, las the (m.pl.), the (f.pl.) *2A*
el **lunes** Monday *2B*
el **mapa** map *2A*
el **martes** Tuesday *2B*
las **matemáticas** mathematics *2B*
mi my *2A*
el **miércoles** Wednesday *2B*
¡mira! look! *2B*
la **mochila** backpack *2A*
la **música** music *2B*
necesitar to need *2B*
negro,-a black *2B*
nosotros,-as we *2A*
nuevo,-a new *2A*
el **número de teléfono/de fax/de teléfono celular** phone number/fax number/cell phone number *2B*
la **página** page *2A*
la **palabra** word *2A*

la **pantalla** screen *2B*
el **pantalón** pants *2B*
el **papel** paper *2A*
la **pared** wall *2A*
el **periódico** newspaper *2A*
la **pizarra** blackboard *2A*
el **profesor**, la **profesora** teacher *2A*
la **puerta** door *2A*
el **punto** dot (term used in Internet address) *2B*
el **pupitre** desk *2A*
¿Qué quiere decir...? What does ... mean? *2A*
¿qué? what? *2A*
¿quién? who? *2A*
quiere decir it means *2A*
el **ratón** mouse *2B*
la **regla** ruler *2A*
el **reloj** clock, watch *2A*
la **revista** magazine *2A*
rojo,-a red *2B*
la **ropa** clothing *2B*
el **sábado** Saturday *2B*
el **sacapuntas** pencil sharpener *2A*
sé I know *2A*
se dice it is called *2A*
ser to be *2A*
la **silla** chair *2A*
sobre on, over, on top of *2B*
tampoco neither *2B*
el **teclado** keyboard *2B*
el **teléfono** telephone *2B*
terminar to finish *2B*
la **tiza** chalk *2A*
tu your *2B*
(Ud./Él/Ella) se llama... (you/his/her) name is ... *2A*
un, una a, an, one *2A*
unos, unas some, any, a few *2A*
la **ventana** window *2A*
verde green *2B*
el **viernes** Friday *2B*
el **zapato** shoe *2B*

Capítulo 3

¡Vamos a la ciudad!

Objetivos

- ❖ talk about places in a city
- ❖ make introductions and express courtesy
- ❖ ask and answer questions
- ❖ discuss how to go somewhere
- ❖ say some things people do
- ❖ say where someone is going
- ❖ talk about the future
- ❖ order food and beverages

Visit the web-based activities at www.emcp.com

Vocabulario I

¿Adónde vamos en la ciudad?

la oficina

la médica

la biblioteca

Centro de Salud

BIBLIOTECA NACIONAL

HOTEL MARCO POLO

COLEGIO BILBAO

el hotel

el dentista

CINEPOLIS

la escuela

BANCRECER

el banco

el restaurante

LOS NARDOS

¿Cuándo es la fiesta?

¿Por qué no vamos?

el cine

Es mañana.

tomar el camión/ tomar el autobús

¡Claro! ¡Vamos! Yo quiero ir.

¿Sabes ir?

EL PARQUE

Hay una fiesta fantástica.
Natalia es simpática y va a la fiesta también.

1 La ciudad

Selecciona la foto que corresponde con lo que oyes. *(Select the photo that matches what you hear.)*

A 4

B 5

6 C

D 1

2 E

3 F

2 Juego

Haz una lista de tantos lugares en una ciudad como puedas en un minuto.
(Make a list of as many places in a city as you can in one minute.)

El gusto es mío.

Encantado, Laura.

Laura, te presento a Gabriel y a Jaime.

Tanto gusto.

caminar

Diálogo I

En la Ciudad de México

MARISOL: ¡Hay una fiesta fantástica en la ciudad!
TOMÁS: ¿Cuándo es la fiesta?
PILAR: Es mañana en el Zócalo. ¿Por qué no vamos?
TOMÁS: ¡Claro! ¡Vamos!

TOMÁS: Y... Olga va también, ¿no? Es muy simpática.
PILAR: Sí, ella va.
TOMÁS: ¡Ah, muy bien!

PILAR: Allí está mi amiga. ¡Hola, Ana! Te presento a Tomás.
TOMÁS: Tanto gusto.
ANA: Encantada. ¿Por qué no caminamos al parque?
TOMÁS: Sí, quiero caminar.

3 ¿Qué recuerdas?

1. ¿Dónde están los muchachos?
2. ¿Dónde hay una fiesta?
3. ¿Cómo es Olga?
4. ¿Va Tomás al Zócalo?
5. ¿Adónde quiere ir Ana?

4 Algo personal

1. ¿Eres tú simpático/a? ¿Y tus amigos/as?
2. ¿Hay un parque en tu ciudad? ¿Cómo se llama?
3. ¿Caminas a la escuela?

5 Presentaciones

))))) **Indica la letra de la foto que corresponde con lo que oyes.**

A **B** **C** **D**

El Parque de Chapultepec, México, D.F.

De visita en la Ciudad de México

When you are in Mexico, you may hear the terms *México, La República* or *los Estados Unidos Mexicanos,* all of which are used interchangeably to refer to the country. Similarly, when you are planning to travel to the capital, you may say you are going to visit Mexico City. However, according to Mexicans, you will be in *el D.F. (Distrito Federal), la Ciudad de México* or just in *México.* Once there, start your sightseeing in the center of the city—the *Zócalo*—or main plaza. Mexico was once the center of the ancient Aztec capital *Tenochtitlán.* Today the site offers visitors a view of the excavated ruins of the *templo mayor* (main temple). Walk a short distance and you will find the wide and elegant *Paseo de la Reforma.* This street was built by the emperor Maximilian to join his palace at Chapultepec with his office in the National Palace (where works by one of Mexico's most famous artists, Diego Rivera, are on display) in the *Zócalo.* Chapultepec today is a large park where you can enjoy *el zoológico* (zoo), *las atracciones* (amusement park rides) or *el Castillo* (castle). Transportation inside the park is limited to walking and biking, so many people come just to enjoy the outdoors. The park also includes the world-famous *Museo Nacional de Antropología,* which contains three miles of exhibits of art, architecture and culture of the ancient civilizations that existed in Mexico before Spanish colonization.

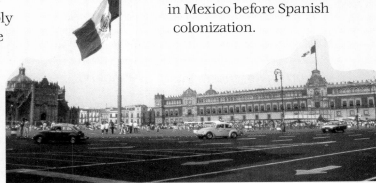

El Zócalo.

6 De visita en la Ciudad de México

¿Sí o no?

1. Los mexicanos llaman a la capital La República.
2. *D.F.* quiere decir *Distrito Federal.*
3. El Zócalo es una biblioteca.
4. El Paseo de la Reforma es una avenida elegante.
5. En el Parque de Chapultepec hay un zoológico, atracciones y un castillo.
6. En el Museo Nacional de Antropología hay exhibiciones de arquitectura y cultura.

7 En el D.F.

Make a list of four places mentioned in *Cultura viva* that you might visit on a trip to Mexico City. Search the Internet or go to the library and describe what you would see or do at one of the places you listed.

Estructura

Making introductions: *te, le, les*

Follow these guidelines when you wish to introduce people:

te	(to one person, informal)	*Laura, **te presento a** Gabriel.*
le	(to one person, formal)	*Sra. Durán, **le presento a** María.*
les	(to two or more people, informal and formal)	*Luis y José, **les presento a** Margarita y **a** Pablo.*

Note: When the definite article *el* (the) follows *a* or *de*, the two words combine to form *al* or *del*.

$$a + el = al \qquad de + el = del$$

*Tomás y Pilar, les presento **al** señor Rojas.*
*Te presento **al** amigo **del** estudiante nuevo.*

You have several responses to choose from when meeting someone, among them: **Mucho gusto, Tanto gusto** or **El gusto es mío.** In addition, males can say **Encantado,** while females may wish to say **Encantada.**

Títulos de cortesía

You have already learned to use *señorita, señora, señor, profesora, profesor* in face-to-face conversation. However, if you are talking about someone, these titles of respect are preceded by the definite articles *la, el, las* or *los*: **El señor Díaz** *es mi profesor.*

Two additional titles of respect, **don** (masculine) and **doña** (feminine), do not require a definite article and are used with a person's first name when talking to adults you know very well: **Don** *Diego, le presento a **doña** Teresa.*

Práctica

 8 Presentaciones

Completa las siguientes oraciones con palabras de la lista.

de	te	a la	al
les	le	del	a

MODELO ¡Ay, Rosario! Te presento a mi amigo Iván.

1. Jorge, te presento al señor Francisco Ortiz.
2. Rodolfo y Ana, les presento al amigo del Sr. Rodríguez.
3. Paco y Antonio, les presento al señor Pedraza.
4. Profesor Vallejo, le presento a doña Marina.
5. Rodrigo y Pablo, les presento a Diana y a Catalina.
6. Sr. y Sra. Gaviria, les presento a la profesora de historia.
7. Rosario, te presento a don Carlos y al Ernesto.

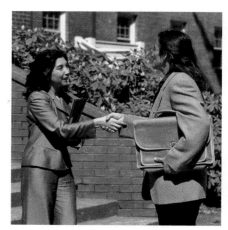

Encantada.

9 En la fiesta del Zócalo

Completa los diálogos.

Roberto:	Sr. y Sra. Ortega, (1) [*les*] presento (2) [*a*] mi amiga Estefanía.
Sr. Ortega:	Tanto (3) [*gusto*], Estefanía.
Sra. Ortega:	Encantada, Estefanía.
Sra. Tovar:	Sra. Santos, (4) [*Te*] presento a Felipe, mi amigo de Acapulco.
Sra. Santos:	(5) [*Encantada*], Felipe.
Felipe:	El (6) [*gusto*] es mío, Sra. Santos.
Sofía:	Marcos, te (7) [*presento*] a Pilar y a Daniel. Marcos es el estudiante nuevo de Veracruz.
Marcos:	¡(8) [*Mucho*] gusto! Me llamo Marcos Castilla.
Pilar:	(9). [*Encantada*]
Iván:	¿(10) [*Cómo*] estás?
Daniel:	Bien, gracias.

¡Mucho gusto!

10 En la Ciudad de México

You and two classmates are greeting some friends and family who have decided to visit Mexico City. Introduce everyone using the words shown.

MODELO Hernando / presento a / el profesor de música, el señor Villamil
Hernando, te presento al profesor de música, el señor Villamil.

1. Maribel / presento a [*te*] / mi amigo, Jorge Contreras
2. Carmen y Gabriel / presento a [*les*] / [*al*] Edgar
3. Sra. Giraldo / presento a [*le*] / [*la*] señora Suárez
4. Sr. y Sra. Ruiz / presento a [*les*] / el profesor de historia de [*al*] / el colegio, el señor Botero
5. Enrique y Sonia / presento a [*les*] / el amigo de [*al*] / el profesor Osorio [*al*], el señor Jaramillo
6. Sr. y Sra. Reyes / presento a [*les*] / la amiga de Silvia, Juliana
7. Isabel / presento a [*te*] / el amigo de / el señor Rueda [*al*], don Carlos

Comunicación

11 En el Zócalo

You are with some friends and classmates at the Zócalo while on a study abroad program in Mexico City. In small groups, act out these introductions. Take turns playing the part of each person.

1. Your friend Miguel meets your friend Margarita for the first time.
2. Your classmate Pedro sees one of his neighbors *la señora Carvajal* whom you do not know.
3. Two other students you know from the exchange program pass by while you are with your other friends.
4. The mother of one of your friends, *la señora García,* is crossing the Zócalo and runs into you and your friends.

In groups of three or four, pretend you are guests at a *quinceañera* party at the home of the study abroad program director. Practice introducing one another in Spanish and then start conversations with the other guests: ask where they are from, how they are, if they speak Spanish and English and so on. Exchange phone numbers with at least one other person. Remember to use appropriate greetings, gestures and responses in your conversations.

Repaso rápido: question-asking words

You are already familiar with several words used for asking information questions:

*¿**Cómo** estás?*	**How** are you?
*¿**Cuál** es tu cuaderno?*	**Which (one)** is your notebook?
*¿**Cuáles** son?*	**Which (ones)** are they?
*¿**Cuándo** es la clase de español?*	**When** is the Spanish class?
*¿**Cuánto** es?*	**How much** is it?
*¿**Cuántos** hay?*	**How many** are there?
*¿**Dónde** están ellos?*	**Where** are they?
*¿**Por qué** está ella allí?*	**Why** is she there?
*¿**Qué** es?*	**What** is it?
*¿**Quién** es de Cancún?*	**Who** is from Cancún?
*¿**Quiénes** son ellos?*	**Who** are they?

Note: Unlike *qué*, *cuál* (or *cuáles*) may never be followed by a noun: *¿Qué autobús tomas?* (What bus are you taking?); *¿Cuál de los autobuses tomas?* (Which of the buses are you taking?).

13 **Unas preguntas**

Escribe preguntas usando cada una de las palabras interrogativas del Repaso rápido. (*Write questions using each of the question-asking words in the Repaso rápido.*)

¿Dónde está el Museo Nacional de Antropología?

Estructura

Asking questions

One way to ask a question is by making your voice rise at the end of the sentence.

Hay un museo en Chapultepec. → *¿Hay un museo en Chapultepec?*

Another way to ask a question in Spanish is to place the subject after the verb.

Tomás está en el museo. → *¿Está Tomás en el museo?*
    1   **2**   **2**   **1**

You can also create a question by adding a tag word such as *¿no?* or *¿verdad?* to the end of a sentence, much as you might add **isn't she?** or **right?,** etc. in English.

Eva va al restaurante, ¿no?   Eva is going to the restaurant, **isn't she?**
Uds. van al Zócalo, ¿verdad?   All of you are going to the Zócalo, **right?**

When forming information questions with interrogative words (*¿cómo?, ¿cuál?, ¿cuáles?,* and so forth), the verb precedes the subject, just as in English (*¿Cuándo es la fiesta?*). Some interrogative words may be used alone or in combination with various prepositions (*¿**De dónde** eres tú? ¿**A qué** hora termina?*).

 Práctica

14 En forma de pregunta

Cambia las siguientes oraciones a preguntas.

MODELO   La amiga de Pilar es simpática.
           ¿Es la amiga de Pilar simpática?

1. Ana es la amiga de Pilar.
2. Ana y Tomás estudian música en la Ciudad de México con la señora Alvarado.
3. La señora y el señor Alvarado son de Puebla.
4. Los dos chicos caminan en el Parque de Chapultepec.
5. Ellos hablan con la señora Alvarado en el Museo de Antropología.
6. La señora Alvarado toma el camión a Puebla.

La amiga de Pilar es simpática.

15 A contestar

 Working in pairs, take turns reading and answering the questions you created for the previous activity. Remember to answer each question with *Sí* or *No*, followed by a complete sentence.

MODELO   **A:** ¿Es la amiga de Pilar simpática?
           B: Sí, la amiga de Pilar es simpática./No, la amiga de Pilar no es simpática.

16 Palabras interrogativas

Completa las siguientes oraciones de una manera lógica.

1. ¿__ hay una fiesta fantástica?
2. ¿__ va a la fiesta?
3. ¿A __ hora es la fiesta?
4. ¿__ no vamos al parque?
5. ¿De __ es ella?
6. ¿De __ ciudad son?
7. ¿__ es tu número de teléfono?
8. ¿__ es ella? ¿Simpática?

17 Unas preguntas

Make as many different questions as you can for each of the following statements.

MODELO Mañana hay una fiesta fantástica en el Zócalo.
¿Qué hay mañana en el Zócalo?/¿Dónde hay una fiesta mañana?/
¿Cuándo es la fiesta?

1. Doña Cecilia necesita el horario de camiones.
2. El señor Galindo camina en el Parque de Chapultepec.
3. El Paseo de la Reforma está en el D.F.
4. César, Ignacio y Pedro estudian en una escuela en Mazatlán.

✿ Comunicación

18 México

Referring to *Cultura viva*, create five questions in Spanish about Mexico. Then, with a classmate, take turns asking and answering the questions.

¿Están en el Parque de Chapultepec?

19 Una entrevista

Write five or six questions you would like to ask a classmate. Then pair up with another student and take turns interviewing one another using the questions you prepared. Take notes during the interview and report your findings to the class. Be creative.

¿De qué ciudad es Ud.?

 ## 20 En el teléfono

 Working in pairs, create a telephone conversation in which you discuss details about some future activity you are going to do together. Tell when, where and at what time the activity takes place.

¿Aló?

MODELO
A: ¿Aló?
B: Hola, Pedro. ¿Vamos a la fiesta de Juan?

A: ¿Cuándo es?
B: Es el sábado.

A: ¿A qué hora es?
B: Es a las ocho.

¿Vamos a caminar en el D.F.?

Vocabulario II

¿Cómo vamos?

a pie

en avión

en metro

en tren

en barco

en moto(cicleta)

a caballo

en bicicleta

en taxi

en autobús

en camión

en carro

Roberto está lejos de la escuela.
Roberto está cerca de la biblioteca.
Roberto tiene un problema porque no tiene
transporte para ir a la escuela.
Tú tienes transporte para ir a la escuela, ¿verdad?

21 ¿Qué medio de transporte es?

Selecciona la foto que corresponde con lo que oyes.

A

B

C

D

E

F

G

H

22 ¿Cómo vamos?

Cut photographs of various means of transportation from magazines. On the back of each cutout, identify what it is in Spanish. Working in pairs, take turns asking and answering what each item is.

¡Extra!

En otras palabras

el autobús	el bus, la buseta, el camión, el colectivo, la flota, la guagua, el micro, el ómnibus
el barco	el buque, la nave
la bicicleta	la bici
el carro	el automóvil, el auto, el coche
el metro	el subterráneo (el subte)

23 ¿Cómo vas?

Say which means of transportation you would use to go to the following places.

MODELO la oficina de tu padre
en autobús

1. la escuela
2. la biblioteca
3. el parque
4. México, D.F.
5. el dentista
6. el cine
7. tu restaurante favorito
8. el médico

Diálogo II

¿Qué?

TOMÁS: Hola, Olga, tú vas mañana a la fiesta, ¿verdad?

OLGA: ¿Cómo? Estás muy lejos.

TOMÁS: Lo siento.

TOMÁS: ¿Vas tú mañana a la fiesta en el Zócalo?

OLGA: Estás muy cerca, Tomás.

TOMÁS: Perdón.

OLGA: No, no voy porque no tengo transporte.

TOMÁS: Bueno, no hay problema.

OLGA: ¿Por qué no hay problema?

TOMÁS: Porque yo tengo carro para ir a la fiesta.

24 ¿Qué recuerdas?

1. ¿Quién está lejos?
2. ¿Con quién habla Tomás?
3. ¿Por qué no va Olga a la fiesta?
4. ¿Por qué no hay problema?

25 Algo personal

1. ¿Qué transporte tomas para ir a la escuela?
2. ¿Qué tomas para ir al parque? ¿Está lejos o cerca?
3. ¿Vas a fiestas con amigos? Explica.

26 ¿Qué toman para ir?

Selecciona la foto que corresponde con lo que oyes.

A   **B**   **C**   **D**   **E**

1 En el centro

Selecciona la ilustración del lugar apropiado, según lo que oyes.

A

B

C

D

E

F

G

H

2 La ciudad

Completa las oraciones de acuerdo con las ilustraciones del Vocabulario I.

1. El autobús va por la __.
2. Gabriela y Ana van al __ de arte.
3. Luis Miguel va a estar mañana en el __ Arlequín.
4. El Museo de Arte Moderno está en la __ de la Independencia.
5. Moda In y Zapato Express son __ en la Calle Versalles.
6. Hay ocho personas en la __ .
7. En el __ hay muchas oficinas.
8. ¿Vamos al __ El Charro?

3 ¿Adónde vas?

Haz una lista de los lugares adónde vas.

Diálogo I

Vamos al museo

TOMÁS: Olga, ¿qué vas a hacer el sábado?

OLGA: Voy a ir al centro con Pilar.

TOMÁS: ¿Van a las tiendas?

OLGA: No. Vamos al museo de arte.

TOMÁS: El museo está en un edificio grande.

OLGA: Sí, luego, vamos al restaurante El Charro. ¿Vas?

TOMÁS: ¡Claro! ¿Está el restaurante en la calle Versalles?

OLGA: No, está en la Avenida de la Independencia.

4 ¿Qué recuerdas?

1. ¿Qué va a hacer Olga el sábado?
2. ¿Va ella a las tiendas?
3. ¿Cómo es el edificio del museo?
4. ¿Dónde está el restaurante?

5 Algo personal

1. ¿Qué vas a hacer el sábado?
2. ¿Hay muchos edificios grandes en el centro de tu ciudad?
3. ¿En qué calle está tu colegio?

6 ¿Qué vas a hacer hoy?

Indica la letra de la ilustración que corresponde con lo que oyes.

A

B

C

D

El Distrito Federal (el D.F.)

Mexico City is not only the capital of the country, the *Distrito Federal* is also the center of Mexico's government, economy, culture and educational system. Internationally known sites you may want to visit include *El Palacio Nacional, el Museo de Antropología* and one of the largest universities in the world, *la Universidad Autónoma de México (UNAM)*, among others. Downtown, virtually every street offers an array of interesting sites and experiences, including Aztec ruins (*la Plaza de las Tres Culturas*), beautiful parks (*Alameda*), museums and art galleries (*el Palacio de Bellas Artes*), as well as many interesting colonial buildings.

Mexico City also faces challenges. Like most large U.S. cities, downtown streets are crowded, noisy, polluted and frequently congested with traffic jams. In addition, early Spanish colonists constructed the city on top of the original Aztec capital, Tenochtitlán, which had been built on an island in the middle of Lake Texcoco. Consequently, parts of the city are now sinking because of this soft land, and this creates problems providing fresh drinking water to millions of residents.

When you travel to *el D.F.,* you will experience a cosmopolitan atmosphere that is both similar to and yet very different from other cities in the world. While there, you see why Mexicans take great pride in their heritage. Now they are focused on an even brighter future.

Contaminación del aire (*air pollution*) en el D.F.

El Palacio de Bellas Artes.

7 Un viaje a México

Plan an itinerary for a trip to Mexico. First, decide what you want to see and do and indicate why each site or activity interests you (e.g., *el Palacio Nacional* – to see Diego Rivera's artwork in person). Next, list hotels (with addresses and rates) where you want to stay. Include in your travel plans flight schedules to and from the destinations you want to visit, including Mexico City. Finally, map out your daily schedule from beginning to end.

¡Extra!

Está en la internet

You can find all of the information needed to complete a travel itinerary by searching the Internet. Alternative sources of information include travel agents, airlines and the library.

Idioma

Talking about the future: *ir a* + infinitive

Say what you are going to do or what is going to happen by using the present tense of *ir*, followed by *a* and an infinitive *(infinitivo)*.

$$\boxed{ir + a + \text{infinitive}}$$

*Laura **va a ser** médica.* Laura is going to be a doctor.
*Uds. **van a estar** en México, ¿verdad?* You are going to be in Mexico, right?

Práctica

8 Van a ir a diferentes lugares

Ask where these people are going tomorrow in downtown Guadalajara, using tag questions.

MODELO Juán / restaurante El Amanecer
Juán va a ir al restaurante El Amanecer, ¿verdad?

¿Adónde van Uds.?

1. Uds. / museo de arte
2. Manolo / fiesta en la plaza
3. Fabiola y Gerardo / teatro
4. nosotros / tiendas
5. Doris / oficina
6. Ud. / banco
7. tú / biblioteca
8. doña Ester / médico

9 ¿Adónde van a ir en Cuernavaca?

Haz oraciones lógicas usando palabras y expresiones de cada columna.

MODELO Los Martínez van a ir al cine a las seis.

los Martínez	centro	el lunes
la Sra. Sandoval	concierto	en la tarde
nosotros	restaurante	a las seis
yo	tienda	a las 10:30 P.M.
doña Angelina	edificio nuevo	el domingo
Ariel Tovar	museo	al mediodía
tú	plaza	en la mañana
Mónica y Jairo Ruíz	teatro	
	cine	

Comunicación

10 En el Distrito Federal

As part of a summer study program, you have the opportunity to take classes at *la UNAM* and a classmate has prepared a list to help you find your way around the city. Answer the questions about places to go in the city.

1. ¿Cómo vas a ir a los museos de Chapultepec?
2. ¿Qué museo de arte está en Chapultepec?
3. ¿A qué museos vas a ir?
4. Tomas un taxi a la Calle 16 de Septiembre. ¿De qué plaza vas a estar cerca?
5. ¿Dónde está el restaurante con "mole fantástico"?
6. ¿Dónde está el Palacio de Bellas Artes? ¿Cómo vas a ir allí?
7. Quiero ir al Museo de Arte Moderno. ¿Sabes el número de teléfono del museo?

Adónde ir en el D.F.

Parque de Chapultepec (ir en metro):
- Museo Nacional de Antropología
- Museo Nacional de Historia (en el Castillo)
- Casa del Lago (parque de atracciones)
- Museo Tecnológico
- Museo de Arte Moderno (en Av. Reforma): 776-83-41
- Museo de Historia Natural

Otros lugares interesantes:
- Palacio de Bellas Artes (museo y teatro en el Centro Histórico)
— Está en la Alameda Central y la Avenida Juárez. (camiones Nº 16 ó 52) Información: 683-48-05

- El Zócalo (plaza central)
— Calle 16 de Septiembre (cerca de la Calle Seminario)

Restaurantes:
- La Bodega (¡Mole fantástico!)
Popocatépetl 25, Colonia Hipódromo Condesa, Zona Centro
Teléfono: 525-84-73

- SpaceNet Café
Calz. del Hueso 160 local 3-B Fuentes Plaza Ex Hacienda Coapa, Zona Sur
Teléfono: 567-35-52

11 Sus propios planes

Working in pairs, use the list from the previous activity to make your own plans for what you are going to do while in Mexico City.

MODELO **A:** ¿Vamos a ir al Museo de Antropología?
B: Sí. Vamos a ir allí en taxi.

12 ¿Qué van a hacer mañana?

Talk with two classmates about going downtown tomorrow. Start by asking each other what you are going to do. Then ask where you are going to go, how you are going to get there, etc. Use a variety of expressions and as many new words as you can.

MODELO **A:** ¿Qué van a hacer mañana?
B: Voy a ir al centro.
C: ¿Cómo vas a ir?
B: Voy a ir en metro.

¡Oportunidades!

Se habla español en México y en tu ciudad
It is not always necessary to travel to Mexico or to go a great distance in order to use Spanish. In the United States, nearly every community offers opportunities to apply language skills you are learning this year. Many American cities have large Spanish-speaking populations, so you may find yourself using your new language skills in a restaurant, at a museum, in a store or while you are simply strolling along a city street. Knowing Spanish opens doors and offers opportunities you might otherwise never experience!

¡Comida mexicana!

No veo pollo en mole en el menú.

Pues, ¿por qué no le preguntas al mesero?

Yo quiero comer una ensalada.

¿Qué van a comer?

De acuerdo.

el mesero

¡Cómo no!

la mesera

Un momento, por favor. Oye, Natalia, ¿qué vas a comer?

Él toma jugo de naranja.

Bueno, siempre como pollo, pero hoy voy a comer pescado.

el menú

Natalia y Lucía van a comer ahora.
Las chicas leen el menú.
El mesero hace una pregunta a las chicas.

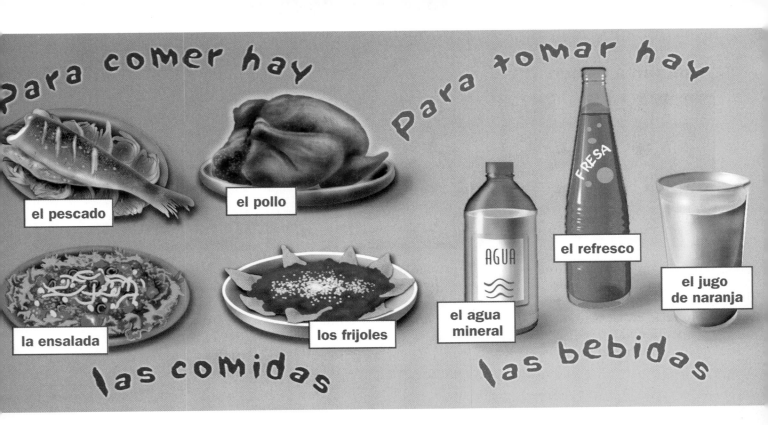

Para comer hay

el pescado

el pollo

la ensalada

los frijoles

las comidas

Para tomar hay

el agua mineral

el refresco

el jugo de naranja

las bebidas

13 ¿Dónde está?

Di si lo que oyes está en un restaurante o en un colegio.

Está en un restaurante.

Está en un colegio.

14 ¿Qué sabes?

Haz una lista de tres comidas y tres bebidas.

15 En el restaurante

Completa las siguientes oraciones en forma lógica.

1. Las chicas leen en el __ lo que hay para comer y para tomar.
2. El __ pregunta a las chicas "¿Qué van a comer?".
3. Natalia y Lucía toman __ mineral.
4. La __ que toma el señor de camisa azul es un jugo de naranja.
5. La señora quiere pollo en mole de __ pero no está en el menú.
6. Lucía quiere pescado para __ .

¡Extra!

Más bebidas y comidas

Para tomar:

el café	coffee
el chocolate	hot chocolate
la gaseosa, el refresco	soft drink
la leche	milk
el té	tea

Para comer:

la carne	meat
la ensalada	salad
la hamburguesa	hamburger
el pan	bread
las papas fritas	french fries
el postre	dessert

Diálogo II

¿Qué van a comer?

TOMÁS: Perdón, ¿sabe dónde está el restaurante El Charro?
SEÑORA: ¡Sí! Está allí, cerca de la biblioteca, en la Avenida de la Independencia.
TOMÁS: Muchas gracias.

TOMÁS: Hola, Olga. Hola, Pilar.
OLGA: ¡Hola, Tomás! Oye, ¿qué vas a comer?
TOMÁS: Yo siempre como pollo en mole.

MESERA: ¿Qué van a comer, señoritas?
OLGA: Este... quiero el pescado y un refresco.
PILAR: Yo voy a comer unos frijoles y a tomar un jugo de naranja.
MESERA: De acuerdo.

16 ¿Qué recuerdas?

1. ¿Dónde está el restaurante El Charro?
2. ¿Qué come Tomás siempre?
3. ¿Qué va a comer Olga?
4. ¿Va Pilar a comer una ensalada?

17 Algo personal

1. ¿Dónde está tu restaurante favorito?
2. ¿Qué comida vas a comer allí?
3. ¿Tomas agua mineral, jugo de naranja o refresco?

18 ¿Cuál es la respuesta correcta?

 Escoge la letra de la respuesta correcta.

A. Sí, pero hoy no quiero pollo en mole.
B. Está allí, cerca de la biblioteca.
C. Pues, un momento, por favor... Voy a comer pescado hoy.
D. Quiero tomar agua mineral, por favor.

¡Extra!

Para ser natural

Do you ever use a word while you are talking just to fill in the conversation while you are thinking, such as **well, um** or **hey**? Adding some of these pause words to conversations will make your speech sound more natural:

a ver	let's see
bueno	okay, well
este	well, so
mira	look, hey
oye	hey, listen
pues	thus, well, so, then
es que...	well, it's just that...

Unos tamales deliciosos.

Salir a comer en México

Mexican cuisine consists of much more than *enchiladas, tacos, tamales, quesadillas* and *burritos*. Each region of Mexico has its own particular type of food. In Mexico City, restaurants and cafés are everywhere. To eat well at reasonable prices, imitate the Mexicans and make your main meal (*la comida principal*) a large, late lunch (*el almuerzo*).

Tacos en la taquería.

Mole is one of the most popular dishes, consisting of a thick, spicy, dark brown sauce of various chiles, sesame seeds, chocolate, herbs and spices. Served over chicken (*pollo*) or turkey (*pavo*), it is called *mole poblano*. You can also eat crispy chicken in a *rosticería,* order standard Mexican cuisine such as *tacos* or *enchiladas* at a *taquería,* or try fruit shakes, sodas, ice cream or fruit salads at a juice (*jugo*) shop. Other eating choices range from inexpensive coffeehouses and pastry shops to international Chinese, Japanese, French and Middle Eastern restaurants. Beverage choices are varied, too, and consist of popular fruit drinks (*jugos*), milk, bottled mineral waters (*aguas minerales*), soft drinks with or without ice (*hielo*) and much more.

TIPOS DE PLATOS

Entrada
Es el primer plato de una comida. Usualmente es una sopa, una crema, un coctel de mariscos o de frutas, o un antipasto.

Ensalada
Puede servir de acompañamiento al plato fuerte, o como plato único cuando es con pollo o mariscos.

Plato fuerte
El pollo, las carnes y pescados son generalmente la base de esta parte de la comida.

Postre
Es el tercer o cuarto plato en una comida. Debe ser dulce y los cubiertos que se usan para comerlo son una cuchara pequeña y un tenedor, también pequeño.

19 Salir a comer en México

Contesta las siguientes preguntas.

1. ¿Hay muchos restaurantes en el Distrito Federal?
2. ¿Qué comida es muy popular en México?
3. ¿Adónde vas a ir para comer pollo rostizado en México?
4. ¿Adónde vas a ir para comer tacos y enchiladas en México?
5. ¿Qué hay para tomar en México?
6. ¿Cuántos tipos de platos (*courses*) hay?

Saying what someone does: present tense of *-er* verbs

Form the present tense of regular *-er* verbs, such as *comer* (to eat), *comprender* (to understand) and *leer* (to read), by first removing the *-er* ending and then attaching endings that correspond to each of the subject pronouns shown in this chart.

comer			
yo	com**o**	nosotros nosotras	com**emos**
tú	com**es**	vosotros vosotras	com**éis**
Ud. él ella	com**e**	Uds. ellos ellas	com**en**

Three additional verbs that end in *-er, hacer* (to do, to make), *saber* (to know information) and *ver* (to see), are regular except for the *yo* forms.

  hacer   yo **hago**   *saber   yo* **sé**   *ver   yo* **veo**

In addition, the *vosotros* form of *ver* does not require an accent mark: *vosotros* **veis**.

  Veo *la calle Versalles.*
  *¿***Veis** *vosotros la Avenida Suárez en el mapa?*

Práctica

20 ¿Qué comes?

Working in pairs, take turns asking questions about whether each of you does or does not eat the items listed.

MODELO   tacos
    A: ¿Comes tacos?
    B: Sí, (No, no) como tacos.

1. ensalada
2. frijoles
3. pescado
4. pollo

21 Tenemos mucho en común

Read the following statements and say who else does the same thing, according to the cue in parentheses. Add an expression such as *pues* or *bueno* before each sentence.

MODELO   Leo periódicos en español y comprendo muy bien. (Elena)
Pues, Elena lee periódicos en español y comprende muy bien también.

Pues Yo leo

1. Josefina lee una revista y toma jugo de naranja. (yo)
Bueno nosotros leemos
2. El señor y la señora Correa leen libros en español. (nosotros)
Pues
3. El profesor comprende inglés y español. (José y Ana)
Buenos
4. Comemos pescado y ensalada en el centro hoy. (los Peña)
Pues
5. Roberto come tacos en el restaurante Los Rancheros. (tú)

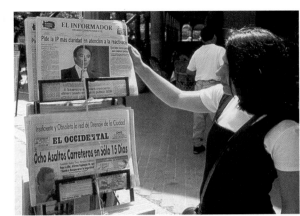
Leo periódicos en español.

22 ¿Comprenden y hablan inglés y español?

Say that the following people all understand and speak English and Spanish.

MODELO   Alejandro
Alejandro comprende y habla inglés y español.

1. yo
2. tú
3. mi amiga y yo

4. el profesor
5. los estudiantes en la clase de español
6. la chica nueva

23 En el restaurante El Charro

Complete the following paragraph with the present tense of the verbs in parentheses.

Los viernes, mi amiga Pilar y yo siempre *(1. comer)* [Comemos] en el restaurante El Charro. Hoy muchos chicos del colegio *(2. comer)* [comen] aquí. En la mesa número uno, Paco y María *(3. leer)* [leen] el menú. Paco no *(4. saber)* [sabe] qué comer. María siempre *(5. comer)* [come] pescado. En la mesa dos, el mesero pregunta a Jorge, Daniel y Patricia qué van a comer. Ellos *(6. hacer)* [hacen] una pregunta al mesero: "Nosotros no *(7. ver)* [vemos] tacos en el menú. ¿Hay tacos aquí?" "Sí, ¡cómo no!" responde el mesero. En la mesa tres estamos Graciela y yo. Graciela *(8. leer)* [lee] el menú. Yo siempre *(9. comer)* [como] ensalada, pero no *(10. saber)* [sé] qué tomar hoy. Graciela dice "Un momento, por favor". Yo *(11. ver)* [veo] que ella no *(12. comprender)* [comprende] una palabra del menú. Luego, ella dice "¡Ahora *(13. comprender)* [comprendes]! Yo quiero el pollo en mole y un refresco por favor". "De acuerdo".

Using the verbs *comer, comprender* and *leer,* tell what these people are doing.

MODELO

la mesera
La mesera come pollo.

1. Graciela

2. Camilo

3. los muchachos

4. Laura y Elena

5. Edgar y Vivian

6. Don Pedro

25 ¿Qué hacen?

Working with a partner, read the following statements about Alfredo and his friends. Tell your partner that you do the same things as Alfredo, and then ask what your partner does.

MODELO **A:** Alfredo va a un colegio grande en el centro.
   B: Pues, yo también voy a un colegio grande en el centro. ¿Y tú?
   A: Yo (no) voy a un colegio grande en el centro.

1. Alfredo sabe historia.
2. Alfredo siempre lee muchas revistas y periódicos.
3. Los sábados Alfredo y Rebeca hacen pollo en mole.
4. Alfredo y Tomás hacen muchas preguntas en la clase de biología.
5. Alfredo comprende español.
6. Alfredo, Rebeca y Tomás comen pescado y pollo.

Alfredo va a un colegio grande en el centro.

26 ¿Qué ves?

Say what these people do, see or know, according to what you see in each illustration.

1. Gabriel y María

El número de teléfono de Juan es el 6-65-45-20.

2. ellos

3. Mónica

4. Diego

5. los Montoya

¿El cine? Sí, calle León, número 10.

6. la Sra. Ruiz

◈ Comunicación

27 En El Charro

In groups of four, two students play the role of friends who are considering going to a popular restaurant in town, El Charro. The other two students should pretend they often go to eat at El Charro. Then, four of you meet on the street and discuss the restaurant (the restaurant's name, if it is new, where it is, etc.). Be sure to ask your friends what they eat when they go to El Charro. Then say what you are going to eat when you go there. Switch roles.

Estrategia

The importance of reviewing
Whenever you do an activity that requires you to be creative, look at previous activities, dialogs, readings, etc. for words, grammar and cultural information you have already learned that may be useful in the new activity (e.g., the word *nuevo* in activities 9 and 22, asking for or giving names in activities 27 and 28, the question-asking words for activities 27 and 28). This recombining of old and new content will help you remember what you learned. It will also help you express yourself naturally in ever more complex situations.

28 ¿Qué leen los estudiantes en la clase?

Survey your classmates to find out how many are reading a book right now. Next, find out the names of the books and how many students are reading each one. Finally, summarize your findings in a short paragraph.

Hay seis estudiantes que leen libros. Uno lee Marianela. Dos leen

Lectura personal

Cantantes y grupos musicales

Dirección http://www.emcp.com/músico/ola/e.diario-2.htm ▲ Archivo Edición Ver Favoritos Herramientas Ayuda

página principal   miembros   e-diario

Grupo musical La OLA

Nombre: **Xavier Rodríguez Guerra**
Edad: **18 años**
Ciudad natal: **Chicago**
Comida favorita: **pollo en mole**
Cantante favorito: **Alejandro Sanz**

¡Fantástico concierto en Ciudad de México! Gracias, amigos. Nunca[1] voy a olvidar[2] esta ciudad de más de veinte millones de personas, edificios impresionantes y museos famosos. ¡Es una ciudad extraordinaria! Ahora estoy en un restaurante y veo el Zócalo. Imagino esta plaza en diferentes épocas de la historia... En 1325 era[3] una isla desierta en el lago[4] Texcoco donde los mexicas se establecieron[5].

En 1519 Tenochtitlán (hoy Ciudad de México) era la capital del imperio azteca, una ciudad grande, importante, magnífica. Los palacios y las casas estaban[6] en chinampas[7] y las personas se desplazaban[8] por canales. En 1525, cuando Hernán Cortés conquistó[9] a los aztecas, la ciudad era ruinas y destrucción. Hoy el Zócalo es la plaza más grande del mundo[10].

[1]Never [2]to forget [3]it was [4]lake [5]settled down [6]were [7]pieces of land floating on a lake
[8]traveled [9]conquered [10]world

29 ¿Qué recuerdas?

1. ¿Dónde está Xavier cuando escribe el e-diario?
2. ¿Qué imagina Xavier?
3. ¿Qué era la Ciudad de México en 1325?
4. ¿Cuál era el nombre de la Ciudad de México en 1519?
5. ¿Cuándo conquistó Hernán Cortés a los aztecas?

30 Algo personal

1. ¿Cuántos años tiene la Ciudad de México? ¿Cuántos años tiene tu ciudad?
2. ¿Qué grupo indígena habitó en la región donde tú vives?
3. ¿Hay una plaza en tu ciudad? Compara tu *town square* con el Zócalo en la Ciudad de México.

- How has Mexico City changed over time? How long has it been a capital city?

- What's the name of Mexico City's main plaza? How does it compare with your town's main square?

¿Qué aprendí?

Visit the web-based
activities at
www.emcp.com

Autoevaluación

As a review and self-check, respond to the following:

1. Ask a friend what he or she is going to do today.

2. If you were in Mexico City, name some things you might see.

3. Tell a friend what you are going to do this week (go to school at 8:00 A.M. on Monday, study in the library on Tuesday, etc.).

4. What opportunities does knowing Spanish offer you?

5. Name four or five things you can order from a menu in Spanish.

6. Imagine you are driving around town. Name in Spanish two or three buildings you see.

Palabras y expresiones

En la ciudad
la avenida
la calle
el centro
el edificio
el museo
la plaza
el teatro
la tienda

En un restaurante
el agua (mineral)
la bebida
la comida

la ensalada
los frijoles
el jugo
el menú
el mesero, la mesera
la naranja
el pescado
el pollo
el refresco

Otras expresiones
ahora
bueno
el cantante, la cantante

¡cómo no!
el concierto
de acuerdo
favorito,-a
grande
hacer una pregunta
hoy
el momento
mucho,-a
oye
pero
pues
siempre

Verbos
comer
hacer
ir a (+ *infinitive*)
leer
preguntar
saber
tomar
¡vamos a (+ *infinitive*)!
ver

Museo de Antropología.

¡Comida mexicana!

Tú lees

Conexión con otras disciplinas: arte

Preparación

Selecciona las palabras de la columna I que van con las palabras en inglés de la columna II.

I	II
1. un estilo	A a painting
2. un autorretrato	B. a style
3. una pintora	C. a painter, artist
4. un tema	D. a self-portrait
5. un cuadro/ una pintura	E. a theme

Frida Kahlo, una artista universal

Frida Kahlo es una de las pintoras más importantes de México. Como[1] su esposo[2], Diego Rivera, ella comprendió[3] el impacto social de combinar el arte y la política, pero sus temas son más universales. Por ejemplo[4], ella trató[5] los aspectos negativos de la industrialización como la contaminación del aire y de la naturaleza[6]. Otros temas que trató son los problemas de la vida[7]. Frida siempre tuvo[8] problemas físicos. De muchacha, ella tuvo polio. A los dieciocho años, tuvo un accidente terrible de tráfico en la Ciudad de México. Después[9] del accidente, sufrió mucho dolor[10] porque tuvo muchas operaciones. Frida muestra[11] su dolor en muchas de sus pinturas.

La pintora Frida Kahlo en 1931.

Un tema que Frida y Diego tienen en común es el orgullo[12] de la cultura indígena[13] de México. Frida tenía raíces[14] indígenas y adoptó el estilo de la ropa y del pelo[15] de una india para expresar su orgullo indígena. Además[16], sus autorretratos representan la cultura indígena mediante el uso de[17] plantas, animales y colores de la naturaleza.

[1]As, Like [2]her husband [3]understood
[4]For example [5]dealt with [6]nature [7]life [8]had
[9]After [10]pain [11]shows [12]pride [13]native [14]roots
[15]hair [16]In addition [17]by means of

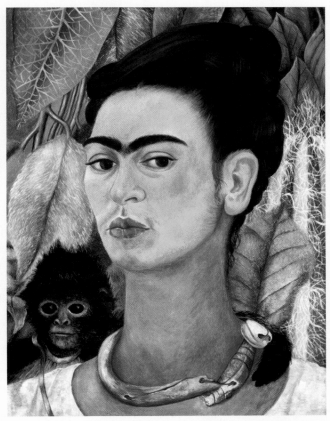

Autorretrato con mono (Self-Portrait with Monkey), Frida Kahlo, 1938. Albright-Knox Art Gallery, Buffalo, N.Y.

A ¿Qué recuerdas?

1. ¿Qué comprendió Frida Kahlo?
2. ¿Cuáles son los temas de los cuadros de Frida?
3. ¿Por qué sufrió Frida mucho dolor?
4. ¿Qué representa Frida en su autorretrato?

B Algo personal

1. ¿Es importante el arte de Frida Kahlo? ¿Por qué?
2. ¿Cuál te gusta más, la foto de Frida Kahlo o su autorretrato? ¿Por qué?

Raíces (Roots), Frida Kahlo, 1943. Private collection.

Tú escribes

Write a stair poem about any topic you choose, such as school, a class, a city, a person, etc. Follow the "steps" to build your poem. When you finish constructing your stair poem, add artwork or graphics to make it visually appealing.

el D. F.

museos parques

la capital

Pues, ¡vamos a la Ciudad de México!

Proyectos adicionales

A Conexión con otras disciplinas: historia

Prepare a tourist guide for Mexico City. Include information about history, the main tourist attractions, museums, places to shop, places to eat and transportation in the city. Be sure to use photos or illustrations to illustrate your guide.

B Conexión con la tecnología

 In pairs or in small groups, search the Internet and complete one of the following activities:

1. Find a restaurant in Mexico City. Then, write down the name, say where the restaurant is, describe the menu selection and prices, etc.
2. Research Mexican food and then describe a dish that sounds good to you. Try to name the ingredients, say what the food looks like, discuss how it is prepared and tell what state/region of Mexico the dish is from.
3. Find a map of Mexico City and locate major landmarks *(el Zócalo, el Palacio Nacional, la Catedral, el Palacio de Bellas Artes, la Zona Rosa, el parque de Chapultepec,* etc.). Say what each site offers that makes it special.

C Conexión con otras disciplinas: matemáticas

You are going out to dine at the *Restaurante Danubio* in Mexico City. Choose what you would like to eat. Then calculate the total price of the food items you ordered, add 7 percent in taxes, 10 percent in tips and convert the total amount from pesos into U.S. dollars. Obtain the current exchange rate from the Internet or from a newspaper.

Restaurante Danubio Cocina Internacional

Ensaladas

Ensalada mixta	44 pesos
Ensalada especial Danubio	61 pesos

Para comer

Mojarra	95 pesos
Calamares	99 pesos
Ostras	92 pesos
Filete con champiñones	98 pesos
Filete a la parrilla	92 pesos
Pollo frito	44 pesos
Pollo a la cacerola	53 pesos

Bebidas

Refrescos	16 pesos
Jugo de naranja	13 pesos
Limonada	12 pesos

Repaso

Now that I have completed this chapter, I can...

Trabalenguas

Erre con erre pizarra, erre con erre barril.
Rápido corren los carros, los carros del ferrocarril.

Vocabulario

a caballo on horseback *3A*
a pie on foot *3A*
¿adónde? (to) where? *3A*
el **agua (mineral)** (mineral) water *3B*
ahora now *3B*
al to the *3A*
el **autobús** bus *3A*
la **avenida** avenue *3B*
el **avión** airplane *3A*
el **banco** bank *3A*
el **barco** boat, ship *3A*
la **bebida** drink *3B*
la **biblioteca** library *3A*
la **bicicleta** bicycle *3A*
bueno well, okay *3B*
el **caballo** horse *3A*
la **cafetería** cafeteria *3A*
la **calle** street *3B*
caminar to walk *3A*
el **camión** truck *3A*
el **cantante,** la **cantante** singer *3B*
el **carro** car *3A*
el **centro** downtown, center *3B*
cerca (de) near *3A*
el **cine** movie theater *3A*
la **ciudad** city *3A*
¡claro! of course! *3A*
comer to eat *3B*
la **comida** food *3B*
¡cómo no! of course! *3B*
el **concierto** concert *3B*
¿cuándo? when? *3A*
de acuerdo agreed, okay *3B*
del of the, from the *3A*
el **dentista,** la **dentista** dentist *3A*
el **edificio** building *3B*

El gusto es mío. The pleasure is mine. *3A*
en *(means of transportation)* by *3A*
en carro by car *3A*
encantado,-a delighted, the pleasure is mine *3A*
la **ensalada** salad *3B*
la **escuela** school *3A*
fantástico,-a fantastic, great *3A*
favorito,-a favorite *3B*
la **fiesta** party *3A*
los **frijoles** beans *3B*
grande big *3B*
hacer to do, to make *3B*
hacer una pregunta to ask a question *3B*
el **hotel** hotel *3A*
hoy today *3B*
ir to go *3A*
ir a *(+ infinitive)* to be going to (do something) *3B*
el **jugo** juice *3B*
le/les/te presento a let me introduce you to *3A*
leer to read *3B*
lejos (de) far (from) *3A*
el **médico,** la **médica** doctor *3A*
el **menú** menu *3B*
el **mesero,** la **mesera** food server *3B*
el **metro** subway *3A*
el **momento** moment *3B*
la **moto(cicleta)** motorcycle *3A*
el **museo** museum *3B*
la **naranja** orange *3B*
la **oficina** office *3A*

oye hey, listen *3B*
el **parque** park *3A*
para for, to, in order to *3A*
pero but *3B*
el **pescado** fish *3B*
la **plaza** plaza, public square *3B*
el **pollo** chicken *3B*
¿por qué? why? *3A*
porque because *3A*
preguntar to ask *3B*
el **problema** problem *3A*
pues thus, well, so, then (pause in speech) *3B*
¿quiénes? who? (pl.) *3A*
quiero I want, I love *3A*
el **refresco** soft drink, refreshment *3B*
el **restaurante** restaurant *3A*
saber to know *3B*
sabes you know *3A*
siempre always *3B*
simpático,-a nice, pleasant *3A*
también also, too *3A*
Tanto gusto. So glad to meet you. *3A*
el **taxi** taxi *3A*
el **teatro** theater *3B*
la **tienda** store *3B*
tomar to take; to drink; to have *3B*
el **transporte** transportation *3A*
el **tren** train *3A*
¡vamos a *(+ infinitive)*! let's *(+ infinitive)* *3B*
¡vamos! let's go! *3A*
ver to see; to watch *3B*
¿verdad? right? *3A*

Cómo viajar por México gastando menos

Secretaría de Turismo

Mi familia y mis amigos

Objetivos

- ❖ talk about family and relationships
- ❖ seek and provide personal information
- ❖ express possession
- ❖ say some things people do
- ❖ express an opinion
- ❖ state likes and dislikes
- ❖ describe people and things

Visit the web-based activities at www.emcp.com

Vocabulario I

Mi familia

abuela
Gloria

abuelo
Pedro

abuela
Carlota

abuelo
Guillermo

hijos

hijos

esposos

hermanos

Rodrigo
(mi padre)

Carmen
(mi madre)

Juan

Clara

Rosa
(mi tía)

Álvaro
(mi tío)

hijos

hijos

hija única

sobrino

Enrique

Julia
(mi prima)

Soy yo, José.

Mónica
(mi hermana)

Nancy

Diego

mis primos

nietos

Me llamo José García Rojas, pero para mi familia soy Pepe. Estoy todo el verano en Puerto Rico con unos parientes, en la casa de mi abuelo. ¡Soy su nieto favorito! Mis padres y yo vivimos en Nueva York.

la casa

Aquí está mi padre. Quiero mucho a mi padre. Él nunca está mucho tiempo en casa.

Mónica está en la playa con Enrique y Diego, ¡los primos más divertidos! Ella es muy guapa y popular.

Ésta es Julia, la hija única de mi tío Álvaro. Ella es bonita y amable. Siempre sale con sus amigos.

Esta foto es de mi abuelo, mi tío Álvaro y su esposa.

1 ¿Cierto o falso?

Di si lo que oyes es cierto o falso, según la información en el Vocabulario I. Si es falso, di lo que es cierto.

2 Pepe y su familia

Completa el párrafo sobre Pepe y su familia.

Soy José García Rojas. Mi (1) [hermana] se llama Mónica. Ella es muy popular. Mi (2) [prima] [tío], Julia, es la (3) [única] de mi (4) [tío] Álvaro y mi (5) [tía] Rosa. Ellos son divertidos. El (6) [tío] Juan es el (7) [hermano] de mi (8) [madre], Carmen. Mi (9) [padre] es Rodrigo. Quiero mucho a mi padre. También quiero mucho a mi (10) [abuelo] Pedro. ¡Soy el (11) [nieto] favorito de él!

Diálogo I

En la fiesta del abuelo

JOSÉ: Hola, Javier. Te presento a mi prima, Julia.
JULIA: Mucho gusto.
JAVIER: Encantado, Julia.
JOSÉ: Ella es la nieta favorita de mi abuelo Pedro.

JAVIER: Tu abuelo es muy amable.
JULIA: Sí, y muy cariñoso. Vivimos con él en Puerto Rico todo el verano.
JOSÉ: ¡Mira, allí está el abuelo!

JAVIER: ¡Ay, sí! ¡Allí está! ¿Quiénes están con él?
JULIA: La señora de rojo es la esposa de mi tío Juan, y la chica de azul es su hija.
JAVIER: ¡Es muy guapa!

3 ¿Qué recuerdas?

1. ¿Cómo se llama la nieta favorita de Pedro? Julia
2. ¿Quién es amable y cariñoso? Abuelo
3. ¿Quién es la señora de rojo? La tía de Juan
4. ¿Quién es la chica de azul? Hija

4 Algo personal

1. ¿Dónde está tu casa? ¿Estás en casa mucho?
2. En tu familia, ¿quién es amable? ¿Divertido/a? ¿Popular?
3. ¿Tienes muchos parientes? ¿Quiénes son?
4. ¿Cómo se llaman tus abuelos? ¿Y tus tíos?
5. ¿Tienes sobrinos? ¿Cómo se llama(n)?
6. ¿Cuántos primos tienes?
7. ¿Quién es tu pariente favorito? ¿Por qué?

5 ¿Quién es?

Escucha la información y, luego, escoge la letra de la respuesta correcta.

A. Es mi abuelo. **B.** Es mi tía. **C.** Es mi prima. **D.** Es mi padre.

Puerto Rico

What do you know about the enchanting Caribbean island of Puerto Rico? Did you know, for example, that English and Spanish are official languages and are required courses in school? Why? The answer lies hidden in Puerto Rico's history. After landing on a small tropical island that inhabitants called *Borinquén* (originally *Boriquén*) in 1493, Christopher Columbus (*Cristóbal Colón*) claimed the land for Spain. Spain then ceded the island to the United States in 1898 as a result of the Spanish-American War, beginning Puerto Rico's continuous affiliation with the United States. In 1952, the island became a Commonwealth *(Estado Libre Asociado)* of the United States, which means residents are United States citizens but the main governmental functions remain independent.

What might you see and do on a visit to Puerto Rico? You can experience city life in the capital, San Juan; stroll along beautiful beaches (e.g., *la playa de Luquillo*); visit quaint ports like Fajardo; or travel to the mountains, all within a matter of hours. Do you like fine dining? Puerto Rico offers some of the finest cuisine in the

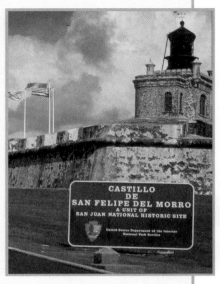

El Castillo de San Felipe del Morro, Puerto Rico.

Caribbean. Does music talk to your soul? Listen and dance to the beat of Caribbean music (*salsa* is popular in Puerto Rico). Interested in history? Be swept back in time as you admire colonial architecture in old San Juan *(el Viejo San Juan)*, such as *El Castillo de San Felipe del Morro*, a fort that was constructed in 1591 to protect the island. Does art move you? The fascinating *Museo de Arte* in Ponce will inspire you! Are you active outdoors? You can hike through the only tropical rain forest *(el Yunque)* found in the U.S. National Forest System or surf along Puerto Rico's Atlantic coast.

Unas casas en el Viejo San Juan.

6 En Puerto Rico

Imagine you are going on vacation to Puerto Rico. Describe some things you might like to see and do while you are there. List five bits of information you learned that would be helpful to know before touring the country.

7 Conexiones con otras disciplinas: historia

Complete the statements about Puerto Rico logically, using the answers shown in the column on the right.

1. Puerto Rico es...
2. Las lenguas oficiales de Puerto Rico son...
3. Cristóbal Colón llegó a la isla en...
4. San Juan es...

A. el inglés y el español.
B. 1493.
C. un Estado Libre Asociado.
D. la capital.

Repaso rápido: adjectives

You will recall that adjectives (e.g., colors) may be masculine or feminine and singular or plural since they must match the gender and number of the noun they are describing. To make a singular adjective plural, add *-s* if the adjective ends in a vowel or *-es* if the adjective ends in a consonant. Although most adjectives usually follow the nouns they modify, adjectives of quantity, such as *cinco, mucho (mucha), otro (otra), todo (toda)*, and question-asking words precede their nouns.

8 Mis parientes puertorriqueños

Completa las oraciones con la forma apropiada de las palabras en paréntesis.

MODELO   Tengo __ parientes en Puerto Rico. (mucho)
Tengo <u>muchos</u> parientes en Puerto Rico.

1. Mi tío <u>favorito</u>, Diego, es de San Juan. (favorito)
2. ¡Qué <u>amable</u> es mi tío Diego! (amable)
3. También tengo dos primas __ en San Juan, Alicia y Ana. (divertido)
4. Pero no <u>toda</u> mi familia está en San Juan. (todo)
5. Mi <u>otra</u> prima, Marta, está con mi tía, Eva, en Ponce. (otro)
6. ¡Qué <u>simpáticas</u> son Marta y la tía Eva! (simpático)
7. La tía Eva es <u>cariñosa</u>. (cariñoso)
8. Ella es muy <u>bonita</u> también. (bonito)
9. Alicia, Ana y Marta son todas <u>populars</u> (popular)
10. ¡Tengo unos parientes <u>fantásticas</u>. (fantástico)

¡Extra!

Exclamaciones

The word *qué* may be followed by an adjective (or other descriptive phrase) as in the second and sixth sentences of activity 8 to express strong feelings, much as you might use **How...!** in English: *¡Qué amable!* (How nice!).

Tengo muchos parientes en Puerto Rico.

Expressing possession: possessive adjectives

Possessive adjectives (*adjetivos posesivos*) express possession or describe relationships between people. In Spanish, possessive adjectives precede the noun they modify and must agree in number and in gender with that noun.

mi(s)	hermano(s) hermana(s)	*my*	brother(s) sister(s)
tu(s)	tío(s) tía(s)	*your (informal)*	uncle(s) aunt(s)
su(s)	sobrino(s) sobrina(s)	*your (formal)*	nephew(s) niece(s)
su(s)	sobrino(s) sobrina(s)	*his*	nephew(s) niece(s)
su(s)	sobrino(s) sobrina(s)	*her*	nephew(s) niece(s)
nuestro(s) nuestra(s)	hermano(s) hermana(s)	*our*	brother(s) sister(s)
vuestro(s) vuestra(s)	tío(s) tía(s)	*your (informal)*	uncle(s) aunt(s)
su(s)	sobrino(s) sobrina(s)	*your (formal)*	nephew(s) niece(s)
su(s)	sobrino(s) sobrina(s)	*their*	nephew(s) niece(s)

Possessive adjectives have both singular and plural forms. Although the masculine and feminine forms for *mi, mis, tu, tus, su* and *sus* are the same (i.e., *su abuelo* and *su abuela*), notice that *nuestro/nuestra, nuestros/nuestras* and *vuestro/vuestra, vuestros/vuestras* have recognizably different masculine and feminine forms.

*Pepe es **nuestro** primo.*	Pepe is **our** cousin.
*Teresa es **nuestra** hermana.*	Teresa is **our** sister.

You can clarify the meaning of *su* and *sus,* and you can add emphasis to what you are saying, by replacing the possessive adjective with *de* plus a pronoun or a person's name.

*Es **su** tía.* → *Es la tía **de ella.** (Es la tía **de Teresa.**)*

✧ Práctica

9 ¿Quiénes son?

En parejas, alternen en preguntar y confirmar quiénes son las siguientes personas. *(In pairs, take turns asking and confirming who the following people are.)*

MODELO Verónica / hermana
        A: ¿Es Verónica tu hermana?
        B: Sí, es mi hermana.

1. Pablo / hermano
2. Rodrigo y José / primos
3. doña Amalia y don Rogelio / abuelos
4. ellas / tías
5. María / sobrina
6. él / tío

10 Nuestra familia

Marta and her cousins, Elena and Diego, are discussing the digital photos Marta took with her new camera. Complete their conversation with the possessive adjectives indicated by the cues in parentheses.

Elena: Aquí hay una foto de <u>nuestros</u> abuelos en la playa. (nosotros)
Diego: Están con (1) madre en la playa de Luquillo. (nosotros)
Marta: ¿Hay dos fotos de (2) tía? (yo)
Elena: Sí. Una con doña Carmen y don Enrique, y otra es con (3) padres. (tú)
Diego: Aquí están doña Carmen y don Enrique en (4) casa nueva. (ellos)
Elena: ¿Están todos (5) nietos en la foto con ellos? (ellos)
Marta: No, yo no estoy en la foto y soy (6) prima favorita. (Uds.)
Diego: Pues, mi foto favorita está aquí con (7) hermano, Kathy, la *au pair,* y yo en El Yunque. ¡Qué día tan divertido! (tú)

11 ¿Quién va a venir a nuestra fiesta?

Use an appropriate possessive adjective to complete this guest list for a cookout at your home.

1. Julia y_____ amigas, Amy y Paula
2. la Sra. y el Sr. García y_____ tres hijos
3. los Ganzález y_____ sobrino, Enrique
4. Juana Ruiz y_____ dos hermanas
5. Amalia y Rogelio de la Torre y _____ madre
6. el doctor Diego Fernández y_____ familia

◈ Comunicación

12 **Mis parientes**

Create your own family tree. Next, in small groups, take turns naming the people and asking and answering questions about how members of your family are related. Finally, describe the people you name and add any additional information you wish.

MODELO Soy Juana. Mateo es mi tío. Es muy amable.

Estructura

Saying what someone does: present tense of *-ir* verbs

Form the present tense of a regular *-ir* verb, such as *vivir* (to live), by removing the *-ir* ending and attaching the endings shown. Note that except for *-imos* and *-ís,* the endings are the same as those of *-er* verbs.

vivir			
yo	viv**o**	nosotros nosotras	viv**imos**
tú	viv**es**	vosotros vosotras	viv**ís**
Ud. él ella	viv**e**	Uds. ellos ellas	viv**en**

Another verb that ends in *-ir, salir* (to go out, to leave), is regular in all forms except the first-person singular: *yo* **salgo.**

Yo **salgo** *a las dos.*   I leave at two.
Nosotros **salimos** *a las cuatro.*   We leave at four.

13 **Viven en....**

Pepe's cousin, Julia, is contacting family and friends to invite them to her mother's birthday party. Complete this paragraph with the appropriate forms of the verb *vivir*.

Nosotros (1) *vivimos* aquí en San Juan. Los tíos (2) *viven* cerca de nosotros aquí en la capital, pero los abuelos (3) *viven* lejos de nosotros en Ponce. La hermana de mi madre, la tía Rosa, también (4) *vive* en San Juan. Clara y Rafael (5) *viven* en Arecibo, pero van a estar en Miami. Yoli (6) *vive* en Orlando pero va a estar en casa de sus primos, Mona y Jorge. Ellos (7) *viven* en Bayamón. Y tú, ¿dónde (8) *vives*? ¿Vienes tú a nuestra fiesta?

14 **¿Dónde viven?**

 With a classmate, take turns asking and answering questions about where various people live. Answer using the words in parentheses.

MODELO   tu hermano (San Juan)
      A: ¿Dónde vive tu hermano?
      B: Vive en San Juan.

1. el hijo único de tu tío Alfonso (Ponce)
2. ellos (una casa grande y nueva)
3. Hernán (la casa de su tío)
4. mi tía (París)
5. tu madre y tu padre (San Juan)
6. tú (?)

15 **¿A qué hora salen?**

 Working in pairs, take turns asking and telling when the following people are leaving their houses to arrive on time for the birthday party.

MODELO   ¿Los tíos?   PM 5:00

      A: ¿A qué hora salen los tíos?
      B: Ellos salen a las cinco.

1. ¿Los abuelos?   AM 11:00

2. ¿Nosotros?   PM 3:15

3. ¿La madre de una amiga?   AM 11:15

4. ¿La tía Rosa y Julia?   PM 1:45

5. ¿Tú?   PM 3:00

Los tíos salen a las cinco.

Comunicación

16 Tu familia y la familia de Julia

 Imagine you attend school in Puerto Rico. With a classmate, pretend you are discussing your family and Julia's family with another student. Use words from each column to get started. Make up any information you would like to create logical sentences.

> **MODELO** **A:** ¿Dónde viven los abuelos de Julia?
> **B:** Los abuelos de Julia viven en Arecibo. Van a vivir en Ponce no lejos del Museo de Arte.

el primo	salir	de	Bayamón
los abuelos	vivir	aquí en	Mayagüez
yo		allí en	Arecibo
nosotros		en	San Juan
Uds.		lejos de	el Yunque
las hermanas		cerca de	el Morro
tú			Ponce
la madre y el padre			la Playa de Luquillo

17 Mi familia

 With a classmate, take turns asking and answering questions about your relatives (where they live, what they are like, etc.). You may wish to include in your questions and answers some of the adjectives you have learned, such as *divertido, fantástico, favorito, guapo* and *simpático*.

> **MODELO** **A:** ¿Cómo se llama tu prima?
> **B:** Se llama Diana. Es profesora y vive en Chicago. Es amable.

 ¡Extra!

Otros miembros de la familia

el hermanastro, la hermanastra	*stepbrother, stepsister*
el hijastro, la hijastra	*stepson, stepdaughter*
el medio hermano, la media hermana	*half brother, half sister*
el padrastro, la madrastra	*stepfather, stepmother*

18 ¿Dónde viven?

 Working in small groups, talk about your families and/or friends. Discuss such things as the names of various family and/or friends, their ages and where they live, adding any other interesting information you wish.

> **MODELO** **A:** ¿Dónde viven tus abuelos?
> **B:** Viven en Chicago.
> **A:** ¿Tienes familia o amigos en otro país?
> **B:** Mis abuelos viven en Puerto Rico.
> **C:** Mi amigo Rafael vive en Puerto Rico también, pero no es un país. Es un Estado Libre Asociado de los Estados Unidos.

Está abierta.

Está apurado.

Está cansado.

Está loco.

Está nerviosa.

Está triste.

Está contenta.

Está limpia.

Está sucia.

Está frío.

Está cerrada.

Está ocupada.

Está libre.

Está enferma.

Está caliente.

19 ¿Cómo están?

 Selecciona la letra de la ilustración que corresponde con lo que oyes.

A   **B**   **C**   **D**

nervous 2   tired 3   4

20 A corregir

Corrige la información incorrecta,
según el Vocabulario II.

 MODELO   Mi hermana está <u>triste</u>.

Mi hermana está <u>contenta</u>.

libre

1. El teléfono está <u>ocupado</u>.
   muy mal
2. Mi tía está <u>muy bien</u>.
   frío
3. El refresco está <u>caliente</u>.
   caliente
4. La comida está <u>fría</u>.
   abierta
5. La ventana está <u>cerrada</u>.

Estamos contentos.

Diálogo II

¿Por qué estás triste?

JAVIER: Julia, ¿por qué estás triste?

JULIA: Mi abuelo está enfermo.

JAVIER: ¿Don Pedro García Montoya?

JULIA: Sí, y estoy muy nerviosa.

JAVIER: Él va a estar bien.

JULIA: Gracias. Eres muy amable.

JAVIER: Bueno, adiós. Estoy apurado.

JULIA: ¿Adónde vas?

JAVIER: Voy a casa, estoy muy cansado.

21 ¿Qué recuerdas?

1. ¿Quién está triste?
2. ¿Por qué está triste?
3. ¿Cómo se llama el abuelo?

4. ¿Quién está nervioso?
5. ¿Dónde va Javier?

22 Algo personal

1. ¿Estás triste o contento/a? Explica.
2. ¿Estás enfermo/a?

23 ¿Cómo están todos?

Listen as several people talk about how they are feeling. Then match the names with the description that fits each person.

1. Ángel
2. Esperanza
3. Benjamín
4. Natalia
5. Josefina
6. Verónica

A. Está contenta.
B. Está muy ocupado.
C. Está nerviosa.
D. Está apurado.
E. Está triste.
F. Está enferma.

Está nerviosa.

El autor, Gabriel García Márquez.

Traditionally, when a woman married, she would add the name of her husband, preceded by *de,* meaning "of" or "belonging to". For example, if Jennifer López married Gabriel García Márquez, she would become Jennifer López *de García.* Today, however, many women are opting to keep the same name they had before marriage.

¿Cómo se llama?

Most people in Spanish-speaking countries have not one, but two last names. They use their father's family name followed by their mother's. For example, to find the phone number of a friend named José García Rodriguez, look in the phone directory under *G* for *García Rodríguez,* not *R* for *Rodríguez.* To find books by the famous author Gabriel García Márquez, look under *G* for *García Márquez.*

24 ¿Cuál es su nombre completo?

Look at some information about students' families. Write down each person's complete name, according to what you learned in the *Cultura viva* titled *¿Cómo se llama?*

MODELO Margarita es la hija de Pablo Cruz y Josefina Miranda.
Se llama Margarita Cruz Miranda.

1. Alicia es la hija de Marta Fuentes de Bazán y Ernesto Bazán Rojas.
2. La madre de Bárbara es Carmen Prado Correa y su padre es Martín Sosa Tovar.
3. Paz es la hija de Ricardo Olmedos Acosta y Natalia Bravo de Olmedos.
4. Los padres de Jorge son Virginia Triana Gómez y Enrique Sandoval Gaviria.
5. Andrés es el hijo de Antonio Cervantes Díaz y Luisa Carrillo de Cervantes.
6. Los padres de Mercedes son Ernesto Lorente Soto y Gabriela Medina Gálvez.

Idioma

Describing people and things with *estar*

You have already learned to use the verb *estar* to indicate location. *Estar* can also be used with adjectives to describe conditions that are likely to change (*caliente, cansado, frío*) or to express how someone or something is at a given moment (*bonito, nervioso, sucio*).

El agua está **caliente.**	The water is hot.
¿Está ella **cansada?**	Is she tired?
Ellos están **nerviosos.**	They are nervous.
¡Estás muy **bonita** *hoy!*	You are (look) very pretty today!
El carro está **sucio.**	The car is dirty.

Note, however, that some adjectives that describe appearance or personality can be used with either *ser* or *estar*, but with a difference in meaning.

Eduardo **está guapo** *hoy.*	Eduardo is (looks) handsome today.
Eva **es** *una muchacha* **guapa.**	Eva is a beautiful girl.

Práctica

25 ¿Cómo están?

Can you describe what you see in these photos? Complete the following sentences with the correct form of *estar* and an appropriate adjective.

1. Andrés y Miguel __.

2. Clara __.

3. Los refrescos __.

4. La comida __.

5. La playa __.

6. El profesor Fernández __.

26 Una barbacoa con los parientes

Pretend your family is having a cookout at one of your grandparents' house and one of your friends came with you. Take turns asking one another questions about some of the things you see there, using the words provided. Answer each question using the cues in parentheses.

MODELO   estar abierto / la puerta de la casa de tus abuelos (ventanas)
　　　　　A: ¿Está abierta la puerta de la casa de tus abuelos?
　　　　　B: No, no está abierta, pero las ventanas están abiertas.

1. estar sucio / el carro de tu padre (el carro de mi tía)
2. estar apurado por ir a la playa / tus tíos de Fajardo (mis primos)
3. estar muy enfermo / tu tía (mi hermana)
4. estar cansado / tus abuelas (mi abuelo)
5. estar nervioso / tus padres (mis abuelos)
6. estar libre para ir al Yunque mañana / tú (mis primas)
7. estar triste / tus tías (la nueva esposa de mi primo)
8. estar ocupado / tus padres (tú y yo)

27 Hoy mi familia está...

Make a list of your family members (include yourself) and tell how each person is doing today. Then give a reason why the person is feeling that way. You may wish to use some of the following words in your descriptions: *apurado, contento, enfermo, loco, nervioso, triste.*

MODELO   Mi hermano está contento hoy porque va a estar con sus amigos.

Mi hermana está contenta.

Comunicación

28 ¿Cómo está todo hoy?

 With a classmate, discuss what you see in this illustration. Talk about who the people are and say how they feel (including the pets). You also may ask and answer questions about anything else you see.

> **MODELO** A: ¿Cuántas personas hay en la casa hoy?
> B: Hay cinco personas y dos animales.
> A: ¿Cómo está Humberto?
> B: Está ocupado.

29 ¡Hola! ¿Cómo estás?

Working in groups, form two circles with six to eight students. Half of the students should be in an inside circle facing the students in an outside circle. Students who are facing one another should pretend they meet and begin a conversation about their families' health or emotional condition. Next, students in the outer circle move one to the right and begin a similar conversation with a new partner. Be sure to have a conversation with everyone in the opposing circle.

> **MODELO** A: Hola, Jaime. ¿Qué tal?
> B: Estoy bien, pero apurado. Y tú, ¿cómo estás?
> A: Yo estoy bien, gracias. ¿Cómo están tus padres?
> B: Están nerviosos porque van a Vieques en avión.

30 ¡Tengo una familia famosa!

Create an imaginary family using photos of famous people cut from a magazine and indicate how they are related to you. Then, working in small groups, tell your classmates who the people are and what each one is like, using some of the adjectives you have learned in this lesson.

MODELO Es mi hermana y es muy bonita. *(Show a photo of a famous female such as Salma Hayek.)*

31 Te presento a mi familia

In small groups, pretend you are all members of the same family (decide who will play each role). Then, form concentric circles with another group so that members of your family in the circle face another group's family. Opposing family members should then alternate telling one another the names and relationships of family members in the circle, adding any relevant descriptions. When each opposing pair of students completes all introductions, the family in the inner circle rotates one person to the left and begins the activity again.

MODELO Aquí está mi primo. Es divertido.
Allí está mi abuela favorita, Ana María.

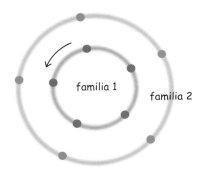

¿Es Salma Hayek tu hermana?

familia 1

familia 2

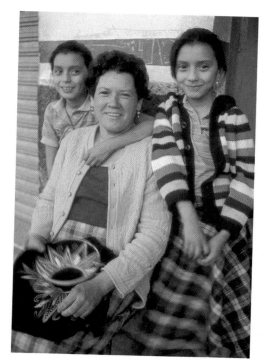

Aquí están mi mamá y mis dos hermanas.

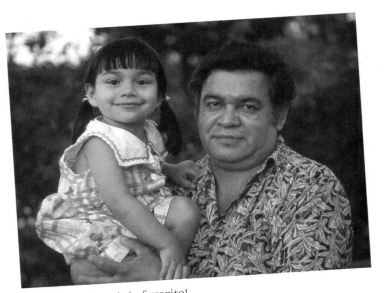

¡Te presento a mi tío favorito!

Capítulo 4

ciento cincuenta y uno **151**

Lectura cultural

¿Qué es la familia?

Una familia hispana.

¿Cómo es una familia típica de Puerto Rico? Según el censo más reciente[1], aproximadamente 3,5 personas viven en una casa y las familias tienen aproximadamente 1,9 hijos. Tres o más generaciones viven juntas[2] en solamente 7,36% de las casas.

El censo dice que las familias puertorriqueñas son pequeñas[3], pero los números no lo dicen todo. El término *familia* — en Puerto Rico y en muchos países hispanos — no solamente incluye a los padres y a los hijos sino también a los abuelos, tíos, primos y a los parientes políticos[4]. Tal vez[5] en una casa no vivan muchas personas, pero la familia sigue siendo[6] extensa y es una red de apoyo[7] importante. En toda celebración (o hasta[8] para una despedida en el aeropuerto) la familia extendida se junta[9].

El cumpleaños de la abuela.

Aunque[10] los censos muestran[11] que la familia hispana se vuelve[12] más pequeña (en México, por ejemplo, una madre tiene ahora 3 hijos, a diferencia de 6,5 hijos en 1973), la familia sigue siendo muy importante. De niños, los hispanos aprenden a ser leales[13] a su familia, a estar unidos y a ayudarse[14] siempre. La familia hispana enseña a los niños respeto, honor y cortesía. Es el grupo social más importante en la cultura hispana.

[1]most recent census [2]together [3]small [4]in-laws [5]Perhaps [6]continues to be [7]support system [8]even [9]gets together [10]Even though [11]show [12]is becoming [13]loyal [14]to help each other

32 ¿Qué recuerdas?

¿Sí o no?

1. Las familias en Puerto Rico tienen muchos hijos.
2. En Puerto Rico, los abuelos típicamente viven con sus hijos y sus nietos.
3. Por lo general, para el hispano la palabra *familia* se refiere *(refers)* solamente a los parientes que viven en su casa.
4. Muchas familias hispanas enseñan a los niños respeto, honor y cortesía.
5. En la cultura hispana, la familia es el grupo social más importante.

33 Algo personal

1. Al describir tu familia, ¿a quiénes incluyes? ¿Es tu definición de "familia" igual *(the same)* o diferente que la definición hispana? Explica.
2. ¿Es la familia importante para ti? Explica.
3. Compara una familia típica en Puerto Rico con una familia típica en los Estados Unidos.

> • After reading the article, what generalization can you make about the size of Puerto Rican families? The importance of the family unit?

¿Qué aprendí?

Visit the web-based activities at www.emcp.com

Autoevaluación
As a review and self-check, respond to the following:

1. Give the names of five members of your family and say how each is related to you.

2. Describe two or three members of your family.

3. Imagine you are looking at a picture of your best friend's family. Name the people in the picture and their relationship to your friend.

4. Name three or four friends or relatives who do not live in your state and say where they live.

5. What might you ask someone in Spanish who looks happy? Sad?

6. What do you know about family life in the Spanish-speaking world?

Palabras y expresiones

Para describir
abierto,-a
amable
apurado,-a
bonito,-a
caliente
cansado,-a
cariñoso,-a
cerrado,-a
contento,-a
divertido,-a
enfermo,-a
frío,-a
guapo,-a
libre
limpio,-a
loco,-a
más
mis
nervioso,-a
nuestro,-a
ocupado,-a
otro,-a
popular
su, sus
sucio,-a
todo,-a
triste
tus
único,-a

Familia
el abuelo, la abuela
el esposo, la esposa
la familia
el hermano, la hermana
el hijo, la hija
la madre
el nieto, la nieta
el padre

los padres
el pariente, la pariente
el primo, la prima
el sobrino, la sobrina
el tío, la tía

Otras expresiones
la casa
la foto(grafía)
mucho
nunca

la playa
por
¡qué (+ *description*)!
el tiempo
el verano

Verbos
quiero
salir
vivir

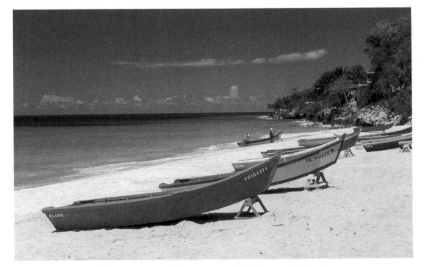

¡Qué playa más bonita! (Crash Boat Beach, Puerto Rico.)

Vocabulario I

A mí me gusta...

nadar

patinar (sobre ruedas)

jugar al béisbol

Tigres vs. Osos

jugar al tenis

ir a un partido de fútbol

bailar

cantar

¿Dónde vives?

Vivo en la República Dominicana.

preguntar y contestar

ir de compras

comprar

mirar fotos

tocar el piano

hacer la tarea

oír (la) radio

ver (la) televisión

1 ¿Qué es?

Selecciona la foto apropiada a lo que oyes.

A

B

C

D

E

F

2 Me gusta...

Write sentences saying five things you like to do and with whom you like to do each activity.

MODELO   Me gusta ver la televisión con mi familia.

Diálogo I

Me gusta mucho

ANDRÉS: Felipe, ¡vamos a la playa!

FELIPE: ¿A la playa? ¿Te gusta la playa?

ANDRÉS: Sí, me gusta mucho.

ANDRÉS: Natalia y otros amigos van a ir allí.

FELIPE: Bueno, yo quiero ir al partido de fútbol.

ANDRÉS: Ah, sí... pero me gusta más nadar.

FELIPE: A ti no te gusta nadar. A ti te gusta Natalia.

ANDRÉS: ¿Por qué no vamos al partido y, luego, a la playa?

FELIPE: Está bien, chico. ¡Vamos!

3 ¿Qué recuerdas?

1. ¿A quién le gusta mucho la playa?
2. ¿Quiénes van a ir a la playa?
3. ¿De qué hay un partido?
4. ¿Qué le gusta a Andrés hacer en la playa?
5. ¿Adónde van los muchachos hoy?

4 Algo personal

1. ¿Te gusta ir a la playa?
2. ¿Te gusta ir a los partidos de fútbol?
3. ¿Qué te gusta hacer?

5 ¿Qué les gusta?

Estrategia

Using contextual cues
The context in which a word is used often determines its meaning. One example of this is *chico,* which can mean **boy** or **small.** In the dialog, however, Felipe uses *chico* as a term of friendship that Andrés does not take literally, much as you might use the words **buddy** or **pal.** Additional terms that are used include *hombre, compa* (from *compadre*), *chica, niña* and *guapa* (used among female friends). Other contextual cues include facial expressions and gestures. Looking at the context often indicates the intended meaning of words.

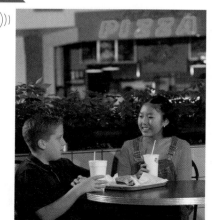

¿Qué les gusta?

Write the names Natalia and Andrés. Next, listen and list under each person's name what he or she likes to do. Then circle any item on the lists that they both like to do.

Cultura viva

La República Dominicana

Actividades

Do you like baseball? More foreign-born U.S. professional baseball players originate from the Dominican Republic than from any other country. Do you enjoy sun-filled days on beautiful beaches, snorkeling, scuba diving or other water sports? Visitors may choose to explore beautiful beaches, such as *Boca Chica* and *El Dorado.* Does lively music make you want to get up and dance? Dominican music, particularly the *merengue,* a unique, fast-paced Caribbean music style, is popular throughout Latin America. If any of these activities appeal to you, you may want to visit *la República Dominicana.*

Unos amigos en la playa.

Geografía

The Caribbean island of Hispaniola (*La Española*) is shared by the Dominican Republic, which occupies the eastern three-fourths of this tropical island, and Haiti, which is located on the remaining western portion of the island. Christopher Columbus (*Cristóbal Colón*) claimed the Caribbean island for Spain in December 1492.

Historia

Santo Domingo, the capital of the Dominican Republic and the first capital in the Americas, was founded by Christopher Columbus' brother Bartholomew (*Bartolomé*) in 1496. You may recognize the names of other explorers who visited the Dominican Republic such as Ponce de León, Hernán Cortés, Diego de Velázquez and Vasco Núñez de Balboa.

Una estátua de Cristóbal Colón en la capital, Santo Domingo.

6 Conexiones con otras disciplinas: historia y geografía

Use an encyclopedia or search the Internet for information about the Dominican Republic and list four or five interesting details about some aspect of the country's history (explorers, development as a country, native populations, important dates, etc.). Then create a map of Hispaniola, indicating the border between the two countries that make up the island and identify major cities, rivers, etc.

Estructura

Using *gustar* to state likes and dislikes

When talking about what they like or dislike, Spanish-speaking people use the verb *gustar*. Use the words *me, te, le, nos, os* or *les* before the singular *gusta* to say what someone likes when referring to an infinitive or a singular noun. Use the same *me, te, le, nos, os* or *les* before *gustan* when referring to a plural noun.

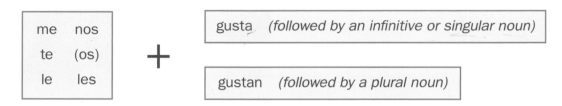

singular noun:	*¿Te gusta el libro?*
plural noun:	*Me gustan todos los libros.*
infinitive:	*Me gusta mucho leer.*

Do you like the book?
I like all books.
I like to read a lot.

Note: Earlier in this lesson, you learned to consider the context when determining the meaning of words like *chico* (in the dialog between Andrés and Felipe). You may need to apply this same skill when determining the meaning of *le* and *les.* For instance, in the following example, it would be necessary to hear the entire conversation or to see the people involved in order to determine the meaning of the sentence.

¿Le gusta jugar al béisbol?

Do **you** *(Ud.)* like to play baseball?
Does **he** like to play baseball?
Does **she** like to play baseball?

Make a sentence negative by placing *no* before *me, te, le, nos, os* or *les gusta/gustan.*

No me gusta hacer la tarea.
¿No te gustan las fotos de tu amiga?
No nos gusta ir de compras.

I do not like to do homework.
Don't you like your friend's pictures?
We do not like to go shopping.

 Práctica

7 ¿Te gusta(n)...?

Contesta las siguientes preguntas.

1. ¿Te gusta el colegio?
2. ¿Te gusta la clase de español?
3. ¿Te gusta hacer la tarea?

4. ¿Te gustan los sábados?
5. ¿Te gustan los partidos de fútbol en la televisión?

8 Me gusta(n)...

 En parejas, alternen en preguntar y contestar si lo que *(what)* ven en la ilustración les gusta(n) o no.

> `MODELO` **A:** ¿Te gustan los partidos de béisbol?
> **B:** Sí, (No, no) me gustan los partidos de béisbol.

1

2

3

4

5

6

✽ Comunicación

9 Encuesta

 Working in small groups, create a survey to determine what activities your classmates enjoy. (The survey should consist of the same number of activities as there are members in your group.) Each person in your group selects one activity from the list and must then ask other students in class if they like that activity. Finally, one person from each group should give a summary *(resumen)* of the results of the survey to the class.

> `MODELO` **A:** ¿Te gusta mirar fotos?
> **B:** Sí, me gusta./No, no me gusta.
>
> **Resumen:** A tres estudiantes les gusta mirar fotos y a un estudiante no le gusta mirar fotos.

ENCUESTA

¿Te gusta...?	Sí	No
1. mirar fotos	☑	☐
2. cantar	☐	☑
3. tocar el piano	☑	☐
4. jugar al fútbol	☑	☐

¡Extra!

¿Qué más te gusta hacer?

Me gusta jugar...	Me gusta tocar...
al básquetbol	el clarinete
a los bolos	la flauta
al fútbol americano	la guitarra
al golf	el saxofón
al hockey	el tambor

Using *a* to clarify or emphasize what you are saying

You can add *a* plus someone's name, a noun or a pronoun to clarify an otherwise confusing sentence or to emphasize what you are saying. Look at the following:

singular
- *A mí* } *me gusta cantar en inglés.*
- *¿A ti* } *te gusta cantar en inglés?*
- *¿A Ud.*
- *¿A él (A Carlos/A tu hermano)* } *le gusta cantar en inglés?*
- *¿A ella (A Patricia/A tu hermana)*

plural
- *A nosotros (nosotras)* } *nos gusta cantar en inglés.*
- *¿A vosotros (vosotras)* } *os gusta cantar en inglés?*
- *¿A Uds.*
- *¿A ellos (A Carlos y a Ramón)* } *les gusta cantar en inglés?*
- *¿A ellas (A Patricia y a Amalia)*

 Práctica

10 **¿Qué nos gusta hacer en casa?**

Completa el siguiente párrafo con una palabra apropiada de cada columna.

me
te
le
nos
les

gusta
gustan

En mi casa a todos nosotros (1) mucho escuchar la radio y ver la televisión. A mi abuelo (2) todos los deportes en la televisión, como el fútbol, el béisbol y el básquetbol. A mi abuela (3) un programa de música española en la radio. A mis hermanos (4) los conciertos de rock y de música pop en la televisión pero también (5) escuchar música en la radio. A mamá y a mis hermanas siempre (6) un programa por cable donde hablan de la construcción, de la remodelación y de la decoración de las casas. ¡Es su programa favorito! Personalmente, a mí (7) los programas que le permiten a uno comprar por teléfono productos fantásticos. Y a ti, ¿qué (8) escuchar en la radio o ver en la televisión?

11 ¿Está claro?

Working in pairs, take turns reading these unclear sentences and clarify them by adding the given cues and making any other changes necessary. Follow the model.

MODELO **A:** Le gusta escuchar la radio y bailar. (Diana)
B: ¿A quién?
A: A Diana le gusta escuchar la radio y bailar.

B: Les gusta bailar merengue. (mis hermanas)
A: ¿A quiénes?
B: A mis hermanas les gusta bailar merengue.

1. Les gustan mucho los conciertos de música dominicana. (los Suárez)
2. Les gusta ir de compras. (mis primas)
3. Le gustan los partidos de béisbol. (Eduardo)
4. Le gusta patinar sobre ruedas. (ella)
5. Les gusta jugar al tenis. (Sara y Alberto)
6. Les gustan mucho las ciudades de Santo Domingo y Puerto Plata en la República Dominicana. (la Sra. y el Sr. García)

12 ¿Qué les gusta?

The following people all have strong opinions about what they like and what they do not like. In pairs, take turns asking and answering questions using the cues below, clarifying each person's preference.

MODELO ella / nadar / jugar al tenis
A: ¿A ella le gusta nadar?
B: ¡No! ¡A ella no le gusta nadar! Le gusta jugar al tenis.

1. tú / ver televisión / ir al cine
2. Uds. / jugar al fútbol / jugar al béisbol
3. él / tocar el piano / bailar
4. ellas / ir de compras / escuchar música en la radio y cantar
5. los Fernández / las playas de Puerto Rico / las playas de la República Dominicana
6. los estudiantes / contestar en inglés / contestar en español

Me gustan las playas en la República Dominicana. (Las Terrenas Beach, R.D.).

13 ¿Les gusta a todos en tu familia?

Working with a classmate, take turns asking and answering questions about what everyone in your family likes to do. If there is someone who does not like an activity that follows, say who that person is.

Nos gusta bailar.

MODELO bailar

    A: ¿Les gusta bailar a todos en tu familia?

    B: Sí, nos gusta bailar a todos./No, no nos gusta bailar a todos porque a mi padre no le gusta bailar.

1. ir a restaurantes
2. leer libros
3. pasear en el parque
4. vivir en los Estados Unidos
5. visitar a la familia
6. salir de casa los sábados
7. ir a conciertos de rock

14 A mi familia y a mis amigos...

Name at least six people who are important in your life and say how you know each person (they are either family or friends). Then say something each person likes and at least one thing the person does not like.

MODELO A mi amigo Miguel le gustan las playas.
    A Miguel no le gusta nadar.

◈ Comunicación

15 Nos gusta(n)...

With a classmate, find out four things that both of you like. Write down your findings, using *Nos gusta(n)*.

MODELO
    A: ¿Te gusta tocar el piano?

    B: No, no me gusta. ¿A ti te gusta cantar?

    A: ¡Sí, claro! Me gusta mucho.

    A y B: (*Write* Nos gusta cantar.)

A Ricky Martin le gusta cantar.

16 Sus actividades favoritas

In small groups, discuss the activities you like most and least. Each member of the group must then compile a list of two things others in the group like and do not like to do. Finally, choose one member of your group to report the information to the class.

MODELO **A:** A mí me gusta nadar. ¿Qué les gusta hacer a Uds.?

B: A mí me gusta ir de compras.

C: A mí me gusta escuchar música en la radio.

B: A *(name of student A)* le gusta nadar, a *(name of student C)* le gusta escuchar la radio y a mí me gusta ir de compras.

17 ¿Les gusta(n)?

Make a list of seven activities or items that are common in your daily life. Then ask your classmates if they like the activity or item. When you find someone who likes what you named, have the person sign his or her name *(Firma aquí, por favor.)* next to the appropriate activity or item. You have ten minutes to locate one person for each activity or item on your list. Next, summarize your findings in several short sentences. Finally, report the results to the class.

MODELO ver televisión

A: Ana, ¿te gusta ver la televisión?

ANA: Sí, me gusta ver la televisión.

A: Firma aquí, por favor.

A: *(Writes and says:* A Ana le gusta ver la televisión.)

A ellos les gusta leer el periódico.

¿Le gusta/Le gustan?	Sí	No	Firma
1. los partidos de tenis	X		María A.
2. jugar al béisbol			
3. ...			

Vocabulario II

¿Cómo son?

guapa

feo

lenta

rápido

alto

bajo

difícil

$$\int f(x)\,dx = g(b) - g(a)$$

$$2 + 2 = 4$$

fácil

inteligente

cómica

importante

malo

bueno

divertido

ideal

aburrido

gordo

horrible

interesante

fantástico

delgado

canosa

rubia

moreno

tonta

pelirrojo

calvo

egoísta

generosa

18 ¿Cómo es?

Mira las fotos y contesta las preguntas con *sí* o *no*, según lo que oyes.

1 Sí

2 no

3 no

4 Sí

5 Sí

6 no

7 Sí

8 no

19 ¿Quién y cómo?

Create a list of six friends or relatives and indicate their relationship to you. Under each name write words that describe the person, categorizing the words according to whether they refer to physical traits (*características físicas*) or personality characteristics (*características de personalidad*).

MODELO Patti Funston (hermana)

características físicas	características de personalidad
guapa y delgada	inteligente y divertida

¿Cómo es ella?

FELIPE: ¿Cómo es tu amiga Natalia?
ANDRÉS: Es morena y es muy inteligente.
FELIPE: ¡Qué bien!

ANDRÉS: Sí, y también es muy guapa.
FELIPE: ¿De dónde es ella?
ANDRÉS: Ella es de Santo Domingo.

FELIPE: ¡A las muchachas de Santo Domingo les gusta bailar!
ANDRÉS: Sí, ella baila muy bien el merengue. ¡Mira, allí está!
FELIPE: ¡Ah, sí!, con la chica pelirroja.

20 ¿Qué recuerdas?

1. ¿Cómo es Natalia?
2. ¿De dónde es Natalia?
3. ¿A quiénes les gusta bailar?
4. ¿Con quién está Natalia?

21 Algo personal

1. ¿Cómo eres tú?
2. ¿Cómo es tu amigo/a favorito/a?
3. ¿Dónde estás ahora?

22 ¿Cuál es el opuesto?

You will hear some descriptions of people and objects. Give the opposite *(el opuesto)* of each adjective you hear.

MODELO gordos

Mis amigos son inteligentes.

El merengue

What do you associate with the Dominican Republic? Along with baseball, this Spanish-speaking Caribbean country is known for its music and dance. One example is the folkloric dance and musical style known as the *merengue*. Although *merengue* music is varied in tempo, the dance is recognizable because the dancing couples hold one another in a waltz-like position as they move about the floor dragging one foot with each step they take. *Merengue* has existed for over one hundred years. Although no one can be certain exactly how *merengue* evolved, most probably it has African and European roots. One interesting theory

Ellos bailan merengue.

Juan Luis Guerra.

suggests the music consists of a mix of African slave songs and the sophisticated French minuet of the late eighteenth century. Regardless of how it originated, *merengue* remains the national dance of the Dominican Republic and is extremely popular throughout the Caribbean and South America as well. When you visit the country, you will more than likely see people dancing *merengue* and you will most certainly hear *merengue* music performed by a number of popular musicians such as Juan Luis Guerra.

23 Conexión con otras disciplinas: música

Using an encyclopedia or the Internet, research some aspect of Dominican music that interests you (e.g., *merengue,* Juan Luis Guerra, Wilfrido Vargas). Prepare a short report on your findings. If possible, demonstrate what you found out (dance the *merengue,* play a CD with Dominican music, etc.).

24 Comparando

Compare music in the Dominican Republic with popular music you usually listen to in the United States. What seems similar? What is different? What do you like about both kinds of music?

Idioma

Estructura

Ser vs. estar

Both *ser* and *estar* are equivalent to the English verb **to be.** However, the two verbs are used in very different situations.

- *Ser* may be used to express origin.

  Soy de la República Dominicana.   I am from the Dominican Republic.

- *Ser* is also used to indicate characteristics that distinguish people or objects from one another.

  Jaime es alto.   Jaime is tall.

- *Estar* is used to express a temporary condition.

  ¡Qué bonita está hoy!   How pretty she is (looks) today!

- *Estar* may also refer to where someone or something is located.

  ¿Dónde está tu casa?   Where is your house?

Note: Although *estar* is generally used to express location, *ser* is used to refer to the location of an event, in which case it means **to take place.**

  ¿Dónde es el concierto?   Where is the concert (taking place)?

 Práctica

25 ¿De dónde son?

Selecciona la letra de la forma apropiada de *ser* para completar las oraciones.

1. Juan Luis Guerra <u>es</u> de la República Dominicana.
2. Yo <u>soy</u> de los Estados Unidos.
3. Shakira y Juan Pablo Montoya <u>son</u> de Colombia.
4. ¿<u>es</u> Ricky Martin de Puerto Rico?
5. ¿Pues, <u>somos</u> tú y yo de la misma ciudad?
6. ¿De dónde <u>eres</u> tú?

A. soy
B. eres
C. es
D. somos
E. sois
F. son

¿De dónde es Juan Pablo Montoya?

26 ¿Cómo son?

Describe your relatives, your friends and yourself, using the appropriate form of *ser* and one or two adjectives. You may make up any of the information you wish.

MODELO   el profesor/la profesora de inglés
El profesor de inglés es calvo y muy divertido.

1. yo *soy de los U.S.*
2. mi madre *es de inglés*
3. mis abuelos *son en Florida*
4. mi dentista
5. mi amiga favorita
6. los otros estudiantes de la clase de español y yo

27 ¿Cómo están allí?

Completa las oraciones con la forma apropiada de *estar*.

1. Yo __ en mi clase favorita ahora.
2. Mi amiga favorita no __ en la clase.
3. Tres estudiantes __ enfermos hoy.
4. La profesora es simpática y hoy __ muy bonita.
5. Nosotros __ muy cansados pero contentos porque mañana es sábado.
6. ¿Cómo __ tú hoy?

28 ¿Ser o estar?

Usa la forma correcta de *ser* o *estar* para completar las siguientes oraciones.

1. Óscar de la Renta *es* de la República Dominicana.
2. Su casa *está* en Santo Domingo.
3. Eduardo *es* el tío de Mónica.
4. No *estoy* cansado... ¡Estoy apurado!
5. El carro *son* de Hernán y Gloria.
6. El Yunque *está* en Puerto Rico.
7. ¡Qué simpática *eres* tú!
8. Nosotros *estamos* contentos de estar en San Pedro de Macorís.
9. ¿Tienes calor o *estás* bien?
10. ¿Dónde *es* el concierto de merengue?

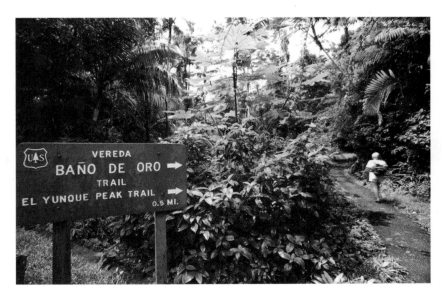

El Yunque está en Puerto Rico.

29 **¿Cuál es tu opinión?**

En parejas, describan a las personas en las fotos.

1 **2** **3**

30 **Biografía**

Bring to class magazine cutouts of a famous person (e.g., singer, athlete, television/film star). Next, working in small groups, decide who will be the "biographer" and write down what others say about and how they describe each person (everyone in the group should be the biographer one time). Finally, one student holds up a picture, while the others add a sentence to describe the person shown (and the biographer writes down what everyone in the group says).

Jennifer López es guapa y es una cantante popular.

MODELO **A:** ¿Cómo es Jennifer López?
B: Es guapa.
C: Es una cantante popular.
(The biographer writes *Jennifer López es guapa y es una cantante popular.*)

◈ **Comunicación**

31 **¿Quién es?**

Write five or six sentences about a celebrity, including where the person is from, what the person is like, why the person is famous, etc. Do not name the celebrity. Then, working with a partner, describe the celebrity as your classmate draws the person's picture. The activity ends when your partner guesses the name of the person. Switch roles.

32 Juego

In groups of three, two of you choose a classmate you all know well. Then those two members of the group talk about the person without naming him/her, while the third member of the group listens. Discuss what the person likes or dislikes, talk about his/her personality and give a physical description of the classmate. Keep the descriptions positive! The third person in the group must then try to guess whom you were talking about. Switch roles.

Hacemos preguntas.

 33 Entrevista

Write six questions you would like to ask someone in class. Include questions about how the person feels today, what the person likes and dislikes, favorite pastimes, personality, what the person's family is like, and so forth. Next, interview a classmate you do not know well and take notes. Then switch roles. Finally, write a summary describing how you are alike and different, making positive statements only. Present the results to the class.

¿Te gusta nadar?

¿Cómo es tu familia?

¿Te gusta escuchar música?

Lectura personal

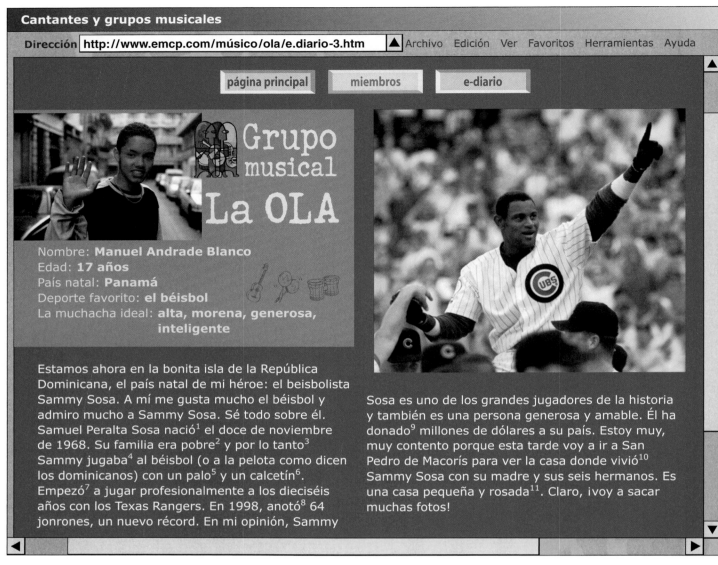

Dirección **http://www.emcp.com/músico/ola/e.diario-3.htm** ▲ Archivo   Edición   Ver   Favoritos   Herramientas   Ayuda

página principal   miembros   e-diario

Grupo musical La OLA

Nombre: **Manuel Andrade Blanco**
Edad: **17 años**
País natal: **Panamá**
Deporte favorito: **el béisbol**
La muchacha ideal: **alta, morena, generosa, inteligente**

Estamos ahora en la bonita isla de la República Dominicana, el país natal de mi héroe: el beisbolista Sammy Sosa. A mí me gusta mucho el béisbol y admiro mucho a Sammy Sosa. Sé todo sobre él. Samuel Peralta Sosa nació[1] el doce de noviembre de 1968. Su familia era pobre[2] y por lo tanto[3] Sammy jugaba[4] al béisbol (o a la pelota como dicen los dominicanos) con un palo[5] y un calcetín[6]. Empezó[7] a jugar profesionalmente a los dieciséis años con los Texas Rangers. En 1998, anotó[8] 64 jonrones, un nuevo récord. En mi opinión, Sammy

Sosa es uno de los grandes jugadores de la historia y también es una persona generosa y amable. Él ha donado[9] millones de dólares a su país. Estoy muy, muy contento porque esta tarde voy a ir a San Pedro de Macorís para ver la casa donde vivió[10] Sammy Sosa con su madre y sus seis hermanos. Es una casa pequeña y rosada[11]. Claro, ¡voy a sacar muchas fotos!

[1]was born   [2]poor   [3]therefore   [4]played   [5]stick   [6]sock   [7]He began   [8]he hit   [9]has donated   [10]lived   [11]small and pink

34 ¿Qué recuerdas?

1. ¿Dónde nació Sammy Sosa?
2. ¿Cuántos hermanos tiene?
3. ¿Por qué admira Manuel a Sammy Sosa?
4. ¿En qué año anotó Sammy Sosa un nuevo récord de jonrones?
5. ¿Qué va a ver Manuel en San Pedro de Macorís?

35 Algo personal

1. ¿Te gusta el béisbol? ¿Cuántos jugadores de la República Dominicana puedes nombrar?
2. ¿Quién es tu héroe? ¿Por qué admiras a esa persona?
3. ¿Piensas (Do you think) que los jugadores famosos deben ayudar (should help) a sus países? Explica.

• How does your hero's childhood compare with Sammy Sosa's childhood?

¿Qué aprendí?

Visit the web-based
activities at
www.emcp.com

Autoevaluación
As a review and self-check, respond to the following:

1. Name two activities you enjoy.
2. Ask if your friend likes something. How would you ask your teacher the same question?
3. Your cousin tells you he likes to study. How would you respond, emphasizing that you like to play tennis?
4. Describe your best friend in Spanish.
5. How would you say in Spanish that something is interesting? Sad?
6. How would you say Marta is a good student, but she is bored today?
7. What do you know about the Dominican Republic?

Palabras y expresiones

Para describir
- aburrido,-a
- alto,-a
- bajo,-a
- bueno,-a
- calvo,-a
- canoso,-a
- cómico,-a
- delgado,-a
- difícil
- egoísta
- fácil
- feo,-a
- generoso,-a
- gordo,-a
- horrible
- ideal
- importante
- inteligente
- interesante
- lento,-a
- malo,-a
- moreno,-a
- pelirrojo,-a
- rápido,-a
- rubio,-a
- tonto,-a

Otras expresiones
- el béisbol
- la compra
- el fútbol
- me
- mí
- nos
- el partido
- el piano
- la radio
- la tarea
- la televisión
- el tenis
- ti

Verbos
- bailar
- cantar
- comprar
- contestar
- escuchar
- gustar
- ir de compras
- jugar (ue)
- jugar a (+ *sport/game*)
- mirar
- nadar
- patinar (sobre ruedas)
- tocar

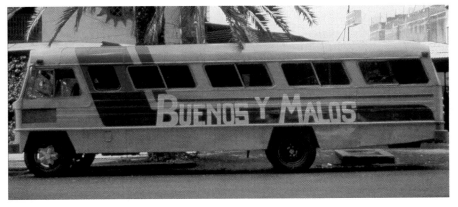

En la vida hay buenos y malos.

¡Viento en popa!

Tú lees

Estrategia

Skimming

Before beginning to read an article, quickly look over the contents. Skimming through the reading will give you an idea what the article is about and will tell you whether the content interests you or not. To skim the article that follows, read the title and first line or two of each paragraph, note highlighted words and look for supportive visuals such as photographs or illustrations.

Preparación

Contesta las siguientes preguntas como preparación para la lectura.

1. ¿Cuál es la idea principal de la lectura?
2. Selecciona los equipos de la columna de la derecha que van con las ciudades de la columna de la izquierda.

1. Cleveland	A. los Rancheros
2. Cincinnati	B. los Atléticos
3. Oakland	C. los Bravos
4. Boston	D. los Indios
5. Atlanta	E. los Dodgers
6. Filadelfia	F. los Gigantes
7. Texas	G. los Filis
8. Los Ángeles	H. los Medias Rojas
9. San Francisco	I. los Piratas
10. Pittsburgh	J. los Rojos

El béisbol y la familia Martínez

El béisbol no sólo es un deporte[1] muy popular en los Estados Unidos, también es muy popular en muchos de los países hispanos. A muchas personas de Puerto Rico, Cuba y la República Dominicana les gusta mucho jugar al béisbol y muchos beisbolistas profesionales son hispanos.

La familia Martínez de la República Dominicana, por ejemplo, tiene tres hijos que han sido[2] beisbolistas en las ligas profesionales de los Estados Unidos. Su hijo mayor[3], Ramón Martínez, fue[4] un lanzador[5] para los Dodgers de Los Ángeles. Pedro Martínez, que es el hermano menor[6], es un lanzador para los Mets de

Pedro Martínez.

Nueva York. Además, Jesús Martínez, el hijo menor de la familia, fue un lanzador en las ligas menores de los Dodgers.

Ramón es el ídolo de sus hermanos menores, pero Pedro es el más[7] famoso de los tres porque es el primer[8] dominicano que ha ganado[9] tres veces el premio[10] Cy Young. Los tres hermanos no juegan al béisbol todo el tiempo. También les gusta nadar, escuchar música y pasar tiempo con sus padres en la República Dominicana. Los Martínez—una familia unida por el béisbol.

[1]sport   [2]have been   [3]older   [4]was   [5]pitcher
[6]younger   [7]the most   [8]first   [9]has won
[10]award

Ramón Martínez.

A ¿Qué recuerdas?

1. ¿Dónde es popular el béisbol?
2. ¿A qué personas les gusta jugar mucho al béisbol?
3. ¿Cuántos hijos de la familia Martínez han sido beisbolistas?
4. ¿En qué posición juega Pedro Martínez?
5. ¿Para qué equipo juega Pedro?
6. ¿Por qué es muy famoso Pedro?
7. ¿Qué hacen los hermanos Martínez además de jugar al béisbol?

B Algo personal

1. ¿Te gusta jugar al béisbol? ¿Qué deporte te gusta jugar?
2. ¿Cuál es tu equipo de béisbol profesional favorito?
3. ¿Quién es tu beisbolista favorito?
4. ¿Ves por televisión o vas a los partidos profesionales? ¿A cuáles?
5. ¿Cuál es el deporte más popular donde vives?

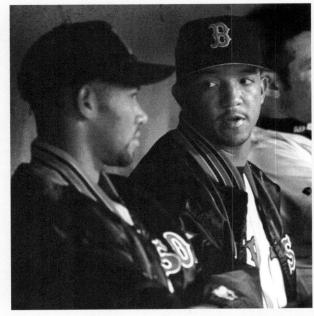

Los hermanos Ramón y Pedro Martínez.

Tú escribes

Creating an outline
You can better organize your thoughts before beginning to write by creating an outline of your ideas on paper. This visual map of your thoughts may also allow you to discover connections about the theme that you had not considered before.

A Make a list of everyone who is in your family, leaving space under each name to write comments. Then write related ideas in the space, creating an outline consisting of everyone's ages, their interests and your opinion about each person.

B Summarize the ideas from your outline in a complete paragraph in Spanish that describes your family. Do not forget to give your paragraph a title. Finally, add a family photograph or add original artwork and graphics to make your paragraph more attractive.

Mi familia.

Proyectos adicionales

A Conexión con la tecnología

Research your family's history using the resources available on the Internet. If you prefer, make up an identity or pretend to be someone famous (preferably someone Hispanic). Do you have any Spanish-speaking ancestors? Where did your ancestors come from? Investigate the life of one relative who was born and lived in another country. Find out the name of the country (and city) where the person was born, where the country (and city) is located on a map and details about the country (population, principal attractions, capital, holidays, etc.). Share your research with the class.

B Conexión con otras disciplinas: geografía/cultura

In small groups, create a travel brochure on Puerto Rico or the Dominican Republic. Include information such as: geographical location, capital city, population, main cities, major tourist attractions, events and anything else you find interesting or fun. Use the Internet or the library for your research. Present your group's travel brochure to the rest of the class as if you were a travel agent or a representative of the country's Tourist Bureau.

C Comparaciones

Give the Spanish equivalents for the baseball terms shown. You can find them on the Internet or in a dictionary. Next, draw a baseball field and identify in Spanish as many of the people and other elements as you can (e.g., infield, baseball, umpire, pitcher, etc.). Label the drawing *el campo de béisbol*. Then, compare your drawing with a classmate's to see what is similar and what is different.

los jugadores *(players)*
1. the batter
2. the catcher
3. the first baseman
4. the outfielder
5. the pitcher
6. the player
7. the second baseman
8. the shortstop
9. the third baseman
10. the umpire

el juego *(game)*
11. first/second/third base
12. out
13. strikeout
14. ball
15. bat
16. baseball glove
17. home run
18. infield
19. inning
20. outfield
21. run
22. strike

Repaso

Now that I have completed this chapter, I can...

	Go to these pages for help:
talk about family and relationships.	134
seek and provide personal information.	134
express possession.	134
say some things people do.	154
express an opinion.	154
state likes and dislikes.	158
describe people and things.	164

I can also...

identify members of my family in Spanish.	134
talk about life in Puerto Rico and the Dominican Republic.	137, 157
talk about *merengue* dance.	167
read in Spanish about baseball in Spanish-speaking countries.	174
read and use Spanish words in context.	174
write a paragraph in Spanish.	176

Trabalenguas

Papá, pon para Pepín pan.

Vocabulario

abierto,-a open *4A*

el **abuelo,** la **abuela** grandfather, grandmother *4A*

aburrido,-a bored, boring *4B*

alto,-a tall, high *4B*

amable kind, nice *4A*

apurado,-a in a hurry *4A*

bailar to dance *4B*

bajo,-a short (not tall), low *4B*

el **béisbol** baseball *4B*

bonito,-a pretty, good-looking, attractive *4A*

bueno,-a good *4B*

caliente hot *4A*

calvo,-a bald *4B*

canoso,-a white-haired *4B*

cansado,-a tired *4A*

cantar to sing *4B*

cariñoso,-a affectionate *4A*

la **casa** house *4A*

cerrado,-a closed *4A*

cómico,-a comical, funny *4B*

la **compra** purchase *4B*

comprar to buy *4B*

contento,-a happy, glad *4A*

contestar to answer *4B*

delgado,-a thin *4B*

difícil difficult, hard *4B*

divertido,-a fun *4A*

egoísta selfish *4B*

enfermo,-a sick *4A*

escuchar to listen to *4B*

el **esposo,** la **esposa** husband, wife, spouse *4A*

fácil easy *4B*

la **familia** family *4A*

feo,-a ugly *4B*

la **foto(grafía)** photo *4A*

frío,-a cold *4A*

el **fútbol** soccer *4B*

generoso,-a generous *4B*

gordo,-a fat *4B*

guapo,-a good-looking, attractive, handsome, pretty *4A*

gustar to like, to be pleasing to *4B*

el **hermano,** la **hermana** brother, sister *4A*

el **hijo,** la **hija** son, daughter *4A*

horrible horrible *4B*

ideal ideal *4B*

importante important *4B*

inteligente intelligent *4B*

interesante interesting *4B*

ir de compras to go shopping *4B*

jugar (ue) to play *4B*

jugar a (*+ sport/game*) to play *4B*

lento,-a slow *4B*

libre free *4A*

limpio,-a clean *4A*

loco,-a crazy *4A*

la **madre** mother *4A*

malo,-a bad *4B*

más more, else *4A*

me (to, for) me *4B*

mí me (after a preposition) *4B*

mirar to look (at) *4B*

mis my (*pl.*) *4A*

moreno,-a brunette, dark-haired, dark-skinned *4B*

mucho,-a much, a lot, very, very much *4B*

nadar to swim *4B*

nervioso,-a nervous *4A*

el **nieto,** la **nieta** grandson, granddaughter *4A*

nos (to, for) us *4B*

nuestro,-a our *4A*

nunca never *4A*

ocupado,-a busy, occupied *4A*

otro,-a other, another *4A*

el **padre** father *4A*

los **padres** parents, fathers *4A*

para for, to, in order to *4A*

el **pariente,** la **pariente** relative *4A*

el **partido** game, match *4B*

patinar (sobre ruedas) to in-line skate *4B*

pelirrojo,-a red-haired *4B*

el **piano** piano *4B*

la **playa** beach *4A*

popular popular *4A*

por for *4A*

el **primo,** la **prima** cousin *4A*

¡qué (*+ description*)**!** how (*+ description*)! *4A*

quiero I love, I want *4A*

la **radio** radio (broadcast) *4B*

rápido,-a rapid, fast *4B*

rubio,-a blond *4B*

salir to go out *4A*

el **sobrino,** la **sobrina** nephew, niece *4A*

su, sus his, her, its, your (*Ud./Uds.*), their *4A*

sucio,-a dirty *4A*

la **tarea** homework *4B*

la **televisión** television *4B*

el **tenis** tennis *4B*

ti you (*after a preposition*) *4B*

el **tiempo** time *4A*

el **tío,** la **tía** uncle, aunt *4A*

tocar to play *4B*

todo,-a all, every, whole, entire *4A*

tonto,-a silly *4B*

triste sad *4A*

tus your (*pl.*) *4A*

único,-a only, unique *4A*

el **verano** summer *4A*

vivir to live *4A*

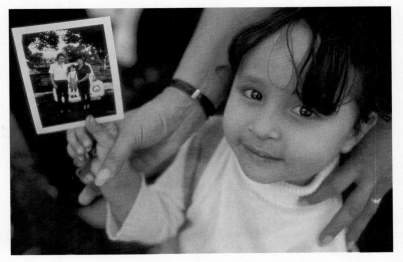

Mira la foto de mis padres y yo.

Capítulo 5

Una semana típica

Objetivos

- ❖ describe everyday activities
- ❖ say what someone is going to do
- ❖ seek and provide personal information
- ❖ write about everyday life
- ❖ say what someone likes or dislikes
- ❖ express strong feelings
- ❖ talk about dates and holidays

Visit the web-based activities at
www.emcp.com

◈ Vocabulario I

Un sábado en la tienda de artículos electrónicos

la grabadora

¡Qué lástima! Ahora no tenemos el CD con las canciones de la película *¡Loco por ti!*

el reproductor de DVDs

el equipo de sonido

Buscamos el CD con la canción *Loco amor*, que es de la película *¡Loco por ti!*

¿No tienen el CD? ¡Caramba! ¡Qué sorpresa!

el quemador de CDs

La chica entra a la tienda.

el dinero

el casete

Los chicos pasan tiempo cada semana en la tienda de artículos electrónicos.

el DVD

el reproductor de MP3

el reproductor de CDs

el disco compacto (CD)

1 ¿Qué buscan?

 Selecciona la ilustración que corresponde con lo que oyes.

A

B

 En la tienda de artículos electrónicos

C

D

E

F

2 Lógico

Completa en forma lógica las frases de la izquierda con una de las frases de la derecha.

1. Buscamos el DVD...
2. Los chicos pasan...
3. ¡Qué lástima! No tenemos...
4. La chica entra...
5. ¡Caramba, no tenemos dinero...

A. ...para comprar el CD.
B. ...a la tienda de artículos electrónicos.
C. ...el CD con la canción *Loco amor.*
D. ...tiempo cada semana en la tienda de artículos electrónicos.
E. ...de la película *¡Loco por ti!*

Busco un equipo de sonido.

Diálogo I

Me gustan las tiendas

MARTA: Vamos a ver si tienen el CD de Alejandro Sanz en la tienda.

SOFÍA: ¿Otra tienda? No tenemos más dinero.

MARTA: Sólo quiero mirar si tienen el disco compacto.

MARTA: Buenas. Buscamos el CD de Alejandro Sanz.

SEÑOR: No, no tenemos CDs de Alejandro Sanz.

MARTA: ¡Qué lástima! Bueno, gracias.

SOFÍA: ¡Ahora sí! ¡Vamos a casa!

MARTA: No. ¿Por qué no vamos a otra tienda?

SOFÍA: ¡Caramba! ¡Qué sorpresa!

3 ¿Qué recuerdas?

1. ¿Qué van a ver Marta y Sofía si tienen en la tienda de artículos electrónicos?
2. ¿Tienen el CD de Alejandro Sanz en la tienda de artículos electrónicos?
3. ¿A quién le gustan las tiendas?
4. ¿Van a casa las chicas?

4 Algo personal

1. ¿Cuál es tu disco compacto favorito?
2. ¿Qué canción te gusta? ¿Por qué?
3. ¿Te gustan las tiendas de artículos electrónicos? Explica.
4. ¿Qué artículos electrónicos tienes en casa?

5 ¿Lo tienen?

Write the names Marta and Sofía. Next, listen and list under their names what they are looking for at an electronics store. Then circle any items on the lists that are the same.

Marta	Sofía

Costa Rica

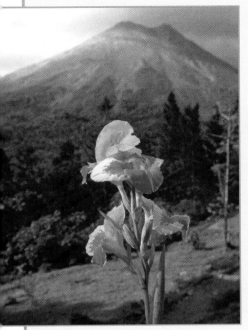

El volcán Arenal y una orquídea (orchid) en Costa Rica.

Christopher Columbus visited Cariari (now the city of *Puerto Limón*) in 1502. He named the land Costa Rica (rich coast) because he thought the area offered a wealth of gold and silver. Today, this small, Spanish-speaking country has a population of about three million people, most of whom live in the capital and industrial city of San José. Situated at the center of the American continent, Costa Rica features a diverse landscape of beaches, mountains, volcanos (like the *Irazú*) and rain forests *(selvas tropicales* or *bosques lluviosos)*. In fact, Costa Rica is famous throughout the world for its ecological tourism and has dedicated over twenty-five percent of its land as protected areas, national parks and reserves, which are the seasonal home for 10 percent of the world's birds, over 9,000 species of plants and 1,200 species of orchids. The country has a long democratic tradition, spends more money on education than many of its Latin American neighbors and has had no army for more than fifty years. It is noteworthy in this peace-loving nation that one of Costa Rica's former presidents, Óscar Arias, was awarded the Nobel Peace Prize.

Una selva tropical en Monteverde, Costa Rica.

6 Conexiones con otras disciplinas: geografía y ciencias

Use an encyclopedia or search the Internet for information about Costa Rica and plan a vacation there. Find out about places to visit, things to do, what you will see or eat and so forth. Summarize your findings, adding visuals (e.g., photographs, maps), and share your plans with the class.

MODELO   Voy a visitar el volcán Irazú en Cártago.

Estructura

Saying what someone has: *tener*

The verb *tener* (to have) is an irregular verb.

tener			
yo	**tengo**	nosotros nosotras	**tenemos**
tú	**tienes**	vosotros vosotras	**tenéis**
Ud. él ella	**tiene**	Uds. ellos ellas	**tienen**

Tengo un equipo de sonido nuevo.   **I have** a new sound system.
Marisol *tiene* veinte CDs.   Marisol **has** twenty CDs.

Note: *Tener* is sometimes used in Spanish expressions where the verb **to be** is used in English. One such expression is *tener* (+ number) *años*, which you have already used to talk about someone's age.

¿Cuántos años *tienes*?   How old **are you**?
Tengo dieciséis años.   **I am** sixteen (years old).

Completa el diálogo con las formas apropiadas de *tener.*

Jorge: Quiero ver si la tienda de artículos electrónicos (1) un CD para Susana.
Pilar: ¿Qué CD buscas?
Jorge: Ella no (2) el nuevo disco compacto del grupo Presuntos Implicados.
Pilar: Bueno, vamos a preguntar.
Jorge: Hola, señor. ¿(3) Uds. el nuevo disco compacto de Presuntos Implicados?
Señor: Nosotros (4) muchos CDs, pero no (5) CDs de Presuntos Implicados.
Jorge: ¡Caramba! ¡Qué lástima! Muchas gracias.
Pilar: Son las siete, nosotros (6) una hora. ¿Vamos a otra tienda?
Jorge: Está bien, pero sabes, yo (7) un problema. No (8) dinero. ¿Cuánto (9) tú?
Pilar: Pues, Jorge, yo tampoco (10) dinero.

8 Todos tienen algo

Working in pairs, take turns asking one another questions about what various people have. Answer according to what you see in the illustrations, adding any details you wish.

MODELO   don Carlos
A: ¿Qué tiene don Carlos?
B: Tiene un reproductor de MP3 fantástico

1. tú

2. Silvia y su hermano

3. yo

4. Ud.

5. Elvira y Alejandra

6. nosotros

9 Conexión con otras disciplinas: matemáticas

Di cuántos años tienen las siguientes personas de acuerdo al año en que nacieron *(were born)*.

1. Kathy / 1961
2. Doña Marta / 1927
3. Daniel y Estefanía / 2002
4. Keeley / 1989

5. Rafael y Gustavo / 1976
6. el Sr. Cortés / 1956
7. yo / 1953
8. tú / ?

✵ Comunicación

10 Tengo muchos CDs

Working in pairs, talk about your interests in entertainment. For example, find out what kind of music and films you like. You might also discuss such things as how many CDs you have of different types of music, whether or not you have DVDs, which CDs or DVDs you have and what equipment you use to play the CDs and DVDs. Try to determine what interests you have in common *(en común)* and how your interests are different. Be creative!

¡Extra!

Tipos de música

clásica	mariachi	rock
cumbia	merengue	romántica
disco	popular	salsa
flamenco	ranchera	tejana (Tex-Mex)
jazz	rap	vallenato

MODELO   A: ¿Te gusta la música rock?
B: Sí, me gusta mucho. Tengo veinte CDs y tres son de JLo.

11 ¿Qué tenemos en casa?

Working in small groups, take turns talking about your families' entertainment preferences. First, find out who is in each person's family. Then discuss family members' favorite music, television and radio programs (*programas de televisión y radio*) and movies. Next, find out what kind of electronics your classmates' families have for listening to music or watching movies at home.

MODELO **A:** Tengo dos hermanos y una hermana. A mis hermanos les gusta ver partidos de fútbol en la televisión. A mi hermana le gusta escuchar música en su reproductor de MP3.

B: Yo tengo un hermano. Le gusta la música merengue y le gusta ver películas en DVD.

C: Yo no tengo hermanos, pero tengo muchos tíos. A ellos les gustan los CDs de música clásica.

Estructura

Expressing strong feelings with ¡Qué (+ adjective/noun)!

There are times when you may wish to express strong feelings — both positive and negative — about something or someone. In Spanish, use *qué* followed by an adjective as the equivalent of **How...!** Similarly, when *qué* is followed by a person, place or thing, it is equivalent to **What a...!**

¡Qué (+ adjective)!

¡Qué (+ noun)!

| ¡Qué fantástico! | How fantastic! |
| ¡Qué aburrido! | How boring! |

| ¡Qué CD! | What a CD! |
| ¡Qué lástima! | What a shame! |

Práctica

12 ¿Cómo reaccionas?

Using *qué* and an adjective, react to the following circumstances.

MODELO *A good friend buys you your favorite CD.*
¡Qué amable!

1. *You are watching a very funny DVD.*
2. *It is very cold outside.*
3. *You just dropped a brand new MP3 player in the mud.*
4. *Your parents tell you some really sad news.*
5. *You have just learned to use your new CD burner.*

¡Qué amable!

13 Expresando tu opinión

Write captions for the following photos, using *qué* plus a noun.

MODELO ¡Qué equipo de sonido!

Que disco musica

1

Que Caballo

2

Que piano

3

Que chica sorpresa

4

Que cosa

5

Que CD

6

14 Me gusta lo que tienen

The following people have just purchased some electronic equipment. Say what they have and express how much you like each item.

MODELO Belia / una computadora rápida

Belia tiene una computadora rápida. ¡Qué computadora!

1. mis primos / equipo de sonido nuevo   *tienen* *¡Que fantastica! equipo de sonido*
2. Clara / reproductor de CDs para diez CDs   *tiene* *Que CD!*
3. Sonia / dos DVDs fantásticos   *tiene* *¡Qw DVD!*
4. los López / carro BMW nuevo   *tienen* *Que BMW!*
5. tú / CD nuevo de Alejandro Sanz   *tienes* *Que CD!*

◈ Comunicación

15 ¡Qué tienda tan estupenda!

Imagine that you and a friend are window-shopping at a fantastic home audio and video store that carries computers, DVD and CD players, CD burners, etc. With your partner, create a dialog in which you talk about some of the things you see, expressing how you feel about each one. Discuss who you know has each item you are looking at and add any other details you wish. Be creative!

MODELO A: Oye, Carlos. ¡Mira! ¡Qué equipo de sonido!
B: Sí, muy bonito. Rogelio tiene uno.

Vocabulario II

Las actividades de Virginia
la semana que viene

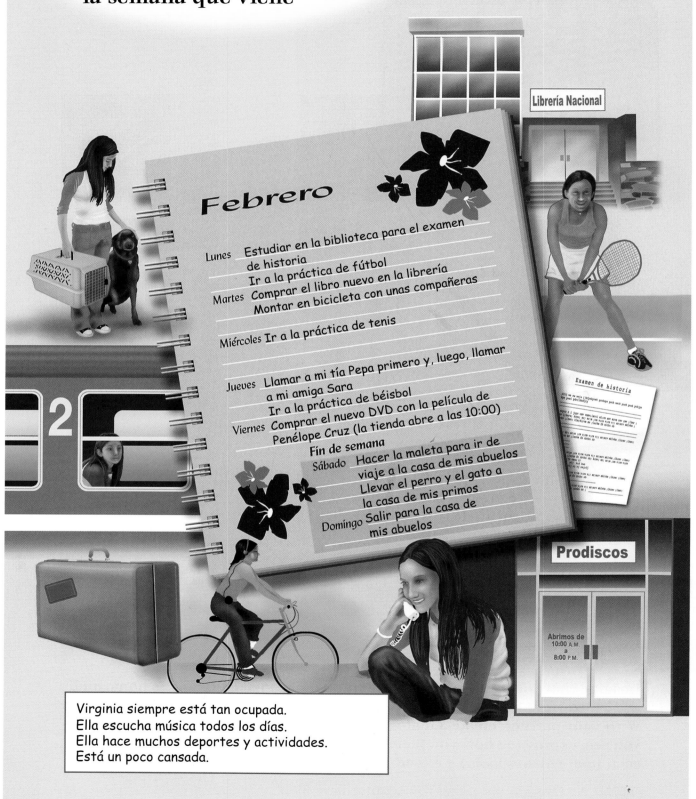

Librería Nacional

Febrero

Lunes   Estudiar en la biblioteca para el examen
         de historia
         Ir a la práctica de fútbol
Martes   Comprar el libro nuevo en la librería
         Montar en bicicleta con unas compañeras

Miércoles Ir a la práctica de tenis

Jueves   Llamar a mi tía Pepa primero y, luego, llamar
         a mi amiga Sara
         Ir a la práctica de béisbol
Viernes Comprar el nuevo DVD con la película de
         Penélope Cruz (la tienda abre a las 10:00)

         Fin de semana
Sábado   Hacer la maleta para ir de
         viaje a la casa de mis abuelos
         Llevar el perro y el gato a
         la casa de mis primos
Domingo Salir para la casa de
         mis abuelos

Examen de historia

Prodiscos

Abrimos de
10:00 A.M.
a
8:00 P.M.

> Virginia siempre está tan ocupada.
> Ella escucha música todos los días.
> Ella hace muchos deportes y actividades.
> Está un poco cansada.

16 Las actividades de Javier la semana que viene

Selecciona la letra de la ilustración que corresponde con lo que oyes.

A 6

B 2

C 5

D 1

E 4

F 3

17 El horario de Josefina

Unscramble the following sentences to find out about a typical week in Josefina's life.

MODELO   el lunes / de fútbol / práctica / tiene
El lunes tiene práctica de fútbol.

1. en bicicleta / monta / el martes / con unas compañeras
2. tiene / el miércoles / un partido de fútbol
3. el jueves / con una amiga / de compras / va / a la librería
4. un examen de historia / el viernes / tiene
5. hace / el sábado / para / la maleta / ir de viaje / a Limón
6. de la película / compra / nuevo / el DVD / el domingo / de Penélope Cruz

18 Una semana típica

Make a list of the activities you would normally do on each day of a typical week.

MODELO   El lunes voy a la librería.
El martes tengo clase de piano.

¡Extra!

¿Cómo son los días de la semana?

In most Spanish-speaking countries, the first day of the week is *lunes* and days of the week are not capitalized. Only *sábado* and *domingo* have different plural forms (*sábados, domingos*). In addition, you must use *el* or *los* with the days of the week when telling when activities or events take place. Spanish does not use *en* as English uses **on**: *Josefina tiene práctica de fútbol el lunes* (Josefina has soccer practice on Monday).

Diálogo II

¡Qué semana!

MARTA: ¡Caramba, tico! Estoy tan ocupada la semana que viene.

TOMÁS: ¿Por qué? ¿Qué vas a hacer?

MARTA: El lunes voy a estudiar para el examen de biología.

TOMÁS: Yo también, pero estoy un poco cansado.

MARTA: El martes tengo práctica de tenis y, luego, de fútbol.

TOMÁS: ¡Pues, Marta, te gusta hacer muchos deportes!

MARTA: El miércoles voy a la librería y el sábado voy a hacer un viaje.

TOMÁS: ¿Adónde vas?

MARTA: A casa de mi tía en Puntarenas. ¡Ay! La voy a llamar. Adiós.

TOMÁS: ¡Adiós! ¡Qué semana!

19 ¿Qué recuerdas?

1. ¿Quién está muy ocupada la semana que viene?
2. ¿Qué va a hacer Marta primero?
3. ¿Quién está un poco cansado?
4. ¿Qué deportes le gusta hacer a Marta?
5. ¿Adónde tiene que ir de viaje Marta?

20 Algo personal

1. ¿Estás un poco cansado/a hoy? Explica.
2. ¿Te gustan los deportes? ¿Cuáles?
3. ¿Qué haces primero los fines de semana? ¿Y luego?

¿Te gustan los deportes?

21 ¿Cuándo?

Marta dice lo que tiene que hacer. Indica el día en que va a hacerlo, según el diálogo.

A. lunes
B. martes
C. miércoles
D. jueves
E. viernes
F. sábado

22 Las actividades de Tomás

Escribe en una hoja de papel lo que vas a escuchar.

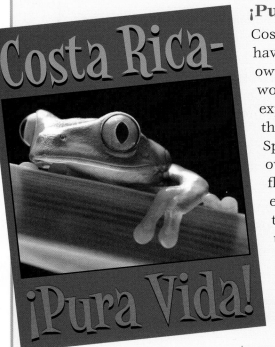

Costa Rica—

¡Pura Vida!

¡Pura vida!

Costa Ricans have their own regional words and expressions that give their Spanish its own special flavor. For example, they refer to themselves as *ticos* or *ticas*, which is a typical ending they add to everyday words (*chico—chiqui**tico***). *Ticos* and *Ticas* are courteous and respectful and do not use *tú* as freely as people from other Spanish-speaking countries. When you are visiting the country, you may hear the phrase *pura vida* (pure life), which is very popular as a positive response or reaction to almost any situation. Other popular expressions in Costa Rica include the following:

expresión	*equivalente*
¡Buena nota!	Okay!
el chunche	thing (or whatchamacallit)
macho, macha	refers to anyone with blond hair
maje	buddy, pal (among friends)

Una tica macha.

23 ¡Dilo en Tico!

Answer the questions on the left with the most appropriate response on the right.

1. ¿Cómo estás, tico? E
2. ¿Vamos a comer? A
3. Oye, ¿quién es la macha? D
4. Maje, ¿vamos a la práctica de tenis? C
5. ¿Qué es ese chunche? B

A. La rubia es la tica nueva.
B. Es un reproductor de CDs.
C. No, amigo, hoy estoy un poco cansado.
D. Pura vida.
E. ¡Buena nota!

Estructura

Direct object pronouns

A direct object is the person or thing in a sentence that receives the action of the verb directly and answers the question **what?** or **whom?** Add the word *a* (called the *a personal*) before any direct object that refers to a person. Note, however, that you should not use the *a personal* with the verb *tener.*

Veo el reproductor de DVDs.	(I see **what?**)	I see the DVD player.
*Veo **a** la profesora y **a** Sandra.*	(I see **whom?**)	I see the teacher and Sandra.
*Tomás **tiene** dos hermanas en San José.*	(He has **what?**)	Tomás has two sisters in San José.

Sometimes the following direct object pronouns *(pronombres de complemento directo)* replace a direct object.

los pronombres de complemento directo			
me	*me*	**nos**	*us*
te	*you* (tú)	**os**	*you* (vosotros,-as)
lo	*him, it, you* (Ud.)	**los**	*them, you* (Uds.)
la	*her, it, you* (Ud.)	**las**	*them, you* (Uds.)

Notice in the following examples that direct object pronouns usually precede the conjugated form of the verb and any negative expressions (such as *no* or *nunca*) are placed before the object pronouns. In addition, the direct object pronouns *lo, la, los* and *las* can refer to either people or objects.

*No **la** veo.*	I do not see **her** *(Blanca).*
	I do not see **it** *(la biblioteca).*
*Nunca **lo** veo.*	I never see **him** *(Rubén).*
	I never see **it** *(el libro).*

Sometimes the direct object pronoun *lo* is used to refer to a nonspecific direct object or a direct object that is expressed as an idea or a phrase (instead of a person or object).

¿Sabes dónde está el gato?	Do you know where the cat is?
*Sí, **lo** sé.*	Yes, I do (know it).

Note: Some people place an *a* in front of a direct object that refers to a pet they consider part of the family: *Veo **al** perro* (I see the dog).

Práctica

24 La *a* personal

Completa las siguientes oraciones con la *a personal* cuando sea necesario.

1. El sábado voy a ver _lo_ una película en mi nuevo reproductor de DVD.
2. Veo _me_ mis abuelos cada semana.
3. Sí, quiero _los_ mi mamá.
4. Busco _un_ un quemador de CDs.
5. ¿Te gusta escuchar _la_ música en un reproductor de MP3?
6. ¿Tienes ___ tres hermanos?
7. Voy a llamar _los_ mi primo el lunes.
8. Llevo _lo_ mi gato a casa de mis padres.

25 Unas preguntas

Alterna con un(a) compañero/a de clase en hacer y contestar las siguientes preguntas.

1. ¿A quién ves ahora?
2. ¿Buscas a tus amigos los fines de semana para escuchar CDs?
3. ¿A quién llamas hoy por teléfono?
4. ¿A quién escribes un correo electrónico hoy?
5. ¿Comprendes a tu profesor(a) de español?
6. ¿Ves a tus amigos todos los días?

Veo a mi perro.

¿Ves a tus amigos todos los días?

26 ¡Lo veo!

With a classmate, take turns asking and answering whether or not you can see the following from where you are sitting.

MODELO A: ¿Ves la puerta?
B: Sí, (No, no) la veo.
A: ¿Ves el reproductor de CDs?
B: Sí, (No, no) lo veo.

1. ¿Ves la pizarra? Sí, yo la veo.
2. ¿Ves el pupitre? Sí, yo lo veo.
3. ¿Ves los discos compactos? Sí, yo los veo.
4. ¿Ves la computadora? Sí, yo la veo.
5. ¿Ves el libro de español? Sí, yo lo veo.
6. ¿Ves el reloj? Sí, yo lo veo.
7. ¿Ves los casetes? No, no yo los veo.
8. ¿Me ves? Sí, te veo.

Estrategia

Avoiding interference with English

Try to avoid letting English interfere with new structures and vocabulary that you are learning in Spanish. For example, the pronouns *lo* and *la* are the Spanish equivalents of the English pronoun **it** only when **it** functions as a direct object of the verb. When **it** is the subject of a sentence, the Spanish subject pronoun is omitted.

¿**Lo** ves?	Do you see **it**?
No, no **lo** veo.	No, I do not see **it**.
but:	
No está aquí.	**It** is not here.
Es bonito.	**It** is pretty.

27 Un fin de semana con mis abuelos

Completa el párrafo, escogiendo de las siguientes palabras.

me	nos	la
las	lo	los

Este fin de semana voy a ir a Puntarenas para estar con mis abuelos. No (1) [los] veo mucho porque mi familia y yo vivimos en San José. Pero ellos (2) [nos] ven en el verano porque les gusta ir a la capital. A mí me gusta pasar tiempo en Puntarenas porque mi abuelo Raúl (3) [me] comprende. A él le gusta mucho la música y (4) [la] toca también en el piano. Las canciones de amor son sus canciones favoritas. Siempre (5) canta. También compra muchos CDs y (6) escucha todos los días. Mi abuelo Raúl es muy cariñoso. ¡(7) quiero mucho!

28 ¿Qué haces todos los días?

With a classmate icon

Trabajando con un compañero o una compañera, contesta las siguientes preguntas. Usa *lo, los, la* o *las* para las respuestas.

MODELO A: ¿Practicas tenis todos los días?
B: Sí, (No, no) lo practico.

1. ¿Llevas a tu perro a caminar todos los días?
2. ¿Montas en bicicleta todos los días?
3. ¿Lees revistas en español todos los días?
4. ¿Escuchas discos compactos de tu cantante favorito/a todos los días?
5. ¿Llamas a tus parientes todos los días?
6. ¿Cantas canciones de amor todos los días?
7. ¿Ves películas en DVD todos los días?

Practico tenis todos los días.

29 Visita Puntarenas

Pretend you and a classmate are members of a tour that is going to visit Puntarenas, Costa Rica. Ask your partner questions using the cues given to find out if members of the group have the indicated items. Your partner should answer each question affirmatively or negatively, using a direct object pronoun.

MODELO la Sra. Ordóñez / tener / mapa de Puntarenas
    A: ¿Tiene la Sra. Ordóñez el mapa de Puntarenas?
    B: Sí, (No, no) lo tiene.

1. nosotros / tener / maletas
2. tú / tener / discos compactos para el viaje
3. yo / tener / reproductor de CDs
4. Gabriel / tener / reproductor de MP3 para el viaje
5. tú / tener / número de la oficina de turismo de Puntarenas
6. Néstor y Lina / tener / dinero para el viaje

La Playa Coco en Costa Rica.

◈ Comunicación

30 Adivina, adivinador

Try this guessing game *(juego de adivinanzas)* with a classmate. First, one partner writes on a piece of paper the name of another classmate. Then the other partner asks questions about people in class until he or she can guess the person's name. It may be helpful to use the verbs *ver, mirar* and *buscar* as you play the game. Switch roles.

MODELO A: ¿A quién ves?
    B: Veo a un muchacho moreno y delgado.
    A: ¿Ves a Raúl?
    B: Sí. Veo a Raúl.

31 Un viaje a Costa Rica

Imagine that you and a friend are planning to go to Costa Rica. Discuss what you are going to do to prepare for the trip. Then ask and answer questions about when and how you are going to do each activity.

MODELO A: ¿Cuándo compramos el libro sobre Costa Rica en la librería?
    B: Lo compramos el martes. ¿Cuándo vas a hacer las maletas?
    A: Las hago mañana, hoy estoy un poco cansado. ¿Vas a llevar tus CDs de Presuntos Implicados?
    B: Sí, los llevo.

Lectura cultural

Los chicos ticos

¿Cómo es la vida diaria[1] de los chicos costarricenses[2]? La revista SOMOS entrevistó[3] a Susana Paniagua Vargas, de dieciséis años, que vive en San Rafael de Heredia, Costa Rica, con esa misma[4] pregunta.

Somos: ¿Cómo es un día típico?

Susana: Voy a la escuela de las 8:00 a.m. hasta las 2:20 p.m. Luego, llego[5] a mi casa y tomo un refresco. Cuando no puedo[6] ir a casa de alguna amiga, por lo general, paso toda la tarde en el teléfono.

Somos: ¿Qué hacen tú y tus amigos los fines de semana?

Susana: Nos reunimos[7] en un parque o en casa de una amiga. Cuando hay partidos de fútbol vamos al estadio. O, vamos al cine y después pasamos a algún[8] club de jóvenes[9] a bailar.

Somos: ¿Qué tipo de música escuchan?

Susana: Rock en español, rave, pop, vallenato[10].

Somos: ¿A qué hora tienen que regresar[11] a casa?

Susana: Entre semana[12] a las 9:00 p.m. pero los fines de semana a las 11:00 p.m.

Somos: Cuando salen, ¿qué medio[13] de transporte usan?

Susana: Generalmente[14] el bus, pero prefiero el taxi. (Para manejar[15] carro se necesita tener 18 años.)

Somos: ¿Algunos trabajan medio tiempo?

Susana: No es común que los jóvenes de mi edad trabajen en Costa Rica cuando hay clases; sin embargo[16], cuando hay vacaciones muchos trabajan en tiendas de ropa.

[1]daily life [2]Costa Rican [3]interviewed [4]same [5]I arrive [6]not able to [7]We get together [8]any [9]youth [10]a combination of African, European and Colombian folkloric sounds [11]return [12]Weekdays [13]means [14]Generally [15]drive [16]however

32 ¿Qué recuerdas?

1. ¿A qué hora va Susana a la escuela?
2. ¿Qué hace por las tardes?
3. ¿Adónde van Susana y sus amigos los fines de semana? ¿A qué hora regresan a casa?
4. ¿Qué música escuchan los jóvenes en Costa Rica? ¿Qué deporte les gusta ver?
5. ¿Trabajan los estudiantes en Costa Rica cuando hay escuela?

33 Algo personal

1. ¿A qué hora vas tú a la escuela? ¿Qué haces después? ¿Tienes un trabajo?
2. ¿Adónde van tú y tus amigos los fines de semana? ¿En qué van?
3. ¿Qué música escuchan tus amigos? ¿Qué deporte ven tus amigos?
4. ¿A qué hora tienes que estar en casa entre semana? ¿Y los fines de semana?

- How are teenagers in Costa Rica similar to teenagers in the U.S.? What are some differences?

¿Qué aprendí?

Visit the web-based activities at www.emcp.com

Autoevaluación
As a review and self-check, respond to the following:

1. Name one item you have in your house from an electronics store. Then name one thing you want to buy there.

2. Name an activity you usually do at least once a week and say what day you do the activity.

3. What activity are you going take part in during the coming weekend?

4. What might you say in Spanish as a reaction in the following situations: you are watching a funny DVD; you heard some bad news about a family member.

5. Ask if a friend sees the following: the new compact discs, the teacher.

6. How would you answer the questions you asked in number 5?

7. What is your schedule for this week? Name two of your activities for next week.

8. Say two things you have learned about Costa Rica.

Palabras y expresiones

Artículos electrónicos
el casete
el DVD
el equipo de sonido
la grabadora
el quemador de CDs
el reproductor de CDs/DVDs/MP3

Actividades
la actividad
el deporte
la librería
la película
la práctica
el viaje

Pronombres
la
las
lo
los
me
nos
te

Otras expresiones
el amor
cada
la canción
¡caramba!
el compañero, la compañera

el dinero
el fin (de semana)
el gato, la gata
la lástima
la maleta
el perro, la perra
un poco
primero
que
¡qué (+ noun)!
que viene
la semana

si
la sorpresa
tan
tener (+ number) años
todos los días
hacer un viaje

Verbos
abrir
buscar
entrar
llamar
montar
pasar
tener

¿El dinero? Yo lo tengo.

Vocabulario I
La fecha

DICIEMBRE

LUNES	MARTES	MIÉRCOLES	JUEVES	VIERNES	SÁBADO	DOMIN
1 anteayer	2 ayer	3 hoy	4 mañana	5 pasado mañana	6	7
8	9	10	11	12	13	14
15	16	17	18	19	20	21
22	23	24	25 Navidad	26	27	28
29	30	31 Noche vieja				

Luna Nueva 4   C. Creciente 11   Luna Llena 19   C. Menguante 27

Ayer, dos de diciembre, fue mi cumpleaños. Me gusta mucho celebrar mi cumpleaños.

I like

Aquí estoy con mi hermana menor, mi hermano mayor y mi tía. Mi tía siempre viene para mi cumpleaños.

young
older

Mi tía y yo vamos mañana temprano a hacer compras.

shopping

El cumpleaños de mi tía es el primero de enero, el Día de Año Nuevo.

Voy a escribir en el periódico de mi colegio sobre mi fiesta de cumpleaños.

school

1 ¿Qué día es?

Escoge una respuesta correcta a cada pregunta que escuchas.

1. **A.** Navidad **B.** Año Nuevo **C.** mi cumpleaños
2. **A.** sábado **B.** lunes **C.** viernes
3. **A.** sábado **B.** martes **C.** jueves
4. **A.** miércoles **B.** sábado **C.** domingo
5. **A.** 24 de diciembre **B.** 25 de diciembre **C.** 31 de diciembre

2 Un e-mail

Gonzalo escribe un e-mail a su amiga Rosario. Completa el e-mail de una manera lógica.

¡Extra!

El pretérito de *ser*

You already have learned how to form and use the present tense of some verbs in Spanish. Here are the past-tense (preterite) forms of the verb *ser*. Other past-tense verbs can be found in the Appendices at the back of this textbook.

ser

yo	**fui**	nosotros nosotras	**fuimos**
tú	**fuiste**	vosotros vosotras	**fuisteis**
Ud. él ella	**fue**	Uds. ellos ellas	**fueron**

E-Mail

Archivo   Ver   Mensajes   ?

A...	Rosario
Cc...	
Asunto:	Mi cumpleaños

(1), Rosario. ¿Cómo estás? Yo estoy muy (2). Ayer viernes fue mi cumpleaños. ¡17 años!
Fue un día (3). Ahora estoy en Managua con mis tías y mis dos hermanos. Mañana, (4),
voy de compras muy (5) con mi tía y mi hermano (6) de 12 años, Jorge. A mi hermano (7),
Ernesto, no le gusta ir de compras. El martes voy a un partido de fútbol.
Y tú, ¿cuándo vienes? ¿En (8), para Navidad?
Ahora no voy a (9) más porque mi tía necesita la computadora.
Adiós,
Gonzalo

3 Las fechas

Contesta las siguientes preguntas.

1. Si hoy es jueves, ¿qué día es mañana?
2. Si hoy es jueves, ¿qué día es pasado mañana?
3. Si hoy es jueves, ¿qué día fue ayer?
4. Si hoy es jueves, ¿qué día fue anteayer?
5. Si ayer fue domingo, ¿qué día es hoy?
6. Si mañana es martes, ¿qué día fue ayer?
7. Si hoy es miércoles, ¿qué día es mañana?
8. ¿Qué día es hoy?
9. ¿Cuál es la fecha?
10. ¿En qué mes estamos?

¿Cuándo es tu cumpleaños?

ISABEL: Oye, Sergio, ¿cuándo es tu cumpleaños?
SERGIO: ¡Chica! ¡Mi cumpleaños es pasado mañana!
ISABEL: ¡Ay, sí!

DARÍO: Y, ¿cómo lo vas a celebrar?
SERGIO: Voy a tener una fiesta. Mi hermano mayor viene de Arizona. Mis primos van a estar aquí también.
ISABEL: ¡Fantástico!

DARÍO: ¿Y cuándo viene tu hermano Jaime?
SERGIO: Viene mañana temprano.
ISABEL: ¿Y tu hermana menor?
SERGIO: Ella está en la Florida, pero viene para la Navidad.

4 ¿Qué recuerdas?

1. ¿Cuándo es el cumpleaños de Sergio?
2. ¿Cómo va a celebrar su cumpleaños?
3. ¿Quién viene de Arizona?
4. ¿Cuándo viene Jaime?
5. ¿Dónde está la hermana menor de Sergio?

5 Algo personal

1. ¿Cuándo es tu cumpleaños?
2. ¿Celebras los cumpleaños con tu familia?
3. ¿Tienes un(a) hermano/a mayor? ¿Menor? ¿Cómo se llama?

6 ¿Cuál es la respuesta?

 Escoge una respuesta correcta a lo que escuchas.

1. **A.** mi hermano mayor   **B.** mi hermano menor
2. **A.** el jueves   **B.** el domingo
3. **A.** el 25 de diciembre   **B.** el 31 de diciembre
4. **A.** su hermano mayor   **B.** su hermano menor
5. **A.** el viernes   **B.** el sábado
6. **A.** el día de la Navidad   **B.** el Día de Año Nuevo

Managua, Nicaragua.

El Lago Nicaragua es muy grande.

Granada, Nicaragua.

Nicaragua

Costa Rica's Spanish-speaking neighbor to the north is the largest country of Central America, Nicaragua. This beautiful country of lakes, mountains, volcanoes, forests and friendly people suffered through a long civil war, and a U.S. trade embargo during the 1980s hurt the economy. Many roads are damaged or unpaved and communication systems do not extend to the rural areas. However, improvements are being made and the capital, Managua, is a large and growing commercial center with a population of one million. It is located on the shores of Lake Managua and is connected by the river Tipitapa to Lake Nicaragua, which was once an ocean bay and today is one of the largest lakes in the world. In fact, it is the only freshwater lake in the world to have swordfish and sharks *(tiburones)*.

7 Nicaragua

¿Cierto o falso?

1. Costa Rica está muy lejos de Nicaragua.
2. La capital de Nicaragua es Managua.
3. Un millón de personas viven en la capital.
4. Managua no está cerca del Lago Managua.
5. El Lago Nicaragua tiene tiburones.

8 Conexión con otras disciplinas: geografía

Find out more about Nicaragua on the Internet or at the library. Then create a map in Spanish showing major cities, lakes, rivers, mountains, surrounding countries and oceans.

Idioma

Estructura

Telling where someone is coming from: *venir*

The present tense of *venir* (to come) is very similar to that of the irregular verb *tener*.

venir			
yo	**vengo**	nosotros nosotras	**venimos**
tú	**vienes**	vosotros vosotras	**venís**
Ud. él ella	**viene**	Uds. ellos ellas	**vienen**

*¿**Vienes** tú para la Navidad?*   **Are you coming** for Christmas?

*No, pero **vengo** para el Año Nuevo.*   No, but **I am coming** for New Year's Day.

¿Viene Ud. para la Navidad?

Práctica

9 El cumpleaños de la abuela

Completa el párrafo que sigue con las formas apropiadas de *venir*.

Pasado mañana es el cumpleaños de la abuela. Va a cumplir ochenta años y hay una fiesta grande en un hotel de Managua. Pero, ¿cómo (1) todos a la fiesta? Pues, mis tíos y mis primos (2) en carro de León. ¡Mi tío siempre (3) a celebrar el cumpleaños de la abuela! Claro, yo (4) a pie porque el hotel está cerca de mi casa. Francisca, la nieta favorita de la abuela, (5) en avión de Costa Rica. Doris y Leonardo (6) de Granada el día de la fiesta. El tío Ricardo (7) en bicicleta porque también vive muy, muy cerca. Y tú, ¿cómo (8)?

10 La fiesta de Año Nuevo

Sergio's parents are having a New Year's party. Working in pairs, take turns asking and answering how each of the guests will arrive. Include an appropriate means of transportation (a pie, en autobús, bicicleta, carro, metro, taxi) in your answers.

MODELO A: ¿Cómo vienen tus abuelos a la fiesta?

B: Mis abuelos vienen en taxi.

1. los tíos
2. Isabel y tu hermana
3. Darío
4. el primo de Sergio
5. los padres de Sergio
6. mis abuelos
7. yo
8. tú

Los abuelos vienen en taxi.

Repaso rápido: Present tense to indicate the future

You have learned to use the present tense of a verb to say what people are doing now or what they do frequently. The present tense of a verb can also be used to refer to the not-too-distant future as long as a future time expression is used.

*Ella **viene** a mi casa el fin de semana.*	She **is coming** to my house on the weekend.
*Mañana **celebro** mi cumpleaños.*	Tomorrow I **will celebrate** my birthday.
*¿Uds. **están** en casa el domingo?*	**Will you be** home on Sunday?
*Laura **va** a la fiesta el sábado.*	Laura **is going** to the party on Saturday.

Mañana celebro mi cumpleaños.

11 El concierto de Navidad

Pretend that you and your partner are in charge of the invitations for the Christmas holiday concert at your school. Using this incomplete invitation list, take turns asking and answering questions about who is attending on Saturday night and who is attending on Sunday night.

MODELO **A:** ¿Mis padres?
B: Vienen el domingo.

Lista de invitaciones

sábado	domingo
Marta y su prima	Srta. López y su hermano
Gabriel	Sr. Robles
yo	mis padres
tú	yo
la madre de Fernando Peña	tú

1. ¿El Sr. Robles?
2. ¿Gabriel?
3. ¿La Srta. López y su hermano?
4. ¿Marta y su prima?
5. ¿Tú?
6. ¿La madre de Fernando Peña?
7. ¿Yo?
8. ¿Tú y yo?

12 Los planes del mes

Pretend today is *el miércoles 8* and you are talking with a friend about activities that happened or will happen this month. Among the activities that will happen, include a birthday celebration that you are having for someone you know and say who is coming to the celebration. Use the calendar as a guide.

MODELO **A:** ¿Cuándo es la fiesta para celebrar el cumpleaños de Julia?
B: La fiesta es pasado mañana, el viernes diez.
A: ¿Y quién viene a la fiesta?
B: Vienen muchos amigos.

L	M	M	J	V	S	D
		1	2	3	4	5
6	7	8	9	10	11	12
13	14	15	16	17	18	19

13 Año nuevo, vida nueva

Imagine today is December 26th and you are writing an e-mail to your best friend to tell him/her about the New Year's party your family is having for your relatives and special friends. Tell them who is invited and how and when each person is coming. Include as many details as you can.

¡Feliz Año Nuevo!

Vocabulario II
Los meses

marzo, abril, mayo

junio, julio, agosto

diciembre, enero, febrero

septiembre, octubre, noviembre

Los números
del 101 al 999.999

101	ciento uno
122	ciento veintidós
200	doscientos, -as
201	doscientos uno
300	trescientos, -as
400	cuatrocientos, -as
500	quinientos, -as
600	seiscientos, -as
700	setecientos, -as
800	ochocientos, -as
900	novecientos, -as
1.000	mil
1.001	mil uno
1.999	mil novecientos noventa y nueve
2.000	dos mil
100.000	cien mil

14 ¿Cuándo cumplen años?

Selecciona la letra de la fecha que corresponde con lo que escuchas.

A. 16.06   C. 20.05   E. 12.11

B. 02.03   D. 30.08   F. 23.01

15 ¡Me gusta!

Say how much you like or dislike the following situations, using *gustar* and any expressions you have learned.

MODELO El mes que viene es diciembre. ¡Es Navidad!
¡Qué bueno! Me gusta mucho./No me gusta ni un poquito.

1. Las horas de clase no pasan rápidamente.
2. Mi cumpleaños es en enero.
3. Un día vamos a ser viejos.
4. Soy muy joven.
5. Hoy es el día de mi cumpleaños.
6. Tengo una fiesta y vienen todos mis amigos.
7. A veces celebro mi cumpleaños con mis abuelos.
8. No tengo CDs ni reproductor de CDs.

16 Conexión con otras disciplinas: matemáticas

Continue the pattern up to the number shown in parentheses.

1. ciento cincuenta, trescientos, cuatrocientos cincuenta... (1.050)
2. cuatrocientos, seiscientos, ochocientos... (2.000)
3. nueve mil, ocho mil, siete mil... (1.000)
4. treinta y cinco mil seiscientos, treinta mil quinientos, veinticinco mil cuatrocientos... (5.000)
5. cien mil, noventa mil, ochenta mil... (10.000)

Diálogo II

¡Feliz cumpleaños!

ISABEL: ¿Cuál es la fecha de hoy?
DARÍO: Hoy es el veinticinco de octubre.
ISABEL: ¡Hoy es el cumpleaños de Sergio!
DARÍO: ¡Pues vamos a su casa!

ISABEL: ¡Feliz cumpleaños, Sergio!
DARÍO: ¿Cuántos años cumples? ¿Veinticinco? ¿Treinta?
SERGIO: ¡Oye, no! Yo soy joven. Cumplo diecisiete años.
DARÍO: Ja, ja. Pero los años pasan rápidamente.

SERGIO: ¡Los años y el tiempo pasan rápidamente!
ISABEL: Sí, en dos meses estamos en Navidad.
SERGIO: ¡Qué bueno!
DARÍO: ¿Bueno? No me gusta la idea ni un poquito.

17 ¿Qué recuerdas?

1. ¿Cuándo es el cumpleaños de Sergio?
2. ¿Cuántos años cumple Sergio?
3. ¿Qué pasan rápidamente?
4. ¿Le gusta la idea de la Navidad a Darío?

18 Algo personal

1. ¿Cuándo es la fecha de tu cumpleaños?
2. ¿Cuántos años vas a cumplir?
3. En tu opinión, ¿pasan los años rápidamente?

¿Te gusta la Navidad?

19 ¡Feliz cumpleaños, Sergio!

 Di si lo que oyes es cierto o falso, según el Diálogo II. Si es falso, corrige la información.

Celebramos el Día de los Reyes Magos.

Los días de fiesta

Family life in Nicaragua, Costa Rica and throughout the Spanish-speaking world reflects Catholic traditions such as baptisms, communions and weddings. Holidays honoring local patron saints, as well as other Catholic holidays, are important events throughout the country. In addition, the Nicaraguan people are very sociable and on *días especiales* they enjoy being with their family and friends and perhaps listening to music, dancing and sharing good food. Here are some important holidays (*días especiales*) celebrated throughout the Spanish-speaking world:

1. el Día de Año Nuevo (*New Year's Day*) el primero de enero

2. el Día de los Reyes Magos (*Epiphany*) el 6 de enero

3. el Día de San Valentín (*Valentine's Day*) el 14 de febrero

4. la Semana Santa (*Holy Week*) *variable date, usually April*

5. el Domingo de Ramos (*Palm Sunday*) *variable date, usually April*

6. el Viernes Santo (*Good Friday*) *variable date, usually April*

7. el Domingo de Resurrección (*Easter Sunday*) *variable date, usually April*

8. el Día del Trabajo (*Labor Day*) el primero de mayo

9. el Día de la Raza/de la Hispanidad (*Columbus Day*) el 12 de octubre

10. el Día de Todos los Santos (*All Saints' Day*) el primero de noviembre

11. la Nochebuena (*Christmas Eve*) el 24 de diciembre

12. la Navidad (*Christmas*) el 25 de diciembre

13. el Día de los Santos Inocentes (*Fools' Day*) el 28 de diciembre

14. la Noche Vieja (*New Year's Eve*) el 31 de diciembre

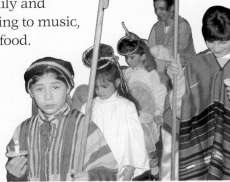

La Nochebuena es el 24 de diciembre.

20 Los días de fiesta

Create a list of at least ten holidays or events in Spanish. Then, working with a partner, take turns asking and answering in what month the holidays or events take place.

MODELO el Día de San Valentín

A: ¿En qué mes es el Día de San Valentín?
B: Es en febrero.

21 Comparando

Compare the holidays in the *Cultura viva* with holidays where you live. For example, say which holidays you celebrate that are not listed and which holidays are celebrated on the same date or different dates.

Idioma

Using the numbers 101 – 999,999

You have already learned to use *cien* (100) before a noun. Use *ciento* in place of *cien* for the numbers 101 to 199: *Tengo **cien** casetes y **ciento** veinte discos compactos.* The numbers from 200 to 999 have masculine and feminine forms that agree with the noun they describe: *Hay quinient**os** ochenta chic**os** y seiscient**as** cincuenta chic**as** en el colegio. Mil (1,000)* has only one form. Numbers beginning with *mil* are written with a period in Spanish instead of a comma: *1.000.*

4.000	=	*cuatro mil*
105.800	=	*ciento cinco mil ochocientos*
999.999	=	*novecientos noventa y nueve mil, novecientos noventa y nueve*

When the year is written in Spanish, it has no period. When it is spoken, it is read like any other four-digit number, **not** grouped two numbers at a time, as is done in English.

1562	=	*mil quinientos sesenta y dos*

Práctica

22 Un regalo de cumpleaños

Imagine you are shopping for a birthday gift while visiting friends in Managua and you see the items that follow. Make a list of each article along with the price written out as you would write out numbers on a check. Remember that the prices are given in *córdobas nicaragüenses (NIO)*.

`MODELO`
El reproductor de CDs

NIO 4.256

1. NIO 582

2. NIO 291

3. NIO 11.640

4. NIO 7.275

5. NIO 2.910

6. NIO 873

23 Conexión con otras disciplinas: matemáticas

Imagine that Nicaragua is hosting a world youth meeting *(reunión juvenil mundial)* and you are in charge of recording how many boys and girls are attending the event and where they are from. Write out how many people are coming from each of the following countries.

MODELO 2.800 / Ecuador
Vienen dos mil ochocientos muchachos de Ecuador.

1. 153 / El Salvador
2. 721 / Bolivia
3. 2.199 / Argentina
4. 362 / Venezuela
5. 586 / Colombia
6. 93.537 / México
7. 3.738 / Chile
8. ¿Cuántos muchachos vienen en total?

¿Cuántos muchachos vienen del Ecuador?

24 ¿Cuánto dinero tienen?

Trabajando en parejas, alternen en preguntar y contestar cuánto dinero tienen las personas indicadas y qué van a comprar.

MODELO tú / NIO 200
A: ¿Cuánto dinero tienes tú?
B: Tengo doscientos córdobas.
A: ¿Qué vas a comprar?
B: Voy a comprar unos calcetines.

1. tus padres / NIO 4.500

2. Gloria / NIO 950

3. Antonio / NIO 5.700

4. los hermanos Ruiz / NIO 18.000

5. la profesora / NIO 820

6. yo / NIO 250

Comunicación

25 **La fiesta de fin de año**

Imagine you and a friend are in charge of organizing a party for 200 people to celebrate the end of the year at your school. The school has allocated a budget of $5,000 (*dólares*) for the party. Working in pairs, prepare a list of the things you would need for the party and discuss how much money you would need to allocate for each item. Be creative!

MODELO **A:** Bueno, necesitamos mil quinientos dólares para comida.
B: Mil quinientos es mucho. Para comida necesitamos setecientos.
A: Está bien. ¿Y para refrescos?
B: Para los refrescos necesitamos trescientos cincuenta dólares.

Fiesta de fin de año
- *comida*
- *refrescos*
- *música*

Estructura

Asking for and giving the date

Use *¿Cuál es la fecha de hoy?* to ask for the date in Spanish. The answer follows this pattern:

> form of *ser* + *el* + number for day of month (or *primero*) + *de* + month + *de/del* + year

Note: The word *primero* (abbreviated *1º*) is used for the first day of a month instead of *uno.*

Es el ocho de marzo.	It is March eighth.
Es el primero de enero.	It is January first.

In written form the date may appear as follows:

8 de marzo de 2006 or *8.3.04 (or 8/3/06)*

The following expressions may be helpful when talking about days and dates:

¿Qué día es hoy?	*Hoy es viernes.*
¿En qué mes estamos?	*Estamos en mayo.*
¿En qué año?	*En 2006.*

When you want to express **on** in Spanish, use the definite article *el* or *los.*

*No voy **el sábado.*** I am not going **on Saturday.**

214 *doscientos catorce* **Lección B**

Práctica

26 Fechas memorables

Give the following dates, first in numbers and then in words.

1. *(day, month and year you were born)*
2. *(date you obtained or plan to obtain your driver's license)*
3. *(year you plan to buy a car)*
4. *(year you will be able to vote)*
5. *(year of your high school graduation)*
6. *(date of some other important future event in your life)*

¿Cuál es la fecha de tu graduación?

27 Conexión con otras disciplinas: historia

In pairs, take turns asking and answering questions about several important dates in Nicaragua's history. Follow the model.

MODELO   Nicaragua / tener / su fiesta nacional de independencia: septiembre
   A: ¿En qué mes tiene Nicaragua su fiesta nacional de independencia?
   B: Nicaragua tiene su fiesta nacional de independencia en septiembre.

1. los nicaragüenses / celebrar / 200 años de independencia: 2021
2. en Nicaragua / el Día del Trabajo / ser: 1º mayo
3. los nicaragüenses / celebrar / el Día de la Liberación: 19 de julio
4. Nicaragua / declarar / la independencia de España: 1821

 Comunicación

28 Días especiales

With another student, talk about events or special occasions you celebrate during the year. Discuss when these special days occur (name the day of the week, if possible), say what you do to make the day(s) special and mention what you do or do not like about each occasion. If possible, bring a photo that depicts how you celebrate or observe the special event.

MODELO   ¿Qué celebras en mayo?
   Celebro el Día del Trabajo.

Capítulo 5   *doscientos quince* **215**

Lectura personal

Cantantes y grupos musicales

Dirección http://www.emcp.com/músico/ola/e.diario-4.htm ▲ Archivo Edición Ver Favoritos Herramientas Ayuda

página principal   miembros   e-diario

Grupo musical La OLA

Nombre: **Ceci Eugenia Madrigal**
Edad: **18 años**
Cumpleaños: **28 de febrero**
País natal: **Uruguay**
Actividad favorita: **bailar**

Les da dulces a la gente en la Gritería.

Queridos amigos, estamos ahora en Nicaragua. Ayer fue el concierto en Managua... ¡Fue fantástico! Me gustan mucho los nicaragüenses porque son muy alegres. Esta noche estamos en casa de un pariente de Manuel que vive en Managua. Es el siete de diciembre y ¡qué noche! Desde las 6:00 P.M. se escuchan cohetes[1]. Hay grupos de niños y adultos que van de casa en casa gritando[2], "¿Quién causa

tanta alegría? ¡La concepción de María!"[3] Luego, cantan canciones especiales a la Virgen María y las personas de las casas les dan[4] frutas y dulces[5]. ¡Novecientas personas han venido[6] a esta casa! ¿Qué celebración es? Se llama La Gritería, una fiesta católica muy popular que solamente se celebra en Nicaragua. Interesante, ¿verdad?

[1]firecrackers   [2]shouting   [3]Who causes so much joy? The Conception of the Virgin Mary!   [4]they give them
[5]candy   [6]have come

29 ¿Qué recuerdas?

1. ¿Cuál es el único país que celebra La Gritería?
2. ¿En qué fecha es la fiesta de La Gritería?
3. ¿A qué hora empieza la fiesta?
4. ¿Cómo celebran La Gritería en Nicaragua?
5. ¿En honor a quién es esta celebración?

- What holiday does La Gritería remind you of? Compare and contrast the two holidays.

30 Algo personal

1. ¿Cuál es una fiesta popular en tu comunidad? ¿Es una fiesta religiosa o no?
2. ¿Qué fiestas religiosas conoces? ¿En qué fecha se celebran?
3. ¿Hay una fiesta que solamente se celebra en los Estados Unidos? ¿Cuál(es)?

¿Qué aprendí?

Autoevaluación

As a review and self-check, respond to the following:

1. How would you say in Spanish that your birthday was yesterday?

2. Imagine your birthday is today. In Spanish, say who is coming to the party.

3. What do you say to wish someone a happy birthday in Spanish? How would you ask how old the person is?

4. Write an e-mail to a friend describing your plans for next week.

5. What day is today? What was yesterday?

6. What is today's date?

7. Name two common holidays/celebrations in Spanish-speaking countries.

8. Say two things you have learned about Nicaragua.

Palabras y expresiones

Para describir
feliz
joven
mayor
menor
pasado,-a
poquito
primero,-a
rápidamente
viejo,-a

Números
ciento
doscientos,-as
trescientos,-as
cuatrocientos,-as

quinientos,-as
seiscientos,-as
setecientos,-as
ochocientos,-as
novecientos,-as
mil

Fechas
abril
agosto
el año
el Año Nuevo
anteayer
ayer
el cumpleaños
diciembre

enero
febrero
la fecha
julio
junio
marzo
mayo
el mes
la Navidad
noviembre
octubre
pasado mañana
septiembre

Verbos
celebrar
cumplir (años)
fue
venir

Otras expresiones
a veces
¿de veras?
¡Feliz cumpleaños!
la idea
ni
temprano
la vez (*pl.* veces)

Tú lees

Estrategia

Scanning for details before reading

Quickly look over what you are about to read and search for specific details. For example, imagine you want to buy something and are hoping to find a sale in the newspaper. You would not read every advertisement you find. Instead, you would look very quickly for the item and prices. The same holds true when you scan any article you are about to read: Instead of trying to understand every word, just look for specific details that stand out and that help you understand the main idea of a reading.

Preparación

Busca estos detalles como preparación para la lectura.

1. ¿En qué país hace viajes Safaris Corobicí?
2. En los viajes, ¿qué observan los turistas?

Viaje por Costa Rica

Safaris Corobicí

Viajes en bote por Costa Rica

- Especializado en tours escénicos en el Río[1] Corobicí para naturalistas y observadores de aves[2]

- Viajes en bote diarios–desde las 7 A.M. hasta las 4 P.M.

- Viajes desde 2 horas hasta medio día de duración

Los viajes pueden ser arreglados para su comodidad[3]–familias con niños[4] o personas con requerimientos especiales. Organizamos viajes para grupos grandes (21 hasta 100 personas) o grupos pequeños (1 hasta 20 personas). Nuestros guías reman[5] el bote y Uds. sólo disfrutan[6] del río. Excepto por algunas[7] pequeñas partes, este río no tiene aguas turbulentas. En el Río Corobicí, hay varias zonas para nadar. Este es un paraíso donde los turistas pueden observar muchas aves tropicales, monos con caras blancas[8], tres especies de iguanas y cocodrilos en las orillas[9] del Río Corobicí. Uds. sólo necesitan traer un traje de baño[10], un sombrero[11], una cámara, unos binoculares y loción de protección solar.[12]

[1]river [2]birds [3]comfort [4]children [5]row [6]enjoy [7]some [8]white faced monkeys [9]riverbank
[10]bathing suit [11]hat [12]sun-protection lotion

Costa Rica

Información General

A ¿Qué recuerdas?

1. ¿Para cuántas personas son los viajes?
2. ¿Por cuánto tiempo es el viaje más corto?
3. ¿A qué hora son los viajes?
4. ¿De cuántas personas es un grupo grande?
5. ¿Qué necesitan traer los turistas?

B Algo personal

1. ¿Te gusta hacer viajes en bote? ¿Dónde?
2. ¿Te gusta observar animales? ¿Cuáles?
3. ¿Qué te gusta de los safaris Corobicí?

Vamos a hacer un viaje por Costa Rica.

Unos monos con caras blancas.

El tucán es un ave tropical que vive en Costa Rica.

Tú escribes

Brainstorming

Brainstorming consists of setting your mind free to think about everything that relates to a certain topic. Concentrating on one or two of the main ideas and jotting down what comes to mind will provide information you need to organize and express your ideas about a topic.

A Brainstorm about your favorite and least favorite holidays of the year. Think about as many ideas as you can relate to both of them—where you are, people you are with, activities and so on. Finally, list what you like or do not like about each holiday.

B Write at least two short paragraphs in Spanish that contrast the two holidays you have chosen. In one paragraph write about the holiday that you like and in the other write about the one you do not like. Develop each contrasting theme of your paper with information such as when the holiday occurs, whom you are with, what activities go on, where you are, how you feel about the holiday and anything else you wish to include. Finally, add graphics or artwork to make the composition attractive and interesting.

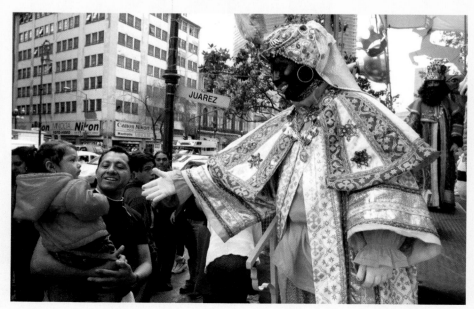

¿Te gusta el Día de los Reyes Magos?

Proyectos adicionales

A Conexión con la tecnología

Imagine you are about to take a vacation to Costa Rica. Locate information from the Internet or at the library to help you plan your trip (e.g., cities you wish to visit, weather, food, things to do, important events, geography, means of transportation, where you can stay and cost). Finally, create an itinerary for every day of the trip and present it to the class.

B Comparaciones

Choose a Spanish-speaking country and find out how the people there celebrate a special holiday of your choosing. You can do your research at the library, on the Internet or, if you prefer, you can use e-mail and write to a key pal who lives in the selected country. Find out about traditions that make the holiday special, if there are certain foods that people eat and any other information you might consider interesting. Then compare how the holiday is similar or different in that country and where you live.

C Conexión con otras disciplinas: música

Working in pairs, complete a survey *(encuesta)* identifying what kind of music your peers enjoy. Ask if they are familiar with Latin American music *(vallenato, merengue, salsa,* etc.) or Spanish music *(flamenco).* Then find out if someone watches musical performances in Spanish on television and, if so, when. Share your findings with the class.

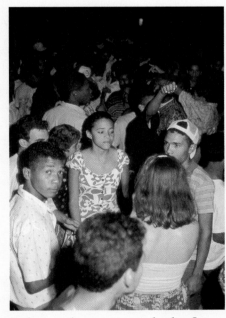

Bailamos el merengue todos los fines de semana.

MODELO A cinco estudiantes les gusta la música rock. A mí me gusta la música popular y a diez estudiantes les gusta el rap. Tres estudiantes ven cantantes famosos que cantan en español los sábados en Univisión.

Nombre	Tipo de música	Música latina o española que conocen	Ven cantantes que cantan en español
yo	popular	flamenco	no
Carlos	rock	salsa	no
Stephanie	rap	no	sí, sábados en Univisión
David	rap	merengue	no

Repaso

Now that I have completed this chapter, I can...   **Go to these pages for help:**

describe everyday activities.	182
say what someone is going to do.	190
seek and provide personal information.	200
write about everyday life.	200
say what someone likes or dislikes.	209
express strong feelings.	209
talk about dates and holidays.	209

I can also...

identify some objects in an electronics store.	182
describe music you like.	182
identify opportunities to use Spanish for work or leisure travel.	185
talk about life in Costa Rica and Nicaragua.	185, 203
talk about the days of the week.	190
recognize how my English can interfere with learning Spanish.	196
read in Spanish about things to do in Costa Rica.	198
talk about the months.	200
state when something happened or will happen.	200
use the numbers 101– 999,999.	209
use some weather expressions.	209
identify and discuss special days.	211
write in Spanish about special times of the year.	211

Trabalenguas

Hoy ya es ayer y ayer ya es hoy,
ya llegó el día y hoy es hoy.

Vocabulario

a veces sometimes, at times *5B*
abril April *5B*
abrir to open *5A*
la **actividad** activity, exercise *5A*
agosto August *5B*
el **amor** love *5A*
anteayer the day before yesterday *5B*
el **año** year *5B*
el **Año Nuevo** New Year's Day *5B*
el **artículo** article, item *5A*
ayer yesterday *5B*
buscar to look for *5A*
cada each, every *5A*
la **canción** song *5A*
¡caramba! wow! *5A*
el **casete** cassette *5A*
celebrar to celebrate *5B*
ciento one hundred *5B*
el **compañero,** la **compañera** classmate, partner *5A*
cuatrocientos,-as four hundred *5B*
el **cumpleaños** birthday *5B*
cumplir (+ *años*) to become (+ *number of years*), to reach *5B*
¿de veras? really? *5B*
el **deporte** sport *5A*
diciembre December *5B*
el **dinero** money *5A*
doscientos,-as two hundred *5B*
el **DVD** DVD, digital videodisc *5A*
electrónico,-a electronic *5A*
enero January *5B*
entrar to go in, to come in *5A*
el **equipo de sonido** sound system *5A*
febrero February *5B*
la **fecha** date *5B*

feliz happy *5B*
¡Feliz cumpleaños! Happy Birthday! *5B*
el **fin (de semana)** weekend *5A*
el **gato,** la **gata** the cat *5A*
la **grabadora** tape recorder *5A*
hacer un viaje to take a trip *5A*
la **idea** idea *5B*
joven young *5B*
julio July *5B*
junio June *5B*
la **the** *(f., s.) 5A*
las the *(f., pl.) 5A*
la **lástima** shame *5A*
la **librería** bookstore *5A*
llamar to call, to telephone *5A*
lo him, it, you *(d.o.) 5A*
los them, you *(d.o.) 5A*
la **maleta** suitcase *5A*
marzo March *5B*
mayo May *5B*
mayor older, oldest *5B*
me me *(d.o.) 5A*
menor younger, youngest *5B*
el **mes** month *5B*
mil thousand *5B*
montar to ride *5A*
la **Navidad** Christmas *5B*
ni not even *5B*
nos us *(d.o.) 5A*
novecientos,-as nine hundred *5B*
noviembre November *5B*
ochocientos,-as eight hundred *5B*
octubre October *5B*
pasado,-a past *5B*
pasado mañana the day after tomorrow *5B*
pasar to pass, to spend *(time) 5A*
la **película** movie, film *5A*
el **perro,** la **perra** dog *5A*
poquito a very little *(bit) 5B*
la **práctica** practice *5A*
primero first *(adverb) 5A*
primero,-a first *5B*

¡qué (+ *noun*)! what a (+ *noun*)! *5A*
que that, which *5A*
el **quemador de CDs** CD burner *5A*
que viene upcoming, next *5A*
quinientos,-as five hundred *5B*
rápidamente rapidly *5B*
el **reproductor de CDs/DVDs/MP3** CD/DVD/MP3 player *5A*
seiscientos,-as six hundred *5B*
la **semana** week *5A*
septiembre September *5B*
setecientos,-as seven hundred *5B*
si if *5A*
la **sorpresa** surprise *5A*
tan so *5A*
te you *(d.o.) 5A*
temprano early *5B*
tener (+ *number*) **años** to be (+ *number*) years old *5A*
tener to have *5A*
todos los días every day *5A*
trescientos,-as three hundred *5B*
un poco a little (bit) *5A*
venir to come *5B*
la **vez** (*pl.* veces) time *5B*
el **viaje** trip *5A*
viejo,-a old *5B*

¿Es el cumpleaños del perro?

Tengo una maleta vieja.

Capítulo 6

En casa

Objetivos

- ❖ **identify items in the kitchen and at the dinner table**
- ❖ **express obligations, wishes and preferences**
- ❖ **talk about everyday activities**
- ❖ **state an opinion**
- ❖ **discuss food and table items**
- ❖ **point out people and things**
- ❖ **describe a household**
- ❖ **tell what someone says**
- ❖ **say how someone is doing**

Visit the web-based activities at www.emcp.com

Vocabulario I

¿Qué tenemos que hacer en la cocina?

el horno microondas

la estufa

¿Qué cosas tenemos que hacer?

Él enciende las luces. *turn on the lights*

¿La pongo con los platos de todos los días?

¡Ah, sí! ¡Ya los veo! *Already*

el refrigerador

el plato

Para empezar, Santiago, debes cerrar la puerta del refrigerador.

Después, pienso que tienes que hacer más arepas. Y, Daniela, tú debes poner la mesa.

No. Prefiero los platos especiales.

el lavaplatos

el fregadero

los cubiertos

Los chicos quieren ayudar en la cocina. *want to help* Mañana ellos viajan otra vez a Colombia.

la luz (las luces)

el comedor

la lámpara

las servilletas

el vaso

la mesa

1 ¿Qué tenemos que hacer en la cocina?

Selecciona la ilustración que corresponde con lo que oyes.

A B C D E F

2 ¿Adónde llamo?

Imagine you live in Caracas, Venezuela, and several appliances in your home are broken. Decide whom you would call to come and have them fixed.

A

ELÉCTRICOS GALAXIA

¡Los mejores técnicos en reparación de electrodomésticos en Caracas!

Todas las marcas: estufas, lavaplatos, fregaderos y triturador de desperdicios, lavadoras, secadoras, aspiradoras, planchas. Garantía total, domicilios, Av. Junín, llámenos hoy: 614-22-64.

B

CENTRALES

Somos especialistas en la reparación de microondas, refrigeradores, lavaplatos, licuadoras, tostadoras, procesadores de comida. Servicio a domicilio. Venta de repuestos. 40 años sirviendo a Caracas. Servicio las 24 horas del día. Línea directa: 215-58-78.

1 2 3 4 5

Diálogo I

¿Me vas a ayudar?

JULIO: ¿Qué haces, mamá?

MAMÁ: Hago la comida. ¿Me vas a ayudar?

JULIO: ¿Qué debo hacer?

MAMÁ: ¿Por qué no enciendes el lavaplatos?

JULIO: ¿Qué más?

MAMÁ: ¿Por qué no limpias el refrigerador?

JULIO: No, ¡el refrigerador no! Prefiero otra cosa mamá.

MAMÁ: Bueno, ¿por qué no pones la mesa?

JULIO: ¡Sí, cómo no!

3 ¿Qué recuerdas?

1. ¿Qué hace la mamá de Julio?
2. ¿Va a ayudar Julio a su mamá?
3. ¿Qué hace Julio primero?
4. ¿Julio va a limpiar el refrigerador o prefiere hacer otra cosa?

4 Algo personal

1. ¿Ayudas en la cocina en tu casa?
2. ¿Qué cosas haces para ayudar en la cocina?
3. ¿Qué cosas hay en la cocina de tu casa?

5 ¿Qué hacen para ayudar?

 Mira las palabras de la lista. Di la que corresponde con lo que oyes.

el refrigerador   la lámpara   la estufa
el vaso   la mesa   el fregadero

Explorando Venezuela

When European explorers came to the shores of Lake Maracaibo, they named the area Venezuela (meaning "Little Venice") because the homes that were located along the shores of the lake reminded them of Venice, Italy. Venezuela is a land of varied geography, with wonderful beaches *(Playa Medina, Playa Colorada)*, mountains

Caracas, Venezuela.

(Andes), plains and deserts *(Médanos de Coro)*. One of the most sensational natural attractions found in the country is Angel Falls *(el Salto del Ángel)*, the highest waterfall in the world. Venezuela also has big industrialized cities, such as Caracas, the capital and economic and political center of the nation. Other large cities include Maracaibo, known for its petroleum production, Mérida, a cultural and intellectual center, and Puerto Cruz, a very popular destination for tourists from all over the world.

At one time Venezuela had one of the highest standards of living in South America due to its many natural resources, especially the vast abundance of oil *(el petróleo)* found near Lake Maracaibo. The country is one of the world's principal producers of oil and an important member of OPEC (in Spanish, *OPEP,* or *Organización de Países Exportadores de Petróleo*). Venezuela is also known for its pearl industry. In addition to exporting big quantities of oil and pearls *(las perlas)*, the country is one of the world's largest exporters of cocoa beans *(el cacao)*, the basic ingredient for chocolate.

When Venezuelans gather, they enjoy talking, laughing and sharing good food, such as *arepas, ropa vieja* and *cachapas*. Investigate this fascinating South American country. You may be surprised by what you find!

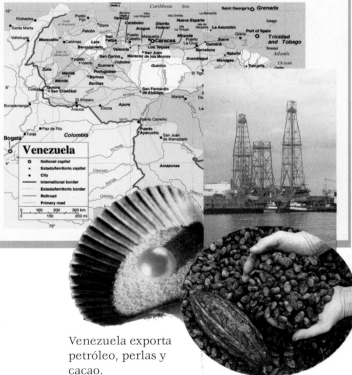

Venezuela exporta petróleo, perlas y cacao.

6 Explorando Venezuela

Completa las siguientes oraciones sobre Venezuela.

1. *Venezuela* quiere decir...
2. Dos playas famosas en Venezuela son...
3. Una de las atracciones más importantes de Venezuela es...
4. La capital de Venezuela es...
5. Tres productos de exportación de Venezuela son...
6. Tres comidas famosas de Venezuela son ropa vieja, cachapas y...

Idioma

Expressing obligations with *tener que* and *deber*

Use the expressions *tener que* (+ infinitive) and *deber* (+ infinitive) when you wish to express what someone is obligated to do. Whereas *tener que* (+ infinitive) indicates what someone has to do, *deber* (+ infinitive) implies more of a moral obligation or what someone should do.

Tengo que *poner la mesa.*	**I have to** set the table.
Debo *ayudar a mi madre.*	**I should (ought to)** help my mother.

Práctica

7 *¿Debo o tengo que?*

Complete the following sentences with the correct form of *deber* or *tener que* as appropriate.

1. Mi padre tiene mucho que hacer en la cocina. _debo_ ayudarlo.
2. _tengo_ comer todos los días para vivir.
3. Los refrescos están calientes y me gustan fríos. _debo_ ponerlos en el refrigerador.
4. Para comer la comida caliente rápidamente _tengo_ usar el horno microondas y no la estufa.
5. Mañana hay un examen de historia. _tengo_ estudiar mucho hoy.
6. El fin de semana viajo a Colombia. _tengo_ tener un pasaporte.

8 *¿Deben hacerlo o tienen que hacerlo?*

Create sentences using the following cues and adding the appropriate form of either *deber* or *tener que*, according to what fits logically.

MODELOS lavar los platos mañana (Pedro)
Pedro tiene que lavar los platos mañana.

estudiar primero y hacer deportes después (los estudiantes)
Los estudiantes deben estudiar primero y hacer deportes después.

1. ayudar a su madre (ellos)
2. llamar a nuestra abuela (mi hermana)
3. poner los platos sucios en el lavaplatos (yo)
4. cerrar siempre la puerta del refrigerador (tú)

Los estudiantes deben estudiar.

◈ **Comunicación**

➒ **Nuestras obligaciones**

First, create a list of at least two things you must do and two things you should do this week. Then, in small groups, talk about your schedules and obligations.

MODELO **A:** El jueves tengo que ir de compras.
            B: Por las tardes yo debo estudiar.

Estructura

Stem-changing verbs: *e → ie*

The verb *pensar* (to think) requires the spelling change *e → ie* in all forms of the present-tense stem except for *nosotros* and *vosotros*. Note, however, that this stem change does not affect the regular verb endings *(o, as, a, amos, áis, an)*.

pensar (ie)	
p**ie**nso	pensamos
p**ie**nsas	pensáis
p**ie**nsa	p**ie**nsan

When combined with other words, *pensar* has several different uses:

- When followed immediately by an infinitive, *pensar* indicates what someone plans or intends to do.

  Pienso ir *a Venezuela.*   I plan to go to Venezuela.
  ¿Cuándo ***piensas ir?***   When do you intend to go?

- When combined with *de*, *pensar* is used to ask for an opinion. Use *pensar* followed by *que* to express your opinion or thoughts.

  ¿Qué ***piensas de*** *los platos nuevos?*   What do you think of the new plates?
  Pienso que *son bonitos.*   I think they are pretty.

- *Pensar* may be combined with *en* to indicate whom or what someone is thinking about.

  *¿****En*** *qué* ***piensas?***   What are you thinking about?
  Pienso en *mi tarea de español.*   I am thinking about my spanish homework.

Pensar (ie) is just one of many *e → ie* stem-changing verbs. (The letters in parentheses after the infinitive are to help you identify these verbs and to indicate the change that occurs in the stem.) Others include the following: *cerrar (ie)* [to close], *empezar (ie), encender (ie), preferir (ie), querer (ie)* and *sentir (ie)*.

Note: The verb *empezar* is used with *a* when an infinitive follows, as in *Empiezo a estudiar* (I am beginning to study).

Práctica

10 ¿Qué piensan hacer?

Tell what these people are planning to do, using words from each column and the appropriate form of *pensar*. Verb forms may be repeated.

A	B	C
Juan y Raúl	pienso	hacer un almuerzo especial
unos amigos y yo	piensas	hacer arepas
yo	piensa	comer en el comedor
una amiga	pensamos	buscar los platos de todos los días
Ana y Eva	piensan	poner la mesa
tú		ayudar en la cocina

11 Un almuerzo especial

Completa el siguiente párrafo con la forma correcta de los verbos indicados entre paréntesis.

Paco y Aurora 1. *(pensar)* hacer un almuerzo especial para su amiga María. Ella va a estudiar a Colombia por un año. Aurora 2. *(pensar)* hacer unas arepas y Paco 3. *(querer)* hacer un pollo con mole y una ensalada. Ellos 4. *(empezar)* a hacer la comida muy temprano. Otros amigos 5. *(pensar)* venir al almuerzo. Rafael 6. *(venir)* y Carmen y José 7. *(pensar)* venir también. Graciela lo 8. *(sentir)* mucho, pero no 9. *(venir)* al almuerzo porque tiene que estudiar. Pedro 10. *(deber)* ayudar a sus padres en la casa y 11. *(preferir)* venir después del almuerzo. Él 12. *(querer)* decirle "adiós" a María. Y tú, ¿qué 13. *(pensar)*? ¿14. *(venir)* al almuerzo?

12 ¡Somos diferentes!

Use the cues that follow to create sentences that compare and contrast how different Sara and Julio are from their parents.

MODELO empezar a escuchar música / empezar a leer
Si nosotros empezamos a escuchar música, ellos empiezan a leer.

1. querer nadar en la playa / querer caminar en la playa
2. pensar ir al parque / pensar ir a un museo
3. encender el reproductor de CDs / encender el televisor
4. tener que hacer la tarea / tener que lavar los platos
5. querer comer en un restaurante / querer hacer arepas y comer en casa otra vez
6. cerrar la puerta / abrir las ventanas
7. preferir ir al cine / preferir ver un DVD en casa
8. empezar a mirar la televisión / empezar a escuchar la radio

¿Prefieres nadar o caminar en la playa? (Los Roques, Venezuela.)

13 Una fiesta

In pairs, take turns asking and answering questions about what your family and friends are thinking about, according to the illustrations, as you all prepare for a holiday dinner.

MODELO   tu madre

  A: ¿En qué piensa tu madre?

  B: Mi madre piensa en la comida.

1. yo

2. Gloria

3. tus hermanos

4. Andrés y Camila

5. nosotros

6. tú

✥ Comunicación

14 Pensamos hacer mucho

In small groups, talk about some things you are planning to do next summer or at some time during your life. Be creative. You might also discuss what you think of each person's aspirations. Then decide what your remarks have in common. One student should report the results of your discussion to the class.

¡Oportunidades!

¿Piensas viajar a otro país?
Do you enjoy travel? Have you ever wondered what it might be like to live in another country? What if you were transferred to Venezuela to work? Do you think you would enjoy the experience? Do any members of your family live in another country? Would you like to visit them if they did? Can you think of any benefits your language skills might afford you while traveling?

MODELO   A: Pienso viajar a otro país. Quiero ir a Venezuela el verano que viene.

  B: En el verano yo pienso ayudar a mis padres en casa y leer cien libros.

  C: Pienso cantar con JLo en un concierto.

15 ¿Qué necesitas?

 Di lo que necesitas para hacer lo que oyes. *(Say what you need in order to do what you hear.)*

MODELO   Necesito una cuchara.

16 A la hora de comer

Completa las siguientes oraciones, según las ilustraciones.

MODELO   Pásame un <u>tenedor</u>, por favor.

1. El __ es de nuestra abuela.

2. Pásame la __, por favor.

3. Necesito la __.

4. Pásame el __, por favor.

5. Me gusta la __ bien caliente.

6. Quiero más __ para la ensalada.

7. Necesitan unas __ para el postre.

8. Son las __ de los días especiales.

9. Quiero un __ de agua fría.

10. Los __ son muy bonitos.

17 ¿Qué vemos en el comedor?

 Working in pairs, take turns asking what your partner needs while you point to an item shown in the illustration *En la mesa*. Your partner then must ask you to pass the item to him or her.

MODELO   **A:** ¿Qué necesitas? ¿Qué quieres?
　　　　　B: Pásame el pan, por favor.

18 ¿Qué buscamos?

Create a drawing similar to the one in the illustration *En la mesa*, but with three items missing. Then, in pairs, take turns asking each other questions about which objects are missing (or not) from your illustration. List in Spanish the objects missing from your partner's illustration. Check to see if you guessed which objects were missing.

Diálogo II

¿Te gusta la sopa?

JULIO: Mamá, pásame esa cucharita, por favor.
MAMÁ: ¿Cuál? ¿Esta cucharita?
JULIO: Sí, esa cucharita, mamá.

PAPÁ: Sara, ¿cómo está la sopa?
SARA: Me gusta, pero necesita un poco más de sal.
JULIO: Mira, aquí está la sal.

MAMÁ: ¿Y tú, amor? ¿Te gusta la sopa?
PAPÁ: No sé. No tengo cuchara.
MAMÁ: Lo siento. Aquí está.
PAPÁ: Esta arepa está buena.

19 ¿Qué recuerdas?

1. ¿Qué quiere Julio? El hijo.
2. ¿Le gusta a Sara la sopa? El sopa si.
3. ¿Qué necesita un poco más de sal? Sara
4. ¿Qué no tiene el papá? El no tiene cuchara
5. ¿Qué le gusta al papá? Papa le gusta el arepa.

20 Algo personal

1. ¿Tiene comedor tu casa?
2. ¿Cómo es la mesa del comedor de tu casa?
3. ¿Qué sopa te gusta? Explica.

21 Yo necesito...

Mi casa tiene un comedor elegante.

Selecciona la letra de la frase que completa lógicamente cada oración que oyes.
(Select the letter of the phrase that logically completes each sentence you hear.)

A. de agua mineral
B. sal
C. tenedor
D. el lavaplatos

E. arepas
F. sobre el pan caliente
G. una cuchara y un plato
H. mantel

¿Te gustan estos platos?

Las arepas venezolanas

Arepas are perhaps the most common food in Venezuela. Originally they were made from corn that was ground to make corn meal. As with many everyday foods in the United States, however, *arepas* today are usually prepared using packaged, precooked white corn flour, salt and water. The resulting easy-to-make buns can be eaten alone or as a kind of bread to accompany a meal. *Arepas* can also be stuffed with meat, cheese, scrambled eggs or other fillings, much like *tortilla*s or *empanadas*. Another very popular Venezuelan dish is *hallaca*, which is served in nearly every Venezuelan home at Christmas. This typical food consists of a corn-flour pie filled with pork, chicken, vegetables and spices. It is cooked in plantain leaves from a variety of bananas called *plátano*.

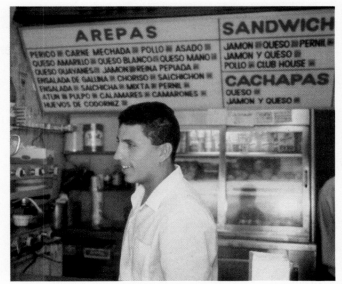

Las arepas son populares en Venezuela.

Preparando arepas.

De la cocina de _____

Las arepas
2 tazas de harina de maíz
2 cucharitas de sal
2 tazas de agua caliente

Preparación

Para empezar, poner la harina de maíz[1] en una taza grande y poco a poco poner el agua con sal. Luego, mezclar[2] el agua con la harina hasta que se convierta en masa. Después, dejar[3] la masa en reposo[4] por cinco minutos. Hacer con la masa unos rollos[5] de tres pulgadas[6] de diámetro y de una pulgada a dos pulgadas de ancho[7]. En una sartén[8] con un poco de aceite, freír[9] las arepas hasta ver los rollos dorados[10]. Después, poner las arepas en el horno a 350 grados para cocinar por aproximadamente treinta minutos, hasta tener arepas crujientes[11].

[1]corn flour [2]mix [3]leave [4]rest [5]rolls [6]inches [7]thick [8]frying pan [9]fry [10]golden [11]crunchy

22 Conexión con otras disciplinas: habilidades para la vida diaria

You can easily prepare the recipe at home for a taste of this typical Venezuelan bread. Look at the recipe for *arepas* and answer these questions.

1. ¿Cuáles son los ingredientes para hacer arepas?
2. ¿Qué debes hacer para empezar?
3. ¿Qué diámetro deben tener los rollos?
4. Después de hacer rollos con la masa, ¿qué debes hacer?
5. ¿A qué temperatura tiene que estar el horno?
6. ¿Cuánto tiempo deben estar las arepas en el horno?

Idioma

Pointing out someone or something: demonstrative adjectives

Use a demonstrative adjective *(adjetivo demostrativo)* before a noun to point out or draw attention to where someone or something is located in relation to yourself ("this house," "that car," etc.).

aquel refrigerador

ese refrigerador

este refrigerador

Los adjetivos demostrativos			
singular		**plural**	
masculino	**femenino**	**masculino**	**femenino**
este vaso *(this glass)*	esta taza *(this cup)*	estos vasos *(these glasses)*	estas tazas *(these cups)*
ese vaso *(that glass)*	esa taza *(that cup)*	esos vasos *(those glasses)*	esas tazas *(those cups)*
aquel vaso *(that glass over there)*	aquella taza *(that cup over there)*	aquellos vasos *(those glasses over there)*	aquellas tazas *(those cups over there)*

When pointing out people or objects that are nearby, use *este, esta, estos* or *estas* (this/these). Use *ese, esa, esos* or *esas* (that/those) to draw attention to people or objects that are farther away. Call attention to people or objects that are even farther away ("over there") by using *aquel, aquella, aquellos* or *aquellas* (that/those over there).

near speaker *(aquí)*	*Me gusta **este** refrigerador.*	I like **this** refrigerator.
away from speaker *(allí)*	*¿Te gustan **esos** refrigeradores?*	Do you like **those** refrigerators?
far away from speaker *(allá)*	*Prefiero **aquel** refrigerador.*	I prefer **that** refrigerator **(over there).**

Práctica

23 ¡Otra cocina!

Completa las oraciones con la forma apropiada de *este*.

Quiero otra cocina para mi casa porque (1) cocina es muy fea. (2) paredes tienen un color muy triste. La puerta de (3) horno microondas no cierra. (4) fregadero es muy pequeño, necesito un fregadero doble. (5) refrigerador está muy viejo y (6) lavaplatos es muy malo. (7) luces no encienden y (8) lámpara es muy fea. No me gusta (9) mesa y (10) sillas son horribles.

24 ¿Qué vamos a poner en la mesa?

 With a classmate, pretend you are discussing whether or not you need the following items as you are preparing the table for dinner. Answer each question negatively as shown in the model.

MODELO   las servilletas verdes

A: ¿Quieres estas servilletas verdes?

B: No, no quiero esas servilletas verdes.

1. los cubiertos
2. el mantel
3. la mantequilla
4. el aceite
5. los platos de sopa
6. las tazas
7. el cuchillo
8. los vasos nuevos
9. la silla

25 ¿Qué prefieres?

Imagine you are in a department store buying kitchenware for your new house. Use the appropriate form of *este*, *ese* or *aquel* to say what items you prefer, based upon the cues shown in the illustration.

MODELO   ¿Qué platos prefieres?
Prefiero esos platos.

1. ¿Qué mantel prefieres?   2. ¿Qué cubiertos prefieres?   3. ¿Qué servilletas prefieres?

4. ¿Qué lámpara prefieres?   5. ¿Qué taza prefieres?   6. ¿Qué vasos prefieres?

Comunicación

26 Para la nueva casa de mi familia

Imagine you are with a friend in the store shown in the illustration. With a classmate, discuss which items you are thinking about buying. Express your preferences, ask each other's opinion and try to decide which things you want to, have to or ought to buy.

MODELO **A:** ¿Qué piensas de estos cubiertos?
       B: Prefiero aquellos cubiertos porque son más bonitos.

27 En un restaurante en Caracas

During lunch with a friend in Caracas, you discuss your plans for the week. Talk about some things you want to do, ought to do, have to do or prefer to do each day this week. Make the conversation realistic by politely interrupting one another, asking for things to be passed to you and commenting on things and people you see.

MODELO **A:** El lunes tengo que ir con mi mamá a la tienda a mirar unas estufas nuevas.
       B: ¿Unas estufas?... ¡Ay, qué aburrido! Por favor, pásame esa cucharita.
       A: Sí, cómo no.

28 En el comedor

Working in small groups, pretend you are having dinner together in your dining room in Venezuela. Each member of the group should make at least four questions or statements including some of the following: requests for items at the table, questions about what your friends think and need, comments about the food, questions about what your friends are going to do during the week, and so on. Be polite (use *por favor* and *gracias*).

MODELO **A:** Pásame ese cuchillo y la mantequilla, por favor.

B: Aquí tienes. ¿Qué piensan de las arepas?

C: Están muy buenas, pero la ensalada necesita un poco de aceite.

¡Extra!

Más comida

el flan	*caramel custard*
el panecillo	*bread roll*
la papa	*potato*
el pastel (la torta)	*cake*
las verduras	*vegetables*

La comida está muy buena.

El plato.

El aceite.

Una deliciosa tradición

Es diciembre y, por toda Venezuela, muchas familias hacen las tradicionales hallacas. Es una vieja tradición y es el plato representativo de la Navidad venezolana. El origen de las hallacas viene de un plato de los indígenas llamado[1] Hayaco Iritari. La hallaca es similar a un tamal grande envuelto[2] en una hoja de plátano[3].

La mayoría de las familias hacen una fiesta de la preparación de las hallacas. En las cocinas, se reúnen[4] parientes y amigos para participar en este animado proceso. Mientras que[5] escuchan la gaita — ritmo típico venezolano — todos en la cocina ayudan en la labor, desde lavar[6] las hojas donde se pone la masa[7] hasta amarrar[8] las hallacas.

El proceso es laborioso[9] porque la preparación es elaborada y porque se preparan muchas para almacenar[10] en el refrigerador y comer durante todo el mes de diciembre.

Cuando los venezolanos piensan en la Navidad, piensan en hallacas.

Cuando comes hallaca, tienes que abrir la hoja de plátano. Comes la masa con un tenedor. No debes comer la hoja. Muchas personas prefieren comer las hallacas con pan.

[1]called   [2]wrapped   [3]plantain/banana leaf   [4]get together   [5]While   [6]from washing   [7]dough   [8]tie   [9]tedious   [10]to store

29 ¿Qué recuerdas?

Completa las siguientes oraciones.

1. En Venezuela, el plato típico de la Navidad es...
2. El nombre *hallaca* viene de...
3. La hallaca es como un...
4. La preparación de hallacas es...
5. . . . se reúnen en la cocina para ayudar a hacer hallacas.

30 Algo personal

1. ¿Cuál es un plato representativo de la Navidad en los Estados Unidos? Compara ese plato con las hallacas de Venezuela.
2. ¿Se reúnen tu familia o tus amigos en la cocina? ¿Qué hacen?
3. ¿Preparan en tu casa un plato que tiene un proceso laborioso? ¿Cómo dividen la labor?

- How do Venezuelans make the preparation of *hallacas* fun? Describe something your family or your acquaintances do that is also hard work yet fun.

¿Qué aprendí?

Visit the web-based activities at www.emcp.com

Autoevaluación
As a review and self-check, respond to the following:

1. Name three items you might see on the table while having dinner with a Venezuelan family in Caracas.

2. You are in charge of preparing dinner. Tell the people helping you three things they have to do or should do to help you.

3. What might you say to ask a friend what he or she is thinking about?

4. Ask two friends what they are thinking about doing this Saturday.

5. Say that you like *arepas* but that you prefer bread with butter.

6. Imagine you are seated at the dining-room table and the glass and silverware you need are far away from you, near your friend. How can you ask your friend politely to pass you that glass and that silverware?

7. Name two typical Venezuelan dishes.

Palabras y expresiones

En la cocina
el aceite
el azúcar
la cocina
los cubiertos
la cuchara
la cucharita
el cuchillo
la estufa
el fregadero
el horno microondas
el lavaplatos
la luz
el mantel
la mantequilla
la mesa
el pan

la pimienta
el plato
el postre
el refrigerador
la sal
la servilleta
la sopa
la taza
el tenedor
el vaso
Otras expresiones
allá
aquel, aquella
   (aquellos, aquellas)
el comedor
la cosa

de todos los días
después
entonces
ese, esa (esos, esas)
especial
este, esta (estos, estas)
la lámpara
otra vez
pensar de/en/que
un poco de
poner la mesa
ya

Verbos
ayudar
cerrar (ie)
deber
empezar (ie)
encender (ie)
pásame
pensar (ie)
poner
preferir (ie)
querer (ie)
sentir (ie)
tener que
viajar

Una taza.

Los cubiertos.

Vocabulario I
La casa de Julián

Cartagena, 15 de agosto

Hola papás,

¿Qué tal? Escribo desde Cartagena. Cartagena es una ciudad muy bonita e interesante. Cada día le gusta más a Daniela la idea de vivir aquí, pero también le gustaría vivir con Uds. en Caracas.

La casa del primo Julián es muy cómoda. Aquí va el dibujo de la casa donde vive él. Entramos en la casa por una puerta en el patio. El cuarto de Daniela está al lado de la cocina. Tiene unas ventanas pequeñas. Yo estoy en el cuarto de Julián. Cuando yo estoy aburrido, voy a la sala a ver televisión. Por las noches siempre comemos en el patio.

Mi tío dice que en dos semanas vamos a ir a Barranquilla. Vamos a pasar siete u ocho días allí en la casa de su tía Isabel. Allá vamos a aprender a montar a caballo. Tenemos muchas ganas de ir.

A Daniela no le gusta escribir cartas. Entonces, ella los va a llamar por teléfono en estos días.

un abrazo,

Santiago

el primer piso

la planta baja

la escalera

pequeña

grande

Santiago escribe una carta.

el cuarto de Daniela

el garaje

las plantas

el baño

la cocina

el patio

el cuarto de Julián

el cuarto de los padres

la sala

el comedor

la piscina

1 Dictado

 Escucha la información y escribe lo que oyes.

2 ¿Dónde están?

Look at these illustrations and tell what Santiago and Daniela's relatives are doing somewhere in their house in Cartagena.

MODELO su abuela

Su abuela come en el patio.

1. su prima pequeña
2. su abuelo
3. su primo Julián
4. su tío
5. su tía

¡Extra!

Altos y bajos

Some people refer to *la planta baja* as *los bajos* (downstairs). The expression *los altos* is roughly equivalent to the English **upstairs** or **upper floor(s)**. The term *el primer piso* (the first floor) often identifies the second floor of a building, although many people also use the term to refer to the main floor.

3 ¿Adónde deben ir?

Read the statements and say where the people should go.

MODELO Quiero un vaso de agua.

Debes ir a la cocina.

1. Mi hermana quiere buscar una naranja y un refresco.
2. Mis padres necesitan usar el carro.
3. Yo tengo ganas de ver televisión.
4. Mis abuelos están aquí para comer con la familia.
5. Mi hermana viene de jugar al fútbol.
6. Voy a leer y escuchar CDs.

4 Conexión con otras disciplinas: dibujo

Create a blueprint (or make a pop-up) of the floor plan of your home and label the rooms in Spanish. Make up the information if you wish. Then write at least five sentences in Spanish that describe your blueprint. For example, state if the blueprint is of a house *(casa)* or an apartment *(apartamento)*, how large it is, the number and type of rooms, etc.

Diálogo 1

La casa de Elisa

JAVIER: Juan dice que la casa de Elisa es muy grande.
ROSA: Sí, yo tengo ganas de ir a su casa.
JAVIER: A mí también me gustaría mucho verla.
ROSA: ¡Vamos mañana!

JAVIER: Mira, allí está Juan.
ROSA: Oye, Juan, ¿cómo es la casa de Elisa?
JUAN: Es una casa grande e interesante. Tiene tres pisos.

ROSA: ¡Qué grande!
JUAN: Sí, tiene siete u ocho cuartos, dos salas y una piscina.
JAVIER: ¡Es la casa ideal!
ROSA: ¿Ideal? No pienso eso, prefiero casas pequeñas.

5 ¿Qué recuerdas?

1. ¿Quién dice que la casa de Elisa es grande?
2. ¿Quién tiene ganas de ir a la casa de Elisa?
3. ¿A quién le gustaría mucho ver la casa de Elisa?
4. ¿Cómo es la casa de Elisa?
5. ¿Cuántos pisos tiene la casa de Elisa?
6. ¿Y cuántos cuartos tiene?

6 Algo personal

1. ¿Cómo es tu casa ideal?
2. ¿Te gustan las casas grandes o pequeñas? Explica.

¡Extra!

Las palabras *e* y *u*

Before words that begin with *i* or *hi,* the word *y* becomes *e*. Similarly, the word *o* changes to *u* before words that begin with *o* or *ho*.

*Marcos **e** Inés viven en Cartagena.*
*Dicen que van a montar a caballo mañana **u** otro día.*

7 ¿Está en la casa, en el colegio o en el parque?

 Di dónde están las siguientes personas según lo que oyes.

Está en la casa. Está en el parque.

Está en el colegio.

Colombia

The Spaniards founded *Cartagena de Indias* on the northwest coast of Colombia in 1533. Pirates frequently attacked the port seeking gold and other valuables, so

Bogotá, Colombia.

Cartagena, Colombia.

a wall was constructed around the city as a means of defense. The wall (*la muralla*) remains today, one of the symbols of colonial times in Colombia. The capital, *Bogotá*, was founded in 1538. The city is vibrant and modern today, but you can catch a glimpse of the country's extensive history if you visit the exceptional *Museo del Oro* (Gold Museum), which holds over 30,000 pieces of pre-Columbian gold.

Colombia has a varied terrain, consisting of mountains, tropical jungles, plains, lowlands and a lengthy coastline that touches on two oceans. The country's climate does not change with the seasons but rather is determined by Colombia's elevations. Whereas the

Máscara de oro en el Museo del Oro, Bogotá.

lowlands and the coastal areas offer a tropical climate, such as you might experience when visiting the beautiful city of *Cartagena,* the temperature in the capital ranges between fifty and seventy degrees all year long.

Most people know that Colombia is famous for producing large quantities of excellent coffee, but not everyone knows it is a major exporter of emeralds. The country is also famous for its music, including the distinctive dance rhythms of *la cumbia, el porro, el merecumbé* and the accordion accompaniment of songs known as *vallenatos.* Visit Colombia sometime and experience this South American jewel!

8 ¿Qué sabes de Colombia?

Tell whether the statements are *cierto* or *falso*.

1. Colombia está en América Central.
2. Cartagena es una ciudad muy nueva.
3. El clima en Colombia es determinado por la elevación.
4. Cartagena es un símbolo del período colonial.
5. Cali es la capital del país.
6. Colombia es famosa por el café, las esmeraldas y la música.

9 Conexiones con otras disciplinas: geografía

Create a map of Colombia that shows major cities and rivers, mountains and surrounding countries.

Estructura

Telling what someone says: *decir*

The present tense of *decir* (to say, to tell) has an irregular *yo* form and requires a stem change for all forms except *nosotros/as* and *vosotros/as*. Use *decir* to tell what someone says.

decir	
digo	decimos
dices	decís
dice	di**c**en

When you are summarizing what someone says, use *que* between *decir* and the expression or phrase that follows:

¿Qué dice Javier?
*Dice **que** la casa de Elisa es muy grande.*

What does Javier say?
He says (**that**) Elisa's house is very big.

 Práctica

10 ¿Qué dicen?

What might the response be to what the following people say?

MODELO ¿Cómo te llamas? (Ramiro)
Ramiro dice "Me llamo Ramiro".

1. Estoy enfermo. (yo)
2. Hoy es mi cumpleaños. (nosotros)
3. No hay luz en mi casa. (Uds.)
4. ¿Te gustan mis plantas? (tú)
5. Voy a comprar una casa con una piscina muy grande. (ellas)
6. ¡Aló¡ ¿Puedo hablar con Daniela? (Daniela)

Me llamo Ramiro.

Results of a poll show who would like to spend the summer in Colombia as part of an exchange program with a high school in Cartagena. Summarize whether the indicated people say they would like to participate or not.

`MODELO` Julia

Julia dice que no.

1. Ud.
2. Raúl y la señorita García
3. el señor Gaviria y César
4. Sara
5. la señora Sosa y Eva
6. Ernesto y yo

✿ Comunicación

In groups, discuss your homes *(casa* or *apartamento)* and weekly activities. What is similar and what is different about the homes, your routines and your lives in general? You may wish to include some of the following activities in your discussion: *comer, escribir cartas, leer* and *ver televisión.* Make up any information you would like. Take notes as you talk and report what you discuss to the class.

`MODELO` **A:** ¿Dónde come tu familia?

B: Comemos en la cocina. ¿Y Uds.?

A: Nosotros comemos mucho en restaurantes. En casa comemos en la sala y vemos televisión.

C: En mi casa comemos en la sala, pero no los domingos. Los domingos comemos en el comedor.

A: **B** dice que su familia come en la cocina. **C** dice que en su casa comen en la sala, pero no los domingos. Mi familia come mucho en restaurantes, pero en casa comemos en la sala y vemos televisión.

Nosotros comemos en el comedor.

Expressing wishes with *querer* or *gustaría*

You have learned to express someone's wishes by using a form of *querer* and an infinitive. You can also express wishes by combining *me, te, le, nos, os* or *les* with the more polite but less emphatic *gustaría* and an infinitive.

Quiero viajar a Colombia.	**I want to travel** to Colombia.
Me gustaría viajar a Colombia.	**I would like to travel** to Colombia.
Quieren comprar una estufa nueva.	They **want to buy** a new stove.
Les gustaría comprar una estufa nueva.	They **would like to buy** a new stove.

 Práctica

13 Una casa nueva

Choose a word or expression from each column and create complete sentences telling what members of the Martínez family want when they buy a new house.

MODELO   Nosotros queremos comprar una casa grande.

A	B
yo	quieren tener cuartos en el primer piso
a ti	te gustaría tener un cuarto en la planta baja
mi hermano	les gustaría tener un garaje para dos carros
a mis padres	queremos comprar una casa grande ✔
a nosotros	me gustaría tener plantas en el patio
a mí	quiero tener una piscina
mis hermanas	nos gustaría tener un comedor cómodo
nosotros ✔	quiere una cocina con un lavaplatos

14 ¿Qué te gustaría?

Completa las oraciones de una manera original.

MODELO   Me gustaría tener...
Me gustaría tener
una casa grande.

1. No me gustaría vivir....
2. Me gustaría viajar....
3. No me gustaría ir....
4. Me gustaría vivir....
5. Me gustaría comprar....
6. Me gustaría ir....

Me gustaría tener una casa grande.

15 Comparaciones

Write a paragraph of four or five sentences describing the wishes, intentions and obligations of people you know well, using *gustaría, pensar, preferir* and *querer*. Then exchange your paper with a partner and take turns asking and answering questions about what each of you wrote.

MODELO **A:** ¿Adónde les gustaría ir a tus padres?

B: A mis padres les gustaría ir a Bogotá para ver a mis abuelos.

> Mis padres quieren viajar a Colombia en julio. Les gustaría ver a mis abuelos en Bogotá. Un día pienso vivir en Bogotá, pero tengo que terminar las clases en el colegio.

✵ Comunicación

16 Encuesta

Complete a survey about what rooms and furnishings your classmates would like to have in their ideal house (*casa ideal*). Talk with at least two other people and, then, compare the information you obtained with a partner. Finally, one of you should report your survey results to the class.

MODELO **A:** ¿Cómo es tu casa ideal?

B: Me gustaría tener una casa grande de dos pisos.

C: Yo prefiero una casa cómoda de un piso y también quiero tener una piscina.

A: **B** dice que le gustaría tener una casa grande con dos pisos, pero **C** dice que prefiere una casa cómoda de un piso y tener una piscina.

17 ¿Cómo es tu casa?

In Spanish, write several statements describing your home, what you or someone in your family would like to buy for the house and where you would like to live in the future (*el futuro*). Then, based on what you have written in small groups, talk about the homes. Try to use some of the alternative words suggested in the *Estrategia* during the discussion. You might talk about such things as the number of rooms, what you like or do not like, where the home is located and whether or not there is something you would like to buy for the house. Add details making up any of the information you wish.

MODELO **A:** ¿Cómo es tu casa?

B: Es muy grande. Tiene cinco piezas y cada pieza tiene un cuarto de baño. También tiene dos salas y un comedor grande. A mis padres les gustaría comprar una mesa grande para el comedor.

C: Pues, mi casa es pequeña. Tiene seis cuartos: dos alcobas, un baño, una sala, un comedor y una cocina.

Estrategia

Recognizing words in context
Words and expressions you read and hear in Spanish vary from speaker to speaker and from one country to another. You may hear *cuarto, habitación* and *pieza* are all used to refer to a **room.** For the word **bedroom** you may see the words *alcoba, dormitorio, habitación, pieza, recámara* and *cuarto de dormir* (literally, a **room for sleeping**), which is sometimes shortened to *cuarto.* However, you should not confuse this shortened form of *cuarto* for the expression *cuarto de baño* (bathroom), which is usually shortened to *baño.* Knowing that these differences exist will help you in your goal of becoming fluent in Spanish. Always keep in mind that your goal is communication.

18 ¿Cierto o falso?

 Di si lo que oyes es cierto o falso, según la información en el Vocabulario II. Si es falso, di lo que es cierto.

19 Un día en casa

 With a classmate, take turns asking and answering the following questions, according to the illustration.

MODELO **A:** ¿Qué tiene Cristina?
B: Cristina tiene prisa.

1. ¿Qué tiene Nicolás?
2. ¿Qué tiene Rogelio?
3. ¿Quién tiene mucha sed?
4. ¿Quién tiene frío?

5. ¿Qué tiene Mateo?
6. ¿Quién tiene mucha hambre?
7. ¿Quiénes tienen mucho calor?
8. ¿Qué tienes tú?

Marisela tiene hambre.

Diálogo II

Tengo mucho calor

JAVIER: Tengo mucho calor.

ROSA: Ya estamos cerca de la casa de Elisa.

JAVIER: También tengo mucha sed.

ROSA: ¡Allí está la casa de Elisa!

ROSA: ¡Qué grande y bonita es tu casa!

ELISA: Muchas gracias. Es tu casa también.

JAVIER: A Rosa no le gusta tu casa.

ROSA: Mentira, Elisa. No es verdad.

JAVIER: Pero dices que te gustan las casas pequeñas.

ROSA: Lo que digo es que prefiero una casa pequeña.

ELISA: Está bien. Yo comprendo. ¡Vamos a la playa!

JAVIER: Buena idea. Tengo mucho calor.

20 ¿Qué recuerdas?

1. ¿Quién tiene mucho calor?
2. ¿Quién tiene mucha sed?
3. ¿De quién es la casa grande y bonita?
4. ¿Es verdad que a Rosa no le gusta la casa de Elisa?
5. ¿Adónde quiere ir Elisa?

21 Algo personal

1. ¿Tienes calor? ¿Y sed?
2. ¿Dices mentiras? Explica.
3. ¿Adónde vas cuando hace mucho calor?

22 ¿Qué tienen?

Selecciona la ilustración apropiada que corresponda con lo que oyes.

A

B

C

D

E

F

¡Hogar, dulce hogar!

Homes in Spanish-speaking parts of the world are like castles in sentiment, if not in actual size. They offer a private refuge from the outside world and vary in their styles to reflect individual tastes, customs and availability of construction materials. Homes in rural areas are often small and simple, whereas homes in large cities and suburbs can be large and impressive. Interestingly, many Hispanic families in metropolitan areas live in

Una casa grande en Cartagena.

front yard. These homes traditionally have a patio at the back or the center of the residence that offers privacy and a place to relax among plants, birds and, sometimes, even small trees and beautiful fountains. In addition, older homes often have a flat roof *(la azotea),* which may be accessible by stairs, usually from the patio or a room near the back of the home. The *azotea* is sometimes used for hanging the laundry to dry or growing flowers and herbs, and even some vegetables, in pots. Today, *chalets* (e.g., houses with yards that resemble homes in the United States) are becoming popular, especially on the outskirts of some cities in part because city apartments and condos are becoming prohibitively expensive for most middle class families.

Esta casa tiene un patio bonito.

apartment buildings or condos, which they may own instead of renting. These homes can have as many as four or five bedrooms, a balcony, two bathrooms, a kitchen and a living room. In some older Hispanic neighborhoods, homes often adjoin the sidewalk, leaving little or no room for a

Una casa en México.

23 ¡Hogar, dulce hogar!

Write five sentences stating what you know about homes in the Spanish-speaking world.

24 Nuestras casas

Compare housing in the United States with what you know about homes in the Spanish-speaking world.

Idioma

Repaso rápido: regular present-tense verbs

You are already familiar with how to conjugate regular verbs:

hablar		comer		vivir	
hablo	hablamos	como	comemos	vivo	vivimos
hablas	habláis	comes	coméis	vives	vivís
habla	hablan	come	comen	vive	viven

25 La familia de Elisa

Completa el siguiente párrafo con las formas apropiadas de los verbos entre paréntesis.

Me llamo Elisa y soy la amiga de Javier y Rosa. Mis padres y yo 1. *(vivir)* en Cartagena, Colombia. Nosotros 2. *(tener)* una casa muy grande. La casa 3. *(tener)* cinco cuartos y cuatro baños. Yo 4. *(preferir)* tener una casa más pequeña. Mi madre también 5. *(querer)* una casa un poco más pequeña. Mi padre es de San José, California, y le 6. *(gustar)* las casas grandes y cómodas. Ahora yo 7. *(estudiar)* inglés en el colegio. Mi padre 8. *(decir)* que yo hablo muy bien el inglés. Mis hermanos y yo 9. *(tener)* ganas de ir a Estados Unidos. Mi papá tiene mucha familia en California—sus padres, seis hermanos, tres tíos y quince primos. Él les 10. *(escribir)* muchos mensajes por correo electrónico a ellos, pero ellos 11. *(escribir)* muy poco. Yo 12. *(pensar)* que para Navidad vamos a California. 13. *(Querer)* conocer a la familia de mi padre.

¿Tienes ganas de ir a Cartagena, Colombia?

Stem-changing verbs: *e* → *i*

You have already learned to use verbs like *pensar (ie)* that require the spelling change *e* → *ie: yo pienso, nosotros pensamos.* The verb *pedir (i, i)* requires the spelling change *e* → *i* in all forms of their present-tense stem except for *nosotros* and *vosotros.*

pedir	
pido	pedimos
pides	pedís
pide	piden

Pedir is the English equivalent of "to ask for, to request, to order (in a restaurant)." Take care to avoid using *pedir* instead of *preguntar* or *hacer una pregunta*, which are both used for "to ask a question." Other expressions with *pedir:*

- ***Pedir permiso (para)*** is "to ask for permission (to do something)."
- ***Pedir perdón*** can be used to excuse yourself and to ask for forgiveness for having done something wrong.
- ***Pedir prestado/a*** is "to ask for a loan" or "to borrow something."

¡Extra!

Con permiso y Perdón

Although they may be used with the verb *pedir*, *Con permiso* and *Perdón* can also be used alone for "Excuse me" or "Pardon me."

The verbs *repetir* and *decir* follow the same pattern as *pedir*, with the exception of the irregular *yo* form or *decir: digo.*

Práctica

26 Mi amigo Javier

Completa este párrafo con la forma apropiada del verbo *pedir* o *repetir*.

Hola, soy Juan. Javier y yo somos amigos. Javier siempre (1) prestado muchas cosas. Un día (2) prestado unos cubiertos; otro día (3) azúcar. A veces tiene que (4) prestado dinero para comer más porque siempre tiene hambre. Cuando va a un restaurante, él y su hermana (5) muchas bebidas porque siempre tienen sed, y cuando están en el colegio siempre (6) ropa prestada a sus amigos porque siempre tienen frío. Yo nunca (7) prestado nada, y lo (8), nada. A mí no me gusta cuando los estudiantes (9) cosas prestadas. ¡Es muy malo! Yo siempre le debo (10) a Javier una y otra vez, "No debes pedir más cosas prestadas" pero él dice que yo soy egoísta. Mmm, ¿qué opinas si nosotros le (11) prestadas cosas a Javier todos los días? ¿Qué va a pensar?

27 ¿Pedir o preguntar?

Completa las siguientes oraciones con
la forma apropiada de *pedir* o *preguntar*.

1. ¿__ Ud. ayuda con su tarea a sus amigos?
2. Mi hermana y yo nos __ ¿cuándo vamos a vivir en una casa nueva?
3. A veces Rocío tiene que __ blusas prestadas a su mamá.
4. Javier siempre __ perdón cuando no comprende lo que dice la profesora.
5. Claudia siempre __ mucho en la clase de historia.
6. ¿__ siempre tú permiso para hablar por teléfono en tu casa?
7. Mis padres siempre me __ adónde voy.
8. Mi abuela siempre __ ayuda para subir la escalera.

Pido ayuda a la profesora.

28 ¿Qué haces o dices?

Match the circumstances in the column on the left with the most appropriate
response in the column on the right.

1. Tienes que poner una mesa para diez amigos.
2. Necesitas con qué escribir.
3. Dices lo que no debes decir a tu madre.
4. Quieres salir del comedor.
5. No comprendes nada en clase de matemáticas.
6. Caminas en la calle y tienes prisa.
7. Dices una mentira a tu padre y él lo sabe.

A. Pido prestado un lápiz.
B. Digo "con permiso".
C. Hago preguntas al profesor.
D. Pido perdón.
E. Pido ayuda.

29 En familia

¿Qué dices o haces en estas situaciones? Sigue el modelo.

MODELO **Situación:** Tu madre te pide hacer muchos quehaceres antes de poder ver la televisión.
Pido ayuda a mis hermanos menores.

1. **Situación:** Estás en el comedor y tu madre dice que debes hablar poco y comer más.
2. **Situación:** Eres el primero/la primera en terminar de comer y quieres ir a tu cuarto porque tienes mucho sueño.
3. **Situación:** Quieres ir con tus amigos a una fiesta por la noche.
4. **Situación:** Tú dices que tienes mucha sed y tu madre te pasa un refresco.
5. **Situación:** Vas a salir para ir al colegio y ves que no tienes una camisa limpia.

Nuestra madre nos pide hacer muchos quehaceres.

30 ¿Cuándo pides perdón?

In large groups, choose one person to be the moderator. Then conduct a discussion about circumstances in which you must ask someone to forgive you for what you have done. Make up any of the information you wish.

MODELO **A:** Margarita, ¿cuándo pides perdón?
B: Pido perdón cuando digo lo que no debo decir.

31 Para su cumpleaños

In groups or three talk first about a relative, and then say what he or she always asks for his/her birthday but never gets.

MODELO **A:** Tienes un hermano, ¿verdad?
B: Sí. Se llama Miguel. Tiene dieciocho años.
C: ¿Qué pide siempre tu hermano para su cumpleaños?
B: Mi hermano siempre pide un carro nuevo.

Mi hermano pide un carro nuevo para su cumpleaños.

 32 ¿Qué piden prestado?

Working in pairs, each of you must create two columns on a piece of paper. In the first column, list five or six family members or friends you know very well. Leave the other column blank for your partner to fill in as you talk. Exchange lists and discuss what the people listed always ask to borrow (e.g., *un bolígrafo, dinero*). As your partner talks, list next to the person's name in the second column what your partner says each person borrows. See if the people on the lists seem to borrow some objects more than others.

MODELO **A:** ¿Qué pide siempre prestado tu prima?
B: Siempre pide prestado dinero.

mi prima   dinero
mi hermano   ————
mi amigo Julio   ————
Ana y Diego   ————
yo   ————

Lectura personal

Cantantes y grupos musicales

Dirección http://www.emcp.com/músico/ola/e.diario-5.htm ▲ Archivo Edición Ver Favoritos Herramientas Ayuda

página principal   miembros   e-diario

Grupo musical La Ola

Nombre: **Chantal Morales Rivera**
Edad: **16 años**
País natal: **República Dominicana**
Actividad favorita: **correr por la playa**

Una plantación de café en Colombia.

¡Otro gran concierto en Cali, Colombia! Ya son diez conciertos y la verdad es que estamos un poco cansados. Por eso[1] desde el viernes estamos en la región cafetera[2] de Colombia, disfrutando[3] de una forma de turismo relativamente nueva: el agroturismo. En los años noventa, los caficultores[4] decidieron que sus plantaciones de café no solamente servían[5] para exportar "*the richest coffee in the world*" sino también para importar turistas y generar ingresos[6] complementarios. Así fue como[7] cientos de fincas[8] han sido[9] adaptadas para invitar al turista. La finca en que estamos se llama Villa María y está a veinte minutos de Pereira. La casa tiene cinco cuartos, cuatro baños, una cocina y una sala. También hay piscina, caballos y muchos senderos[10]. De aquí me gustan mucho el olor[11] del café, el silencio del campo[12] y los diferentes verdes de las montañas. Ya comprendo por qué miles de personas se dedican al agroturismo en la tierra[13] del café. Ahora estoy descansada[14] y tengo ganas de continuar los conciertos. ¡Gracias, Colombia!

[1]That is why [2]coffee growing [3]enjoying [4]coffee growers [5]served [6]income [7]That is how [8]plantations
[9]have been [10]pathways [11]smell [12]countryside [13]land [14]rested

33 ¿Qué recuerdas?

1. ¿Dónde están los miembros del grupo musical La Ola?
2. ¿Qué tipo de turismo practican?
3. ¿Qué es Villa María? ¿Cómo es la casa?
4. ¿Qué hay para hacer en Villa María?
5. Al final, ¿qué tiene ganas de hacer Chantal?

34 Algo personal

1. ¿Adónde te gusta ir de vacaciones? ¿Qué haces allí?
2. Describe tu hotel ideal.
3. ¿Te gustaría hacer agroturismo? ¿Por qué sí o por qué no?

- Make several comparisons between the coffee-growing region of Colombia and the region in the United States in which you live. Which one emphasizes rural life more?

¿Qué aprendí?

Autoevaluación
As a review and self-check, respond to the following:

1. Describe your house.

2. Tell a friend what two different people say, including yourself.

3. Say where you would like to live.

4. Tell how you feel in these situations: it is hot and your mouth is dry, it is noon and you have not eaten, you stayed up too late and it is the next morning.

5. Imagine a classmate needs to borrow a pen and paper. How can you tell the person he or she should borrow the items from someone else because you do not have them?

6. What two things have you learned about Colombia?

Palabras y expresiones

La casa
el baño
el cuarto
la escalera
el garaje
el patio
la piscina
el piso
la planta
la planta baja
el primer piso
la sala

Para describir
al lado de
cómodo,-a
cuando

desde
donde
el lado
pequeño,-a
poco, -a
por
por la noche
primer

¿Cómo estás?
el calor
el frío
la gana
el hambre *(f.)*
el miedo
la prisa
¿Qué (+ tener)?

la sed
el sueño
tener (calor, frío, ganas de, hambre, miedo de, prisa, sed, sueño)

Otras expresiones
el abrazo
la carta
el dibujo
lo que
me/te/le/nos/les gustaría
la mentira
pedir (perdón, permiso, prestado,-a)

por teléfono
querer decir
querido,-a
la verdad

Verbos
aprender a
correr
decir (+ que)
escribir
gustaría
pedir (i, i)
repetir (i, i)

Nuestra casa tiene una piscina.

¿Te gusta mi cuarto?

Tú lees

Estrategia

Using graphics to understand a reading
Look at graphics, artwork, photographs and so forth that accompany what you are reading. The visual support will help you predict what the reading is about.

Preparación
Mira el dibujo para contestar las siguientes preguntas como preparación para la lectura.

1. ¿De qué es el dibujo?
2. ¿Cuántos cuartos hay en el dibujo?
3. ¿Qué hay en la sala?
4. ¿Qué piensas que vas a leer?

La casa de mis sueños

Me llamo Santiago y soy de Caracas. Aquí hay un dibujo de la casa de mis sueños[1]. Claro que[2] el dibujo no es perfecto. En la casa de mis sueños hay tres cuartos y todos son grandes. En la sala hay un piano para tocar música clásica y una biblioteca con todos los libros que me gustan. Al lado de la sala hay un cuarto para ver la televisión y películas en DVD. También hay una computadora con quemador de CDs y muchos videojuegos. Mi cuarto es grande, con una cama también grande, muchos pósters en la pared y un equipo de sonido. El cuarto de mis padres tiene una puerta que abre al patio y al jardín. El patio y el jardín son bonitos, con muchas flores. La flor favorita de mi mamá es el jazmín. Nuestro jardín está rodeado[3] de jazmines. En el jardín hay también una piscina olímpica con un trampolín donde puedo nadar todos los días.

En la casa de mis sueños, el lugar favorito de mis papás es la cocina. En la cocina papá y mamá preparan comidas exquisitas para cenar. Mi comida favorita es el ajiaco, ¡esa sopa de Colombia tan rica de papas, pollo, maíz, aguacate y crema de leche[4]! Como la cocina es tan grande[5], ellos siempre tienen muchos invitados[6]. La casa tiene muchas ventanas y mucha luz. ¡Quiero algún día construir[7] la casa de mis sueños!

[1]dreams   [2]Of course   [3]surrounded by   [4]potatoes, chicken, corn, avocado and whipping cream   [5]so big
[6]guests   [7]some day build

A ¿Qué recuerdas?

1. ¿De quién es el dibujo de la casa?
2. ¿Cómo son los cuartos de la casa?
3. ¿Qué hay en la biblioteca?
4. ¿Dónde están la computadora y los videojuegos?
5. ¿Qué hay en el cuarto de Santiago?
6. ¿Cuál es el lugar favorito de los padres de Santiago?
7. ¿Qué hacen los padres en la cocina?
8. ¿Qué flores hay en el jardín?
9. ¿Qué es el ajiaco y de dónde es?

B Algo personal

1. ¿Cómo es la casa de tus sueños?
2. ¿En qué son diferentes la casa de los sueños de Santiago y tu casa de los sueños? ¿En qué son similares?
3. ¿Cómo es tu cuarto en la casa de tus sueños? ¿Qué hay en él?
4. ¿Cuál es tu lugar favorito en la casa de tus sueños?

¿Cómo es la casa de tus sueños?

Tú escribes

Estrategia

Connecting phrases
Your writing style may seem choppy in Spanish unless you connect your thoughts using transition words like *a causa de* (because of), *como* (since, like, as), *después* (later), *entonces* (then), *pero* (but), *por eso* (therefore), *sin embargo* (however), *también* (also), *y* (and). These words can act like adhesive to bind together the ideas in a paragraph as a connected unit.

First, write several sentences that describe your *casa de tus sueños*. Include information such as what the house looks like, where it is located, what rooms it has, how many windows and doors it has, where rooms are located and any other details you wish to include. Then add transition words to make your sentences flow more smoothly and put the sentences together, one after another in paragraph form, to create a composition. Finally, create a colorful drawing of the house, including details that match your description.

MODELO La casa de mis sueños está en una playa en América del Sur. Es muy grande. Tiene muchos cuartos y jardines....

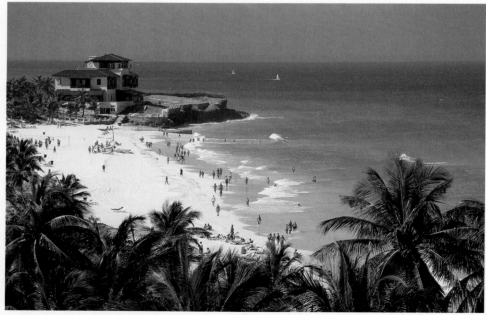

La casa de mis sueños está en la playa.

Proyectos adicionales

A Conexión cultural

Imagine you are traveling with your family to Venezuela and Colombia on vacation and your parents have asked you to make suggestions about what to see and do. Use the library or the Internet to investigate cities you might visit. Then create a travel itinerary offering suggestions for the trip to both countries. Consider including the following in your list of recommendations: cities to visit, tourist attractions, your recommendation for the best time to visit South America and any other information you can find that may be of use during the trip.

B Conexión con la tecnología

Write a short e-mail in Spanish to someone you know about your home and family. Use Santiago's letter (see p. 244) as a model, if necessary.

Castillo de San Felipe, Cartagena.

C Comparando

Working in pairs, talk about what you know about housing and home life in the United States and in Spanish-speaking parts of the world such as Venezuela, Colombia, Puerto Rico and the Dominican Republic. Then make a side-by-side comparison listing at least five similarities or differences.

D ¡A escribir!

Help Santiago's parents write back to him (see p. 244). Include the following information: They are happy to hear from their dear son; they know that he is far from home in Caracas, but not far from his family; they want to see the photos of the trip to Cartagena. Include any other details you wish. Remember to include the city and the date and use appropriate greetings and farewells.

Repaso

Now that I have completed this chapter, I can... | **Go to these pages for help:**

identify items in the kitchen and at the dinner table.	226
express obligations, wishes and preferences.	226
talk about everyday activities.	226
state an opinion.	231
discuss food and table items.	231
point out people and things.	238
describe a household.	244
tell what someone says.	252
say how someone is doing.	252

I can also...

talk about products and foods from Venezuela and Colombia.	229, 247
discuss home life in Venezuela and Colombia.	237, 255
describe my home.	244
recognize words in context.	251
recognize when to use *pedir* or *preguntar*.	257
plan a trip to Venezuela or Colombia.	265

Trabalenguas

La casa está en la plaza, en la casa hay un cuarto, dentro del cuarto hay un piso, encima del piso hay una mesa, encima de la mesa hay una jaula, dentro de la jaula hay un loro que canta y dice: de loro en jaula, jaula en mesa, mesa en piso, piso en cuarto, cuarto en casa, casa en la plaza.

Jaula

Vocabulario

el **abrazo** hug 6B
el **aceite** oil 6A
al lado de next to, beside 6B
allá over there 6A
aprender a 6B
aquel, aquella (aquellos, aquellas) that, (those) *far away* 6A
ayudar to help 6A
el **azúcar** sugar 6A
el **baño** bathroom 6B
el **calor** heat 6B
la **carta** letter 6B
cerrar (ie) to close 6A
la **cocina** kitchen 6A
el **comedor** dining room 6A
cómodo,-a comfortable 6B
correr to run 6B
la **cosa** thing 6A
cuando when 6B
el **cuarto** room, bedroom 6B
los **cubiertos** silverware 6A
la **cuchara** spoon 6A
la **cucharita** teaspoon 6A
el **cuchillo** knife 6A
de todos los días everyday 6A
deber should, to have to, must, ought 6A
decir (+ *que*) to tell, to say 6B
desde since, from 6B
después afterwards, later, then 6A
el **dibujo** drawing, sketch 6B
dónde where 6B
e and (*used before a word beginning with* i *or* hi) 6B
empezar *(ie)* to begin, to start 6A
encender *(ie)* to light, to turn on (*a light*) 6A
entonces then 6A
la **escalera** stairway, stairs 6B
escribir to write 6B
ese, esa (esos, esas) that (those) 6A

especial special 6A
este, esta (estos, estas) this (these) 6A
la **estufa** stove 6A
el **fregadero** sink 6A
el **frío** cold 6B
la **gana** desire 6B
el **garaje** garage 6B
gustaría would like 6B
el **hambre** (*f.*) hunger 6B
el **horno microondas** microwave oven 6A
el **lado** side 6B
la **lámpara** lamp 6A
el **lavaplatos** dishwasher 6A
lo que what, that which 6B
la **luz** light 6A
el **mantel** tablecloth 6A
la **mantequilla** butter 6A
me/te/le/nos/les gustaría I/you/he/she/it/we/they would like 6B
la **mentira** lie 6B
la **mesa** table 6A
el **miedo** fear 6B
otra vez again, another time 6A
el **pan** bread 6A
pásame pass me 6A
el **patio** courtyard, patio, yard 6B
pedir (i, i) to ask for, to order, to request; *pedir perdón* to say you are sorry; *pedir permiso (para)* to ask for permission (to do something); *pedir prestado,-a* to borrow 6B
pensar (ie) to think, to intend, to plan 6A
pensar de/en/que to think about 6A
pequeño,-a small 6B
el **permiso** permission, permit 6B
la **pimienta** pepper (*seasoning*) 6A
la **piscina** swimming pool 6B
el **piso** floor 6B
la **planta** plant 6B
la **planta baja** ground floor 6B

el **plato** dish, plate 6A
el **plato de sopa** soup bowl 6A
poco, -a not very, little 6B
poner to put, to place 6A
poner la mesa to set the table 6A
por through, by 6B
por la noche at night 6B
por teléfono by phone 6B
el **postre** dessert 6A
preferir (ie) to prefer 6A
primer first 6B
el **primer piso** first floor 6B
la **prisa** rush, hurry, haste 6B
¿Qué (+ *tener?*) What is wrong (*with someone*) 6B
querer (ie) to love, to want, to like 6A
querer decir to mean 6B
querido,-a dear 6B
el **refrigerador** refrigerator 6A
repetir (i, i) to repeat 6B
la **sal** salt 6A
la **sala** living room 6B
la **sed** thirst 6B
sentir (ie) to be sorry, to feel sorry, to regret 6A
la **servilleta** napkin 6A
la **sopa** soup 6A
el **sueño** sleep 6B
la **taza** cup 6A
el **tenedor** fork 6A
tener (calor, frío, hambre, miedo de, prisa, sed, sueño) to be (hot, cold, hungry, afraid, in a hurry, thirsty, sleepy) 6B
tener ganas de to feel like 6B
tener que to have to 6A
u or (*used before a word that starts with* o *or* ho) 6B
un poco (de) a little (bit) 6A
el **vaso** glass 6A
la **verdad** truth 6B
viajar to travel 6A
ya already 6A

Capítulo 7

El tiempo libre

Objetivos

- ❖ talk about leisure time activities
- ❖ discuss sports
- ❖ say what someone can do
- ❖ discuss length of time
- ❖ describe what is happening
- ❖ talk about the seasons and weather
- ❖ indicate order

Visit the web-based activities at www.emcp.com

Vocabulario I
Los pasatiempos

jugar a los videojuegos

jugar al fútbol americano

jugar al básquetbol

jugar al voleibol

jugar a las damas

jugar al ajedrez

hacer aeróbicos

jugar a las cartas

dibujar

1 ¿Qué actividad es?

 Identifica la actividad que oyes.

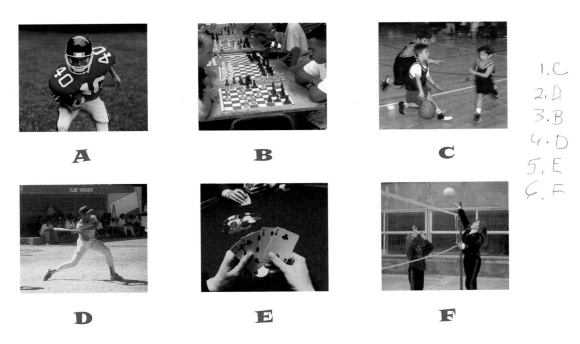

A

B

C

D

E

F

1. C
2. A
3. B
4. D
5. E
6. F

2 ¡Yo sé lo que vas a hacer!

Create a list of at least ten leisure activities. Then, working in small groups, take turns playing charades to act out activities on your list. The winner is the person who first says *¡Yo sé lo que vas a hacer!*

Diálogo I

¿No quieres jugar al ajedrez?

LUZ: ¿No quieres jugar al ajedrez?

HUGO: Sí, pero después de este programa.

LUZ: ¿Qué programa es?

HUGO: Es mi telenovela favorita.

LUZ: ¿Ahora sí?

HUGO: ¿Por qué no vienes en dos horas?

LUZ: ¿Cómo? ¿No vamos a jugar al ajedrez?

HUGO: Es que el equipo de Argentina va a jugar ahora.

LUZ: ¡Veo que ya no sabes jugar al ajedrez!

HUGO: Sí, ya no recuerdo cómo jugar.

LUZ: ¡Claro! Tu vida ahora es ver televisión.

HUGO: No. ¡Mi vida ahora es ver televisión y jugar al fútbol!

3 ¿Qué recuerdas?

1. ¿A qué quiere jugar Luz?
2. ¿Qué programa ve Hugo?
3. ¿Qué equipo va a jugar?
4. ¿Qué va a ver Hugo?
5. ¿Cómo es ahora la vida de Hugo?

¡Extra!

La fiebre del gol

It is easy to understand why Hugo is distracted as he talks with Luz. For many people, soccer *(el fútbol)* is more than just a simple pastime in Argentina and throughout the Spanish-speaking world. During the World Cup *(la Copa Mundial)* fans of all ages follow the action and nearly everyone has *la fiebre del gol* (goal fever).

4 Algo personal

1. ¿Sabes jugar al fútbol?
2. ¿Te gusta jugar al ajedrez?
3. ¿Qué vas a hacer esta noche?
4. ¿Te gusta ver televisión?

5 ¿Qué comprendiste?

 Di si los que oyes es cierto o falso, según el diálogo *¿No quieres jugar al ajedrez?*

¿Sabes jugar al ajedrez?

Buenos Aires, Argentina.

Argentina

Whether you enjoy countryside landscapes, soaring mountains, beautiful beaches or the hustle and bustle of modern city life, Argentina has it all. As the largest Spanish-speaking country in the world, the southernmost tip of Argentina begins near the frigid South Pole and extends north to the tropics of central South America. The plains of Patagonia in the south are the heart of the sheep-raising industry. In the central plains *(las pampas),* cowboys known as *gauchos* tend herds of cattle on large ranches called *estancias.* (Argentina produces beef that is sold and shipped throughout the world.) In addition, world-class ski resorts,

Una gaucha.

such as Bariloche, draw visitors from many countries. Argentina's capital, Buenos Aires, is a vibrant, modern city that combines skyscrapers *(rascacielos),* plazas and parks, outstanding food and interesting old buildings into what has been called the "Paris of the Spanish-speaking world."

While visiting Argentina, you may find yourself alone atop a mountain *(Aconcagua)* or in a crowded cafe. Argentina's population includes descendants from large numbers of people from Spain, Italy, Poland, Germany, Great Britain and Japan. Wondering what to do? Ski the famous slopes of the *Andes,* dance the tango in the colorful neighborhood called *La Boca,* participate in the national sport— *el fútbol* or sit back and gaze at the breathtaking *Iguazú* waterfalls. And before you leave, try grilled beef *(carne a la parrilla)* in one of the capital's many fine restaurants or have a seat and sip a wonderful tea-like hot drink called *mate.*

Las cascadas de Iguazú.

6 Argentina

¿Cierto o falso?

1. Hay playas bonitas en la Argentina.   C
2. El país más grande de habla hispana es Ecuador.   F
3. Los gauchos viven en grandes estancias de las pampas.   C
4. Bariloche es la capital de la Argentina.   F
5. Hay muchas personas en la Argentina de Italia y Polonia.   C
6. El baile más famoso de la Argentina es el tango.   C
7. *Mate* es una ciudad en la Argentina.   F
8. El deporte nacional de la Argentina es el fútbol.   C

Estructura

Stem-changing verbs: *o → ue* and *u → ue*

Some verbs require the change *o → ue (poder)* or *u → ue (jugar)* in all forms of their present-tense stem except for *nosotros* and *vosotros*. These stem changes do not interfere with regular verb endings.

poder	
pue do	podemos
pue des	podéis
pue de	pue den

jugar	
jue go	jugamos
jue gas	jugáis
jue ga	jue gan

Other *o → ue* stem-changing verbs include *costar (ue), recordar (ue)* and *volver (ue)*.

Práctica

7 Todos quieren ayudar

If everyone works together they will be free to do what they want later in the day. Say what these people can do to help with lunch, according to the cues.

MODELO   Marta (buscar los platos)
Marta puede buscar los platos.

1. papá (comprar leche y pan)
2. yo (buscar los cubiertos)
3. mi mamá (hacer el almuerzo)
4. tú (poner la mesa)
5. nosotros (preparar un postre)
6. mis hermanos (poner los platos sucios en el lavaplatos)

¿Quién puede buscar los platos?

8 El televisor

Completa el siguiente párrafo con la forma apropiada de uno de los siguientes verbos: *poder, costar, volver, jugar, recordar.*

Yo siempre (1)_____ cuando (2)_____ el equipo de Argentina. Mi papá y yo vemos el partido por televisión. A mi hermana no le gusta el fútbol pero ella (3)_____ leer o salir con sus amigos. No (4)_____ tener otro televisor porque (5)_____ mucho y nuestra casa no es grande. Mi hermana (6)_____ a las cuatro, ella (7)_____ ver su telenovela y entonces yo (8)_____ al fútbol con mis amigos en el parque.

9 Una invitación

In pairs, take turns inviting one another to do the indicated activities. Answer by either refusing or accepting the invitation, giving an excuse if you refuse or changing the suggested time if you accept.

MODELO   jugar al básquetbol

A: ¿Puedes jugar al básquetbol hoy?

B: Lo siento, pero no puedo. Es muy tarde.

1. jugar a los videojuegos esta tarde
2. ver mis fotos de Chile ahora
3. ir al cine pasado mañana

4. jugar al fútbol americano el sábado
5. jugar al voleibol a las 6:30
6. hacer aeróbicos mañana

10 ¿Cuándo vuelven?

In pairs, talk about when these people will be returning from the places mentioned.

MODELO   Eva / la casa de Gloria

A: ¿A qué hora vuelve Eva de la casa de Gloria?

B: Eva vuelve de la casa de Gloria a las siete.

1. Ana y Luz / la piscina   3. tú / el cine

2. tú y yo / la tienda   4. Esteban / el partido

Comunicación

11 ¿A qué juegan?

With a classmate, talk about what these people are doing.

1   2   3   4

12 Los pasatiempos

In small groups, ask one another about your favorite pastimes *(pasatiempos)*. Start with the activities shown in *Vocabulario I,* taking notes as you talk. Then choose one member of the group to report the information to the class.

MODELO   **A:** ¿Juegas al fútbol?

B: Sí, (No, no) juego al fútbol. Es mi pasatiempo favorito. ¿Y tú?

Vocabulario II
El tiempo libre

el control remoto

Selecciona la ilustración que corresponde con lo que oyes.

A

B

Tienda de video ABC

Nuevas películas:
· Historia de amor
· El hombre araña V
· El cuarto misterioso

C

D

14 ¿Cuánto tiempo hay en...?

Contesta las siguientes preguntas.

1. ¿Cuántas semanas hay en un año?
2. ¿Cuántos años hay en un siglo?
3. ¿Cuántas horas hay en un día?
4. ¿Cuántos cuartos de hora hay en una hora?
5. ¿Cuántos segundos hay en un minuto?
6. ¿Cuántos minutos hay en una hora?
7. ¿Cuántos segundos hay en una hora?
8. ¿Cuántas horas hay en una semana?

¿Cuántos minutos hay en una hora?

Diálogo II

Quiero alquilar una película

HUGO: ¿Estás durmiendo?
LUZ: No. Estoy viendo televisión. ¿Por qué?
HUGO: Porque quiero ir a alquilar una película.

LUZ: ¿Ahora mismo?
HUGO: Sí, quiero ir antes de comer. ¿Quieres ir?
LUZ: Un segundo.... Ya voy.

LUZ: No quiero ver las mismas películas otra vez.
HUGO: ¿Cuánto tiempo hace que no ves una película?
LUZ: ¡Uy! Hace mucho tiempo. Casi dos meses.
HUGO: ¡Entonces no vas a ver las mismas películas!

15 ¿Qué recuerdas?

1. ¿Está Luz durmiendo?
2. ¿Qué quiere hacer Hugo?
3. ¿Cuándo quiere ir Hugo?
4. ¿Cuánto tiempo hace que Luz no ve una película?

16 Algo personal

1. ¿Cuánto tiempo hace que no alquilas una película?
2. ¿Haces una lista de películas antes de ir a alquilar una?
3. ¿Cuánto tiempo hace que no ves una película?
4. ¿Por cuánto tiempo ves televisión en una semana?
5. ¿Cuánto tiempo libre tienes en una semana? ¿Qué haces?

17 Dictado

 Escucha la información y escribe lo que oyes.

¿Cuánto tiempo hace que no alquilas una película?

Cultura viva

Che, bailá conmigo...

In the world of dance and music, *tango* is synonymous with Argentina, and especially Buenos Aires. This well-known song was born a century ago near the docks of the capital in the neighborhood known as *La Boca*. While there, if you look carefully, you will see a street sign with the name *Caminito* that denotes the short dead-end street *(callejuela)*. This street's name has its origins in one of Carlos Gardel's most famous tangos. Carlos Gardel is considered the father of the tango and he is revered in Argentina still today, decades after his death. From the docks in *La Boca*, the *tango* spread throughout the Americas to Europe and,

El Caminito, una callejuela en La Boca, Buenos Aires.

Bailamos el tango.

today, is popular in ballrooms throughout the world.

El tango es de la Argentina.

18 Conexiones con otras disciplinas: baile y música

Prepare a project on the tango, choosing from one of the following options or making up your own:

- Search the word *tango* on the Internet or by looking up the words *Argentina* and *tango* in an encyclopedia at the library and write a summary of your findings.
- Locate someone who teaches the tango and invite the person to speak or demonstrate the tango for the class.
- Attend tango classes at a local community center or at a local dance studio and demonstrate the dance for the class.
- Play a tango for the class, comparing it to another musical style.

Idioma

Estructura

Expressions with *hace*

You can describe an action that began in the past and has continued into the present using ***hace* + a time expression + *que* + the present tense of a verb.**

Hace diez minutos que veo televisión.   I have been watching television for ten minutes. (Ten minutes ago I started watching television.)

Reverse the order of *hace* and the time expression if a form of *¿cuánto?* introduces the question.

¿Cuánto tiempo hace que ves televisión?   How long have you been watching television?

 Práctica

19 ¿Cuánto tiempo hace?

Say how long the following activities have been taking place.

MODELO   haces aeróbicos / una hora
Hace una hora que haces aeróbicos.

1. juegan al béisbol en los Estados Unidos / más de un siglo
2. jugamos al voleibol / un año
3. vivo aquí / quince años
4. Uds. juegan a los videojuegos / veinte minutos
5. mi sobrina dibuja una casa / un cuarto de hora
6. jugamos al ajedrez / treinta segundos

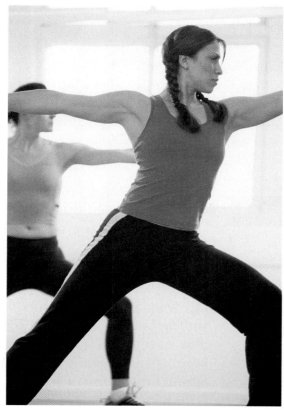

Hace una hora que hacen aeróbicos.

20 ¿Qué haces?

In pairs, take turns asking and answering the following questions. Then summarize your partner's answers for each question.

MODELO
A: ¿Juegas a los videojuegos?
B: Sí, juego a los videojuegos.
A: *(Write: B juega a los videojuegos.)*

1. ¿Cuánto tiempo hace que no juegas al ajedrez? ¿Y a las damas?
2. ¿Sabes jugar al ajedrez o a las damas?
3. ¿Cuánto tiempo hace que no lees una revista?
4. ¿Qué revistas lees?
5. ¿Cuánto tiempo hace que dibujas?
6. ¿Sabes dibujar?
7. ¿Cuánto tiempo hace que no ves una telenovela?
8. ¿Te gusta ver televisión? ¿Te gustan las telenovelas?
9. ¿Cuánto tiempo hace que estudias español?
10. ¿Cuánto tiempo hace que no escribes una carta?

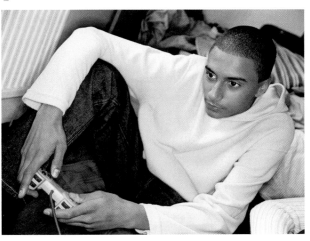

Juego a los videojuegos.

Comunicación

21 Mis pasatiempos

Prepare a list of your pastimes. Include at least six or seven activities. Then, with a partner, ask and answer questions about your favorite pastimes.

¡Extra!

¿Damas en los baños?

The games *ajedrez* (chess) and *damas* (checkers) are two of the world's oldest pastimes. However, if you see the word *Damas* (Ladies) on the door of a public restroom not very far from another door labeled *Caballeros* (Gentlemen), do not assume you are going in to play checkers. Remember what you have learned: The meaning of any word may vary according to the context in which the word is used.

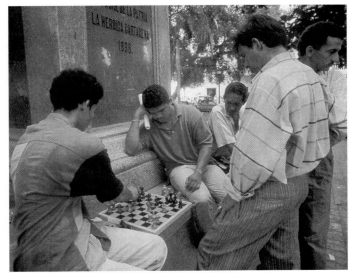

Nuestro pasatiempo favorito es el ajedrez.

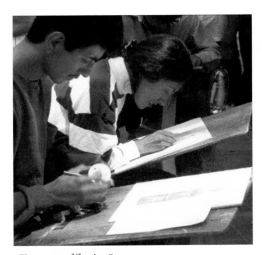

¿Te gusta dibujar?

Saying what is happening: present progressive

You can say what is happening right now using the *presente progresivo,* which consists of the present tense of *estar* plus a present participle *(gerundio).*

¿Qué **están haciendo** *Uds.?*	What **are** (all of) you **doing?**
Marta **está dibujando,** *Enrique* **está**	Marta **is drawing,** Enrique **is**
comiendo *y yo* **estoy saliendo.**	**eating** and I **am leaving.**

Form the present participle of most verbs by changing the infinitive endings *(-ar, -er, -ir)* to *-ando* for *-ar* verbs or to *-iendo* for *-er* and *-ir* verbs.

-ar	-er	-ir
alquil**ar** → alquil**ando**	hac**er** → hac**iendo**	permit**ir** → permit**iendo**

Some *-ir* verbs with a stem change in the present tense require a different stem change in the present participle. This second change is shown in parentheses after infinitives in this book. Three verbs that follow this pattern are *dormir (ue, **u**), preferir (ie, **i**)* and *sentir (ie, **i**).*

verbo	presente	gerundio
dormir **(ue, u)**	d**ue**rmo	d**u**rmiendo
preferir **(ie, i)**	pref**ie**ren	pref**i**riendo
sentir **(ie, i)**	s**ie**nto	s**i**ntiendo

Some verbs have minor irregularities in their present participles. For example, the *i* in *-iendo* changes to *y* after most verb stems that end in a vowel and for the verb *ir: leer* (stem: *le*) → le**y**endo; *oír* (stem: *o*) → o**y**endo; *ir* → **y**endo. The present participle for the irregular verb *venir* requires a change in the stem from *e* to *i:* venir → v**i**niendo. Finally, the present participle for *poder* involves a stem change from *o* to *u: pu*diendo.

 Práctica

22 **Todos están haciendo algo**

Using the *presente progresivo* and the provided cues, say what these people are doing right now.

MODELO nosotros / leer el periódico
Nosotros estamos leyendo el periódico.

1. mi padre y mi madre / salir de casa
2. mi hermano / buscar el control remoto
3. Esteban / alquilar una película estupenda
4. tú / pensar en tus pasatiempos
5. Uds. / apagar la luz de la cocina
6. María / poner la mesa

Ellas están leyendo el periódico.

23 ¿Qué estás haciendo?

In pairs, take turns asking and answering what you are doing right now, according to the illustrations.

MODELO   **A:** ¿Qué estás haciendo?
         B: Estoy alquilando una película.

1

2

3

4

5

24 Tomando un mate

Pretend you are sitting in an outdoor café in Buenos Aires. Using the *presente progresivo*, describe what you see from your table.

MODELO   una chica / escribir una carta
         Una chica está escribiendo una carta.

1. otra chica / dibujar
2. el mesero / poner una mesa
3. un muchacho / hablar por el celular
4. el niño / mirar a sus padres
5. un padre y una madre / comer con sus hijos
6. unos señores / jugar al ajedrez
7. tú / salir

Comunicación

25 Estoy...

Working in pairs, imagine you are in the following places: *una cafetería, Buenos Aires, una tienda de videos, una fiesta para tu cumpleaños, una clase de español, la sala de la casa, el museo, la calle, el parque.* Pretend you are talking on the phone with a friend and discuss what you are doing right now. Add to the conversation by asking such things as who you are with, where each place is located, etc.

`MODELO` **A:** ¿Qué estás haciendo?
        B: Estoy tomando café en una cafetería.
        A: ¿Dónde está la cafetería?
        B: Está en La Boca.

26 Están ocupados

With a classmate, pretend you are calling one another trying to reach various people on the phone. The person answering must apologize and say the person you are trying to reach is not home and, then, say what the person is doing. Be creative!

`MODELO` **A:** Hola. ¿Puedo hablar con Eduardo por favor?
        B: Lo siento. Eduardo está paseando por la calle ahora mismo.

Estrategia

Clarifying meaning by asking questions
If you hear a new word in a conversation but do not understand what it means, do not be afraid to ask someone to fill you in. Many words in Spanish have different uses depending on the region or country where they are used. So the next time you hear a word or expression you are unsure of, do not be embarrassed; ask someone to explain it to you.

Repaso rápido: direct object pronouns

You have already learned to use direct objects to show the person or thing in a sentence that receives the action of the verb. Do you remember the direct object pronouns?

los pronombres de complemento directo			
me	*me*	**nos**	*us*
te	*you (tú)*	**os**	*you (vosotros,-as)*
lo	*him, it, you (Ud.)*	**los**	*them, you (Uds.)*
la	*her, it, you (Ud.)*	**las**	*them, you (Uds.)*

	I do not see **her.**
*No **la** veo.*	I do not see **it.** (*la lista de las películas nuevas*)
	I never see **him.**
*Nunca **lo** veo.*	I never see **it.** (*el programa*)

Using the present progressive with direct object pronouns

You have already seen that direct object pronouns usually precede conjugated verbs. However, direct object pronouns may be attached to an infinitive.

Lo *voy a alquilar.*
*Voy a alquilar**lo**.*

I am going to rent **it.** *(el DVD)*

Similarly, you may choose to attach an object pronoun to the end of a present participle. When doing so, however, you must add an accent mark to the present participle in order to maintain the original pronunciation of the present participle without the pronoun.

La *estamos leyendo.*
*Estamos leyéndo**la**.*

We are reading **it.** *(la revista)*

 Práctica

27 Lo estamos haciendo

Tell what the following people are doing right now, using direct object pronouns.

1. la señora Herrera / empezar / un viaje a Venezuela
2. Uds. / escribir / la lista de películas nuevas
3. nosotros / leer / un libro sobre Buenos Aires ahora
4. yo / escuchar / la radio ahora
5. Pilar / buscar / el control remoto

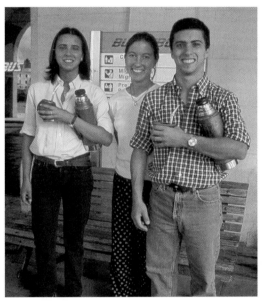

Estamos tomando mate.

28 Haciéndolo

Imagine you and your friend are watching television and commenting on various characters and programs. Working in pairs, take turns asking and answering questions using the provided cues. Follow the model, attaching direct object pronouns to the verbs in each sentence.

MODELO   los hermanos / leer el diario de la hermana
        A: ¿Están leyendo los hermanos el diario de la hermana?
        B: Sí, están leyéndolo.

1. tú / buscar el programa
2. el cantante / cantar una canción de amor
3. Julia / escuchar la radio
4. nosotros / ver esta telenovela
5. Mónica / dibujar un mapa en la servilleta
6. mi equipo favorito / jugar un partido importante

29 Otra vez

Redo activity 27 by attaching the direct object pronouns to the end of the present participle. Make any other appropriate changes.

30 Conexión con otras disciplinas: estadística

Prepare a list of at least eight pastimes in Spanish *(ir al cine, jugar al voleibol)*. Then ask five people to rank the pastimes, with *1* being their favorite and *8* being their least favorite activity. Prepare a written summary of your findings in Spanish. Follow the model.

MODELO ¿Qué pasatiempos de mi lista son tus favoritos, en una escala del uno al ocho?

¿Qué pasatiempos de mi lista son tus favoritos, en una escala del uno a ocho?

1. Me gusta leer revistas.   1 2 3 4 5 6 7 8
2. Me gusta escuchar la radio.   1 2 3 4 5 6 7 8

31 Mirando y haciendo

Mira a cuatro o cinco personas desde donde tú estás ahora. ¿Qué están haciendo?

MODELO El profesor está ayudando a un estudiante.

32 Los pasatiempos

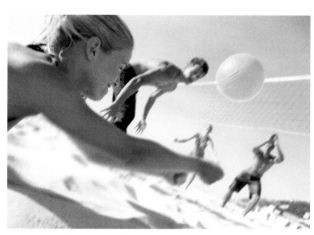

Write the names in Spanish of at least five or six of your favorite pastimes. Next to the list, add columns telling where you participate in the activity, how long you have done the activity and with whom you do the activity. Then, working with a partner, take turns asking and answering questions about each other's pastimes.

MODELO **A:** ¿Cuál es tu pasatiempo favorito?
B: Mi pasatiempo favorito es jugar al voleibol.
A: ¿Dónde juegas al voleibol?
B: Juego en la playa.
A: ¿Cuánto tiempo hace que tienes este pasatiempo?
B: Hace dos años que tengo este pasatiempo.

Juego al voleibol en la playa.

33 El tiempo libre

In small groups, talk about the activities and pastimes you enjoy during school breaks and vacation. Make sure each of you describes at least two activities/pastimes. Have a group member make a list of all the activities and pastimes you talk about and share the information with the class.

¡Nuestro pasatiempo favorito es el fútbol!

El juego del pato

En Argentina, el deporte más popular es el fútbol, pero el deporte nacional es el juego del pato[1]. Éste es un deporte hípico[2] similar al polo que se originó hace más de 4 siglos entre los gauchos[3] de Argentina.

Originalmente, el juego del pato se jugaba con un pato vivo[4] que se arrojaba hacia arriba[5] y dos grupos de jinetes[6] se atropellaban[7] para capturarlo y pasarlo unos a otros. Había tantos resultados trágicos que fue prohibido en 1822.

En 1937, el juego del pato volvió, reglamentado[8] y modernizado. Ya no se juega con un pato sino con una pelota blanca con seis asas[9]. Dos equipos de cuatro jugadores cada uno juegan en un campo de 220 metros por 90 metros. El objetivo del juego es pasar la pelota—a la que se llama pato—por un aro[10] que tiene un metro de diámetro. Los jugadores, a caballo, deben recoger[11] el pato y lanzarlo con la mano derecha. Es un deporte de fuerza[12] y habilidad, y aunque no es muy popular, es el deporte más tradicional de Argentina.

Pasando la pelota por el aro.

El juego del pato, el deporte nacional de la Argentina.

[1]the duck game [2]equine [3]Argentinian cowboys [4]live duck [5]thrown into the air [6]horsemen
[7]would trample each other [8]regulated [9]handles [10]hoop [11]pick up [12]strength

34 ¿Qué recuerdas?

Correct these false statements.

1. El juego del pato es el deporte más popular de Argentina.
2. Hace más de 40 años que se originó el juego del pato.
3. Originalmente, los gauchos jugaban al pato con una pelota blanca.
4. En 1953 fue prohibido el juego del pato.
5. Hoy, el juego del pato se juega entre dos jinetes.

- Why do you think *el juego del pato* is not very popular today among Argentines? Do you think it could become popular in the United States if it were introduced here? Explain.

35 Algo personal

1. ¿Cuál crees que es el deporte nacional de Estados Unidos?
2. ¿Qué deporte practican los *cowboys* de Estados Unidos?
3. ¿A qué deporte es el juego del pato similar? Explica.
4. ¿Te gustaría aprender a jugar al pato? ¿Por qué sí o por qué no?

¿Qué aprendí?

Visit the web-based activities at www.emcp.com

Autoevaluación

As a review and self-check, respond to the following:

1. What are your favorite leisure activities?
2. Name a sport that is very popular in Argentina.
3. Ask in Spanish if a friend can play volleyball tomorrow.
4. How long have you been studying Spanish?
5. Say four things people around you are doing right now.
6. A friend asks if you have your Spanish book. Answer by saying that you are looking for it.
7. What do you know about Argentina?

Palabras y expresiones

Pasatiempos
los aeróbicos
el ajedrez
el básquetbol
las cartas
las damas
el equipo
el fútbol americano
hacer aeróbicos
el pasatiempo
el programa
la telenovela
el videojuego
el voleibol

Otras expresiones
ahora mismo
antes de
¿Cuánto (+ time expression) hace que (+ present tense of verb). . . ?
después de
esta noche
hace (+ time expression) que
el minuto
mismo
(number +) vez/veces al/a la (time expression)

por la (mañana, tarde, noche)
el segundo
el siglo
todavía

Verbos
alquilar
apagar
costar (ue)
dar
dibujar
dormir (ue, u)
jugar (ue)
permitir
poder (ue, u)
recordar (ue, u)
volver (ue, u)

Expresiones y otras palabras
americano,-a
casi
el control remoto
estupendo,-a
la lista
mismo,-a
remoto,-a
el televisor
la vida

Estoy buscando un programa.

El control remoto.

1 Las estaciones

 Escoge la estación correcta, según lo que oyes.

2 Las estaciones en Chile

Contesta las siguientes preguntas.

1. ¿En qué estación pueden patinar sobre hielo en Chile?
2. ¿En qué meses hay flores en Chile?
3. ¿En qué meses están esquiando en Chile?
4. ¿Qué estación es en abril y mayo en Chile?
5. ¿Qué estación es en enero y febrero en Chile?
6. ¿Qué estación es en junio y julio en Chile?

¡Extra!

¿Cuándo es verano?

In the Southern Hemisphere, the seasons are the reverse of the seasons in the Northern Hemisphere. For this reason, people ski in Chile from June to August because it is winter there. Similarly, the summer months in Chile are December, January and February.

Diálogo I

¡Vamos a esquiar!

DIEGO: ¿Vamos a dar un paseo por la playa?

PABLO: No, gracias. Hace mucho calor.

ELENA: Yo prefiero montar en patineta.

PABLO: ¡Vamos a esquiar!

ELENA: ¡En enero no podemos esquiar en Chile!

PABLO: No, aquí, no. ¡Vamos a Colorado!

ELENA: ¡Qué tonto eres!

PABLO: Me gusta el invierno.

ELENA: ¡Ya está bien! Vamos a tomar un refresco.

3 ¿Qué recuerdas?

1. ¿Quién quiere dar un paseo por la playa?
2. ¿Por qué no quiere Pablo ir a la playa?
3. ¿Qué prefiere hacer Elena?
4. ¿Qué quiere hacer Pablo?
5. ¿A quién le gusta el invierno?

4 Algo personal

1. ¿Cuál es tu estación favorita? Explica.
2. ¿Qué te gusta hacer en tu estación favorita?
3. ¿Qué deportes practicas donde tú vives en la primavera? ¿Y en el verano? ¿Y en el otoño? ¿Y en el invierno?

5 ¿Qué actividades puedes hacer?

Escucha la información y di qué actividad o actividades puedes hacer.

MODELO Puedo montar en patineta en el parque.

Montamos en patineta.

La Isla de Pascua.

Chile

Mainland Chile is located along the western coast of South America between the Andes Mountains and the Pacific Ocean. The country also has many interesting islands, including the *Juan Fernández Islands,* where Robinson Crusoe lived for four years, and Easter Island *(Isla de Pascua),* an island with a mysterious past which is inhabited by people of Polynesian ancestry. Most Chileans live in urban areas, like the capital, Santiago. The

La región de los lagos (southern lakes region), Chile.

population is well educated and the country has a strong literary tradition: Chileans are very proud of their two Nobel Prize-winning poets, Gabriela Mistral and Pablo Neruda. Since much of Chile's population has European origins, it is not uncommon to encounter people of Italian, English, German, Irish or Polish ancestry, or to see street signs with names that are obviously not of Spanish origin. Indeed, the southern city of Puerto Montt was for many years a German colony and the liberator and first ruler of Chile was Bernardo O'Higgins.

When you visit, you will discover that Chile is a country of magnificent contrasts offering everything, from large cosmopolitan cities with the latest in modern-day conveniences and skyscrapers *(rascacielos)* that reach to the sky to the beautiful rustic countryside of the southern lakes region. Just a short distance away from cosmopolitan Santiago, ski resorts like Portillo or Farellones in the Andes Mountains and resort beaches near Viña del Mar offer an escape from the pressures of modern life.

Los rascacielos de Santiago.

6 Chile

Contesta las siguientes preguntas sobre Chile.

1. ¿Está Chile en América del Sur o en América del Norte?
2. ¿Qué montañas están en Chile?
3. ¿Qué océano está al oeste de Chile?
4. ¿En qué isla vive gente de ancestro polinesio?
5. ¿Cuál es la capital del país?
6. ¿Quién es una persona famosa de Chile?
7. ¿Adónde puede uno ir a esquiar? ¿Y a nadar en la playa?

7 Conexiones con otras disciplinas: geografía

Use an encyclopedia or search the Internet for information about Chile. Then list four or five interesting details about places mentioned in the *Cultura viva* (e.g., Juan Fernández Islands, Isla de Pascua, Viña del Mar, etc.).

Idioma

Estructura

Verbs that require special accentuation

Sometimes verbs that end in *-uar* or *-iar* (*esquiar, enviar* and *continuar,* for example) require a written accent mark to indicate that a vowel should be stressed for all present-tense forms except for *nosotros*. You will have to learn which verbs follow this pattern since some verbs that end in *-uar* or *-iar* may not follow this pattern (such as the verb *copiar*).

esquiar: esqu**í**o, esqu**í**as, esqu**í**a, esquiamos, esqui**á**is, esqu**í**an
enviar: env**í**o, env**í**as, env**í**a, enviamos, envi**á**is, env**í**an
continuar: contin**ú**o, contin**ú**as, contin**ú**a, continuamos, continu**á**is, contin**ú**an

but:

copiar: copio, copias, copia, copiamos, copi**á**is, copian

Práctica

8 Todos hacen algo

Indica qué hacen estas personas cuando tienen tiempo libre.

MODELO   Yo (esquiar) con mis padres.
         Yo esquío con mis padres.

1. Eva y Luis (esquiar) en Portillo.
2. Claudia (copiar) canciones de la internet.
3. Tú (continuar) dando paseos por el parque.
4. Sara y Paz (enviar) correos electrónicos a sus amigos.
5. Nosotros (esquiar) en Farillones.
6. Yo (continuar) montando en patineta, mi actividad favorita.
7. Alberto (ver) DVDs.
8. Victoria (patinar) sobre hielo.
9. Mamá (enviar) cartas a mis abuelos.

Yo esquío con mis padres.

9 ¿Qué pasa?

Read the following statements and indicate where there are missing accent marks. Then identify the letter of the illustration that best matches each statement.

1. Hace calor y juegan al básquetbol.
2. Esquiamos todos los días.
3. Ellos continuan patinando sobre hielo.
4. Ella copia el número de teléfono.
5. Continua haciendo sol.
6. Él envia una carta.
7. Está nublado.
8. Ellos esquian ahora mismo.

A

B

◈ Comunicación

10 Un correo electrónico

Imagine you have a key pal in Chile. Write an e-mail telling him or her about your home and school life. You may want to say, for example, that you like to ski during the winter, that you and your family ski once a month, that you would like to go to Portillo, that you continue studying Spanish at school and that you are sending pictures of you and your family with the e-mail. Add any other details you would like.

Yo envío un correo electrónico a Chile.

Present tense of *dar* and *poner*

The verbs *dar* and *poner* have irregular present-tense *yo* forms. In addition, the verb *dar* has an irregular *vosotros,-as* form. Other verbs that are regular in the present tense except for the *yo* form of the verbs: *hacer (yo hago)*, *saber (yo sé)*, *ver (yo veo)*, *salir (yo salgo)*.

dar	
doy	damos
das	**dais**
da	dan

poner	
pongo	ponemos
pones	ponéis
pone	ponen

Práctica

11 ¿Dan un paseo a pie o en carro?

Create logical sentences using the expression *dar un paseo* and either *a pie* or *en carro*, according to what makes the most sense.

MODELO Enrique / por el parque
Enrique da un paseo por el parque a pie.

1. yo / por la playa
2. tú / por la ciudad
3. nosotros / por el centro
4. Marta y Esperanza / por la calle
5. mi amigo / por la Avenida de la Independencia
6. mis padres / por la plaza

Ellas dan un paseo a pie. (Bariloche, Argentina.)

12 ¡Ponen todo en su lugar!

Completa las oraciones con la forma apropiada del verbo *poner*.

MODELO Elena pone la patineta en su cuarto.

1. Paz __ las flores en la mesa del comedor.
2. Yo __ los papeles en el escritorio.
3. Carlos y Paula __ sus bicicletas en el garaje.
4. Mi padre __ el televisor en la sala.
5. Tú __ la leche en el refrigerador.
6. Todos nosotros __ los cubiertos sucios en el lavaplatos.

Completa el siguiente párrafo con la forma apropiada de *comer, poner, dar,*
salir **y** *ver* **para saber por qué Sara dice que le gusta la primavera.**

En la primavera yo siempre (1) con mi madre los domingos por la mañana a
buscar flores. Yo (2) flores por toda la casa. Casi todas las mañanas yo (3)
paseos por el parque con mi hermana y por la tarde alquilamos películas en
una tienda cerca de la casa para verlas por la noche. Mi padre siempre me (4)
dinero para alquilarlas. Claro, a veces, nosotros no las (5) porque (6) a dar un
paseo por la noche y entonces no hay tiempo
para verlas. Ahora mis hermanos y yo (7) la
mesa para la comida. Hoy vamos a (8) en el
patio porque no hace calor y no llueve. ¡Me
gusta la primavera!

Pongo flores por toda la casa.

◈ Comunicación

  Preguntas personales

 **En parejas, alternen en hacer y contestar las
siguientes preguntas en español.**

1. ¿Qué haces cuando tienes tiempo libre?
2. ¿Te gusta dar paseos? ¿Dónde?
3. ¿Dan tu familia y tú paseos en carro los fines de
   semana? ¿Adónde van?
4. ¿Cómo das paseos en el verano? ¿En carro? ¿A pie? ¿En bicicleta?
5. ¿Dan tus amigos y tú paseos en el verano? ¿Adónde?
6. ¿En qué estación del año te gusta más dar paseos? ¿Por qué?
7. ¿Adónde vas de viaje con tu familia en el verano? ¿En la primavera? ¿En el
   otoño? ¿En el invierno?
8. ¿Quién pone las maletas en el carro cuando vas de viaje con tu familia?
9. ¿Pones flores en tu casa en la primavera? ¿Quién las pone?
10. ¿Dónde pones tu mochila en las vacaciones, cuando no hay clases?

15 **¿Qué actividades haces?**

 **Working in small groups, talk about the activities you enjoy during different
times of the year according to the season. Include activities such as going for
a walk, taking rides, skiing, ice-skating, watching television or any other
favorite pastimes. Include details such as when and with whom you do an
activity, what the weather is like at that time of year and why you like or
dislike the activity.**

MODELO **A:** ¿Qué actividades haces en el verano?
        B: En el verano doy paseos por las playas de Viña del Mar todos los fines de
        semana. Siempre voy con mi padre y caminamos por una hora.

el corredor

		Corredor Nº
primero	1º	208
segundo	2º	103
tercero	3º	501
cuarto	4º	931
quinto	5º	002
sexto	6º	321
séptimo	7º	711
octavo	8º	600
noveno	9º	820
décimo	10º	030

16 ¿Quién es?

 Selecciona la foto de la persona apropiada.

A   **B**   **C**   **D**   **E**   **F**
3   5   1   4   2   6

17 El tiempo

Contesta las siguientes preguntas en español.

1. ¿En qué estación hace mucho frío?
2. ¿En qué estación llueve mucho?
3. ¿Cuándo hace mucho calor?
4. Cuando va a llover, ¿cómo está el día?
5. ¿Qué tiempo hace en primavera? ¿Y en verano? ¿Y en otoño? ¿Y en invierno?

18 ¿Qué tiempo hace?

 In small groups, take turns describing the weather during one of the seasons without naming the season. Others then try to guess which season you are describing.

Diálogo II

¿Qué temperatura hace?

DIEGO: ¡Qué buen refresco!

PABLO: ¿Qué temperatura hace?

ELENA: Hace calor. Hace treinta y cinco grados.

DIEGO: ¡Vamos a jugar al básquetbol!

PABLO: Soy mal jugador de básquetbol.

ELENA: Eres un buen basquetbolista.

PABLO: No, soy un buen esquiador.

ELENA: En julio podemos ir a esquiar a Portillo.

DIEGO: ¿Quién va a ser el primero en terminar el refresco?

PABLO: ¡Yo! Y el segundo vas a ser tú.

19 ¿Qué recuerdas?

1. ¿Dice Elena que hace calor o hace frío?
2. ¿A qué quiere jugar Diego?
3. ¿Quién es un buen esquiador?
4. ¿Adónde pueden ir a esquiar en julio?
5. ¿Quién va a ser el primero en terminar el refresco?

20 Algo personal

1. ¿Qué temperatura hace ahora?
2. ¿Qué tiempo hace?
3. ¿Te gusta cuando hace mucho calor? ¿Y cuando hace frío?

21 ¿Qué tiempo hace?

Selecciona la ilustración que corresponde con lo que oyes.

A B C

D E F

Cultura viva

¿Fahrenheit o centígrados?

Whereas in the United States most people generally refer to the temperature in degrees Fahrenheit *(grados Fahrenheit)*, throughout most of the world the temperature is given in degrees centigrade, also referred to as degrees Celsius *(grados centígrados o grados Celsius)*. To ask for and understand the temperature in Spanish, you must know more than just the words that tell the temperature. You must be able to use degrees centigrade. For example, the temperature at which water freezes is

Hace mucho calor.

Hace -5 grados centígrados.

0 in degrees centigrade and 32° in degrees Fahrenheit. You can make conversions using the following formula:

$$\frac{°C}{5} \times 9 + 32 = °F$$

---

22 Conexión con otras disciplinas: matemáticas

Cambia las temperaturas de grados centígrados a grados Fahrenheit para las siguientes ciudades en Chile.

MODELO La Serena 12°C
Hace 53.6°F.

1. Iquique   28°C
2. Arica   25°C
3. Concepción   20°C
4. Santiago   35°C
5. Balmaceda   30°C
6. Puerto Montt   18°C
7. Temuco   15°C
8. Punta Arenas   9°C

¿Qué temperatura hace en Santiago?

23 Pronóstico del tiempo

Present a weather forecast to your class in Spanish using any props, charts and maps you wish or ones that you create. Make believe you are an actual meteorologist reporting for the ten o'clock news.

Idioma

Describing people using -*dor* and -*ista*

You can identify someone who participates in a particular sport or activity by changing the ending on the sport to -*dor* (-*dora*) in some cases or -*ista* in others (which remains the same for males or females).

patinar	– el patina**dor** /la patina**dora**	el tenis	– el/la ten**ista**
esquiar	– el esquia**dor**/la esquia**dora**	el básquetbol	– el/la basquetbol**ista**
correr	– el corre**dor**/la corre**dora**	el fútbol	– el/la futbol**ista**
jugar	– el juga**dor**/ la juga**dora**		

Note: The accent mark is not used on the newly formed word when these endings are added.

Práctica

24 ¿Qué son?

Describe a estas personas usando las siguientes palabras: *basquetbolista, beisbolista, corredor(a), deportista, esquiador(a), futbolista, nadador(a), patinador(a), tenista.*

MODELO Mis primas nadan en la piscina.
Son nadadoras.

1. Juan está jugando al fútbol.
2. Beatriz está patinando sobre hielo.
3. Nosotros tenemos práctica de deportes.
4. Marta está jugando al tenis.
5. Jorge e Iván esquían muy bien.
6. Estoy jugando al básquetbol.
7. Tú estás listo para jugar al béisbol.
8. Estoy corriendo en el parque.

Juan está jugando al fútbol.

Di qué deportes practican las personas de las fotografías.

MODELO Es beisbolista.

1   2   3

4   5   6

 ## Comunicación

26 Mis deportistas favoritos

In small groups, talk about your favorite athletes. Try to include the names of one or two Spanish-speaking athletes, if possible. Say the person's name, sport and where the person is from (if you know). If the person plays with a team, name the team. Be as specific and detailed as you can, and add any information you can to your classmates' descriptions.

MODELO
A: Mi deportista favorito es Sammy Sosa. Es beisbolista y es de la República Dominicana.
B: Juega con Chicago, ¿verdad?
A: Sí. Juega con Chicago.
C: Pues, mi deportista favorito es un basquetbolista. Se llama Pau Gasol.

¡Oportunidades!

El español y los deportes
You probably are familiar with a number of Spanish-speaking sports figures who learned English either before becoming famous or while traveling internationally as they participated in their sport. Knowing another language has helped them communicate with people they have met in their travels. What opportunities do you think might occur for you if you participate in sports and become really good? How might knowing Spanish help you if you are an athlete? Can you think of ways Spanish might help if you were a member of a sports team that competes internationally?

Using ordinal numbers

You use ordinal numbers to place things in order (first, second, third, etc.). In Spanish, only the first ten ordinal numbers are used often. They generally follow definite articles and precede nouns. Like other adjectives in Spanish, the ordinal numbers agree in gender (masculine/feminine) and number (singular/plural) with the noun they modify.

> *¿Cuáles son los **primeros** corredores en terminar?*

When *primero* and *tercero* appear before a masculine singular noun, they are shortened to *primer* and *tercer.*

> *Francisco es el **primer** corredor en terminar.*
> *Lorenzo es el **tercer** corredor en terminar.*

You can abbreviate ordinal numbers ending in *-o, -a, -os, -as* or *-er* by placing those letters at the upper right-hand side of the number: *primero → 1º, primera → 1ª, primeros → 1ᵒˢ, primeras → 1ᵃˢ, primer → 1ᵉʳ, tercer → 3ᵉʳ.*

Práctica

27 La competencia anual del colegio

El Colegio San Ignacio de Santiago tiene una competencia de esquí en Portillo todos los años. Completa los resultados de la competencia de este año con el número ordinal apropiado.

MODELO   Ingrid fue la <u>décima</u> esquiadora en terminar.

Competencia Anual			
1ª	Olga	6º	Javier
2º	Edgar	7ª	Paula
3º	Hugo	8ª	Paz
4ª	Natalia	9º	Alfonso
5º	Enrique	10ª	Ingrid

1. Javier fue el _/_ esquiador en terminar.
2. Paula fue la __ esquiadora en terminar.
3. Alfonso fue el __ esquiador en terminar.
4. Paz fue la __ esquiadora en terminar.
5. Hugo fue el __ esquiador en terminar.
6. Olga fue la __ esquiadora en terminar.
7. Edgar fue el __ esquiador en terminar.
8. Natalia fue la __ esquiadora en terminar.
9. Enrique fue el __ esquiador en terminar.
10. Ingrid fue la __ esquiadora en terminar.

Ingrid fue la décima esquiadora en terminar.

Irene loves soccer and would like to find out the standings for her favorite Chilean teams. Use the information provided in the chart to update her.

Tabla de posiciones

Equipos	PJ	PG	PE	PP	Pts.
1. Palestino	38	32	2	4	66
2. Everton	38	30	4	4	64
3. Colo Colo	38	27	5	3	59
4. Cobresal	38	24	3	11	51
5. Concepción	38	23	2	13	48
6. La Española	38	20	5	13	45
7. O'Higgins	38	18	6	14	42
8. La Católica	38	15	10	13	40
9. Cobreloa	38	12	5	21	29
10. La Serena	38	9	7	22	25

PJ: Partidos jugados; PG: Partidos ganados; PE: Partidos empatados; PP: Partidos perdidos; Pts.: Puntos

1. El Cobresal es el __ equipo.
2. El O'Higgins es el __ equipo.
3. El Colo Colo todavía es el __ equipo.
4. El Concepción es el __ equipo.
5. La Serena es el __ equipo.

6. La Católica es el __ equipo.
7. El Everton es el __ equipo.
8. El Palestino es el __ equipo.
9. El Cobreloa es el __ equipo.
10. La Española es el __ equipo.

◈ Comunicación

Working in pairs, talk about the final results of the girls' and boys' cross-country race.

MODELO A: ¿Quién fue el octavo en terminar?
B: Gerardo fue el octavo en terminar.

muchachos	muchachas
1º Jorge	1ª Ana
2º Pedro	2ª Marta
3º Carlos	3ª Susana
4º Ramiro	4ª Paula
5º Juan	5ª Julia
6º Javier	6ª Luisa
7º Alejandro	7ª Yolanda
8º Gerardo	8ª Raquel
9º Rogelio	9ª Carlota
10º Víctor	10ª Paz

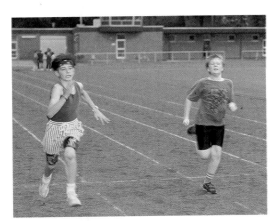

¿Quién va a ser el primero en terminar?

David and Teresa are fraternal twins, so they have a lot in common. However, they like to participate in totally different sports. Working in pairs, talk about the information provided here depicting their activities during various times during the year. You may want to talk about what each person is doing, what the season is, what the weather is like or anything else you can say in Spanish. Correct any information your partner says that you think is wrong.

1 **2**

3

MODELO A: En el primer dibujo es otoño.

B: No, no es otoño, es primavera. Hace viento. El chico está jugando al básquetbol.

A: Sí, y la chica está jugando al tenis.

31 En el verano

In groups of three, each of you should list five summer activities in order from most to least favorite, using ordinal numbers. Then discuss your preferences.

1º ir a la playa
2º dar paseos por el parque
3º jugar al fútbol

MODELO **A:** Primero, me gusta ir a la playa en el verano. Hace sol y es muy divertido. Segundo, me gusta dar paseos por el parque.

B: Bueno, primero me gusta dormir.

C: A mí, primero, me gusta montar en patineta.

Una playa en Chile.

Lectura personal

Cantantes y grupos musicales

Dirección http://www.emcp.com/músico/ola/e.diario-6.htm ▲ Archivo Edición Ver Favoritos Herramientas Ayuda

página principal   miembros   e-diario

Grupo musical La OLA

Nombre: Carlos Cubillas Lorca
Edad: 19 años
País natal: Chile
Su estación favorita: verano

Un glaciar.

¡Otro excelente concierto en Santiago de Chile! Saben amigos, estoy muy contento de estar en mi país después de tantos meses. Eché de menos[1] mis montañas. Chile tiene 4200 kilómetros (2260 millas) de cordillera[2]. Desde casi cualquier[3] lugar de la capital se puede ver la majestuosa Cordillera Sur de los Andes. Cuando no toco la guitarra con el grupo La Ola, practico el andinismo: deporte de escalar[4] montañas, específicamente los Andes. ¡Me gusta mucho el andinismo! Después de enviar este mensaje, voy a ir al Monumento Natural de El Morado con un buen amigo (y excelente esquiador).

El Morado está a sólo hora y media de Santiago. El parque está cerrado entre[5] los meses de mayo y septiembre porque hay mucha nieve, pero estamos en otoño, entonces está bien. El primer día vamos a dar un paseo por la laguna[6] El Morado. Probablemente va a hacer fresco. El segundo día, en cambio, va a hacer mucho frío. Ese día pensamos escalar en hielo por el glaciar de San Francisco. A pesar de las bajas temperaturas, la falta[7] de oxígeno y el viento, vale la pena[8] visitar este lugar para poder presenciar[9] la magia de las montañas, mis montañas chilenas.

[1]I missed [2]mountain chain [3]any [4]climb [5]between [6]lagoon [7]lack [8]it is worthwhile [9]to witness

32 ¿Qué recuerdas?

1. ¿De dónde es Carlos? ¿Qué deporte practica?
2. ¿Qué se puede ver desde Santiago de Chile?
3. ¿Qué es el Monumento Natural de El Morado? ¿En qué estación está cerrado? ¿Por qué?
4. ¿Adónde va a dar un paseo Carlos el primer día?
5. ¿Qué tiempo va a hacer el segundo día?

> • From what you can infer from the reading, what is Chile's geography and climate like? Compare it with the geography and climate of the state in which you live.

33 Algo personal

1. ¿Hay montañas donde vives? ¿Cómo se llaman?
2. ¿Te gustaría escalar El Morado? ¿Por qué sí o por qué no?
3. ¿Qué estación es buena para practicar el andinismo?

¿Qué aprendí?

Autoevaluación
As a review and self-check, respond to the following:

1. Name a favorite activity during each of the seasons.

2. What is the weather like where you live in the spring? Summer? Fall? Winter?

3. How would you ask what the temperature is today in Santiago, Chile?

4. Ask a friend how to send an e-mail letter and where you should put the address.

5. Imagine you are recording finishing times at a school track meet and it is your job to rank the runners as they finish. Using the ordinal numbers, count the first ten runners to cross the line in order to tell each runner where they are ranked.

6. What do you know about Chile?

Palabras y expresiones

El tiempo
el cambio
está nublado,-a/ soleado,-a
la estación
el fresco
el grado
hace (+ weather expression)
hay neblina/sol
el hielo
el invierno
la lluvia
máximo,-a
mínimo,-a
la neblina
la nieve
nublado,-a
el otoño
la primavera
¿Qué tiempo/ temperatura hace?

el sol
soleado,-a
la temperatura
el tiempo
el viento

Para describir
buen
cuarto,-a
décimo,-a
excelente
listo,-a
mal
noveno,-a
octavo,-a
quinto,-a
segundo,-a
séptimo,-a
sexto,-a
tercero (tercer),-a
todavía

Deportistas
el basquetbolista, la basquetbolista
el corredor, la corredora
el deportista, la deportista
el esquiador, la esquiadora
el futbolista, la futbolista
el jugador, la jugadora
el patinador, la patinadora
el tenista, la tenista

Verbos
continuar
copiar
enviar
esquiar
llover (ue)
montar en patineta
nevar (ie)
patinar sobre hielo

Expresiones y otras palabras
dar un paseo
en cambio
la flor
el lugar
el paseo
la patineta
por
por todos lados

Tú lees

Previewing

Before starting to read, try various activities that will help you preview what the reading is about. For example, you will understand more and enjoy what you are about to read on this page if you quickly skim the first and last paragraph of the following reading.

Preparación

Contesta las siguientes preguntas como preparación para la lectura.

1. ¿Cuál es el tema principal de esta lectura?
2. ¿Cuál es el deporte más popular del mundo hispano?
3. Identifica cinco cognados en la lectura *El mundo de los deportes.*

Previewing Activities

Read the title.
Look for cognates.
Skim the first paragraph.
Skim the last paragraph.
Look at information in accompanying charts.
Ask yourself what the main points are.

El mundo de los deportes

Los deportes son populares e importantes en el mundo hispano, y el fútbol es sin duda alguna[1] el deporte favorito de todos. Miles de personas ven los partidos de fútbol todas las semanas y la Copa Mundial[2] de fútbol es el evento más importante del mundo deportivo. Millones de personas en todo el mundo miran los partidos de la Copa Mundial y se contagian de la fiebre del "¡Gol!"[3]. La Copa Mundial sólo se juega una vez cada cuatro años y países de todo el mundo participan en este gran espectáculo del deporte.

El béisbol es otro deporte muy popular en el Caribe, especialmente en Cuba, la República Dominicana y Puerto Rico. También es muy popular en algunas regiones de México y en

Futbolistas de Inglaterra y Argentina en la Copa Mundial.

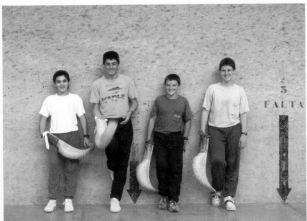
Estos chicos juegan al jai alai.

Venezuela. Muchos jugadores de estos países juegan en las grandes ligas de los Estados Unidos. Algunos[4] de los jugadores más famosos de todos los tiempos son hispanos, como Pedro Martínez y Sammy Sosa (de la República Dominicana) y Roberto Clemente (de Puerto Rico).

El boxeo (también llamado[5] el deporte de las narices chatas[6]), el frontón[7], el jai alai y el ciclismo son también deportes populares en los países hispanos. Estos dos últimos también son muy populares en España, junto con[8] el básquetbol (también llamado baloncesto).

En el mundo hispano se practican muchos otros deportes y desde hace décadas los hispanos, al igual que[9] el resto del mundo, practican deportes no sólo como pasatiempo, sino también para mantener buena salud[10] y una vida activa.

[1]Without a doubt   [2]World Cup   [3]they all catch "goal" fever   [4]Some   [5]called   [6]flat noses   [7]a sport similar to squash or handball   [8]along with   [9]just as   [10]good health

A ¿Qué recuerdas?

El ciclismo es popular en los países hispanos.

1. ¿Cómo son los deportes en el mundo hispano?
2. ¿Qué ven miles de personas cada semana?
3. ¿Cuál es el evento más importante en el fútbol?
4. ¿Qué deporte es muy popular en la región del Caribe?
5. ¿Qué otros deportes son populares en el mundo hispano?

B Algo personal

1. ¿Haces alguno de estos deportes? ¿Cuál? ¿Dónde? ¿Con quién?
2. ¿Cuál es tu deporte favorito?
3. ¿Cuánto tiempo hace que haces ese deporte?
4. ¿Sabes algo de los deportes en el mundo hispano? ¿Qué sabes?
5. ¿Ves muchos deportes en la televisión? ¿Cuáles?

Nuestro deporte favorito es el béisbol.

Tú escribes

Estrategia

Questioning

The steps you are learning to take to improve a composition are sometimes referred to as the writing process. For example, after selecting a topic, coming up with ideas to include in the composition can be challenging. However, you have learned one technique to overcome this difficulty: brainstorming for ideas. Another way to get started involves answering questions that will guide you in considering your theme from different points of view.

Answer the questions that follow in order to generate ideas for writing on the theme *Mi tiempo libre*. Then select some of the ideas that you like and write a paragraph about your free time. Remember to incorporate some transition words *(en cambio, entonces, pero)* to tie your ideas together and make your composition flow smoothly.

1. ¿Cuáles de estas actividades te gustan?

montar en patineta	practicar deportes
ver la tele	escuchar música
leer revistas	esquiar
ir a un concierto	ir a partidos de béisbol, fútbol, etc.
hacer ejercicios	montar a caballo
montar en bicicleta	hacer un picnic
ir al cine	trabajar con la computadora
ir de compras	tocar un instrumento musical
patinar sobre hielo	ir a fiestas con amigos
dar un paseo	hablar por teléfono

2. ¿Qué otras actividades te gusta hacer?
3. Completa estas frases pensando en lo que te gusta hacer.
   - **A.** En el verano, me gusta....
   - **B.** En el invierno, me gusta....
   - **C.** Cuando hace mal tiempo, yo....
   - **D.** Cuando estoy enfermo/a, prefiero....
   - **E.** Si estoy aburrido/a, yo....
   - **F.** Cuando estoy solo/a, me gusta....
   - **G.** Cuando estoy con mi familia, prefiero....
   - **H.** Cuando estoy con mis amigos....
   - **I.** Si tengo dinero, me gusta....
   - **J.** Cuando no tengo dinero, prefiero....

Proyectos adicionales

A Comunidades

Using the Internet, the newspaper, information from family and friends, etc., find out what you can about five well-known athletes in your local community or state (try to find at least one person who speaks Spanish). Try to find out where they are from, where they live, whether they speak Spanish, what they do when they have free time or anything else that interests you. Then write two or three statements describing each person.

B Comparisons

Compare sports where you live with what you know about sports in Spanish-speaking countries. Are the same sports popular? Does the weather have an effect on the sports being practiced? Are the sports played at the same time of the year? During the same season?

C Conexión con la tecnología

Using the Internet, visit a Web site that gives weather information for different cities around the world. Find the current weather conditions for several Spanish-speaking countries. Then write several paragraphs in Spanish to summarize what you find. Be sure to include the following information: identify the different symbols used to represent weather conditions, describe today's weather in several cities, give the current temperature, tell what season it is and predict what people are doing now due to the weather.

Santiago 22.7 °C (73 °F)
Valparaiso 17.6 °C (64 °F)

Santiago 9 °C (48 °F)
Valparaiso 11.4 °C (53 °F)

ANNUAL AVERAGE
Santiago 384 mm (15.1 inches)
Valparaiso 462.6 mm (18.2 inches)

Repaso

Now that I have completed this chapter, I can...

	Go to these pages for help:
talk about leisure time activities	270
discuss sports	271
say what someone can do	274
discuss length of time	280
describe what is happening	282
talk about the seasons and weather	290, 298
indicate order	304

I can also...

talk about life in Argentina and Chile.	273, 293
talk about television and renting movies.	276
convert temperatures from centigrade to Fahrenheit.	301
understand a weather forecast in Spanish.	313

Trabalenguas

Es primavera: ¡Cuántas flores florean en el florido campo!

Vocabulario

los **aeróbicos** aerobics 7A
ahora mismo right now 7A
el **ajedrez** chess 7A
alquilar to rent 7A
americano,-a American 7A
antes de before 7A
apagar to turn off 7A
el **básquetbol** basketball 7A
el **basquetbolista,** la **basquetbolista** basketball player 7B
buen good 7B
el **cambio** change 7B
las **cartas** playing cards 7A
casi almost 7A
continuar to continue 7B
el **control remoto** remote control 7A
copiar to copy 7B
el **corredor,** la **corredora** runner 7B
costar (ue) to cost 7A
¿Cuánto (+ *time expression*) **hace que** (+ *present tense of verb*) ... **?** How long ... ? 7A
cuarto,-a fourth 7B
las **damas** checkers 7A
dar un paseo to go for a walk, to go for a ride 7B
dar to give 7A
décimo,-a tenth 7B
el **deportista,** la **deportista** athlete 7B
después de after 7A
dibujar to draw, to sketch 7A
dormir (ue, u) to sleep 7A
en cambio on the other hand 7B
enviar to send 7B
el **equipo** team 7A
el **esquiador,** la **esquiadora** skier 7B
esquiar to ski 7B
esta noche tonight 7A
está nublado,-a/soleado,-a it's cloudy, it's sunny 7B
la **estación** season 7B

estupendo,-a wonderful, marvelous 7A
excelente excellent 7B
la **flor** flower 7B
el **fresco** cool 7B
el **fútbol americano** football 7A
el **futbolista,** la **futbolista** soccer player 7B
el **grado** degree 7B
hace (+ *time expression*) **que** (*time expression* +) ago 7A
hace (+ *weather expression*) it is (+*weather expression*) 7B
hacer aeróbicos to do aerobics 7A
hay neblina/sol it is misting/it is sunny 7B
el **hielo** ice 7B
el **invierno** winter 7B
el **jugador,** la **jugadora** player 7B
jugar (ue) to play 7A
la **lista** list 7A
listo,-a ready 7B
llover (ue) to rain 7B
la **lluvia** rain 7B
el **lugar** place 7B
mal bad 7B
la **maquinita** little machine, video game 7A
máximo,-a maximum 7B
mínimo,-a minimum 7B
el **minuto** minute 7A
mismo,-a same 7A
montar en patineta to skateboard 7B
la **neblina** mist 7B
nevar (ie) to snow 7B
la **nieve** snow 7B
noveno,-a ninth 7B
nublado,-a cloudy 7B
octavo,-a eighth 7B
el **otoño** autumn 7B
el **pasatiempo** pastime, leisure activity 7A
el **paseo** walk, ride, trip 7B
el **patinador,** la **patinadora** skater 7B

patinar sobre hielo to ice-skate 7B
la **patineta** skateboard 7B
permitir to permit 7A
poder (ue, u) to be able to 7A
por la mañana in the morning 7A
por la noche at night 7A
por la tarde in the afternoon 7A
por todos lados everywhere 7B
por by 7B
la **primavera** spring 7B
el **programa** program 7A
¿Qué temperatura hace? What is the temperature? 7B
¿Qué tiempo hace? How is the weather? 7B
quinto,-a fifth 7B
recordar (ue, u) to remember 7A
remoto,-a remote 7A
el **segundo** second 7A
segundo,-a second 7B
séptimo,-a seventh 7B
sexto,-a sixth 7B
el **siglo** century 7A
el **sol** sun 7B
soleado,-a sunny 7B
la **telenovela** soap opera 7A
el **televisor** television 7A
la **temperatura** temperature 7B
el **tenista,** la **tenista** tennis player 7B
tercero (tercer),-a third 7B
el **tiempo** weather 7B
todavía yet 7A
todavía still 7B
(*number* +) **vez/veces al/a la** (*time expression*) (*number* +) time (s) per (+*time expression*) 7A
la **vida** life 7A
el **viento** wind 7B
el **voleibol** volleyball 7A
volver (ue, u) to return, to go back, to come back 7A

Capítulo 8

Mis quehaceres

Objetivos

- ❖ **talk about household chores**
- ❖ **say what just happened**
- ❖ **ask for and offer help**
- ❖ **talk about the past**
- ❖ **identify and describe foods**
- ❖ **discuss food preparation**
- ❖ **make comparisons**

Visit the web-based
activities at
www.emcp.com

Vocabulario I

Los quehaceres

colgar la ropa

hacer la cama

doblar la ropa

Quizás debo sólo adornar esta pared.

cocinar/preparar la comida

limpiar

Felicidades

adornar

el abrigo

Ramón sube algo al primer piso.
Él le sube una camisa a su hermano.

En la familia García hay mucha gente.
Ellos son nueve personas.
Juntos hacen los quehaceres de la casa.

El abuelo acaba de llegar y deja su abrigo en la sala.

work in the garden
trabajar en el jardín

1 ¿Qué tienen que hacer?

Write the names Julia and Enrique. Next, listen and list under each of their names what chores (*quehaceres*) each of them has to do. Then circle any items on the lists that they both have to do. The first one has been done for you.

MODELO

Julia   Enrique
adornar la sala

2 La familia García

Contesta las siguientes preguntas, según la información en el Vocabulario I.

1. ¿Quién acaba de llegar?
2. ¿Dónde deja el abrigo el abuelo?
3. ¿Qué le sube Ramón a su hermano?
4. ¿Hay mucha gente en la familia García? ¿Cuántas personas son?
5. ¿Hacen juntos los quehaceres?
   together

3 Tu familia

Haz una lista de los quehaceres que hacen en tu casa según lo que aprendiste en el Vocabulario I. Luego, di quién hace cada uno de esos quehaceres en tu familia.

hacer las camas   mi hermana
limpiar la sala   yo
limpiar la cocina   mi padre y mi madre

Diálogo I

¿Me ayudas?

INÉS: Víctor, ¿qué haces?
VÍCTOR: Hago unos quehaceres.

INÉS: ¡Qué aburrido! ¿Por qué no vamos al cine?
VÍCTOR: Tengo que terminar de limpiar la casa. ¿Me ayudas?
INÉS: Sí, dejo mi abrigo aquí y te voy a limpiar la cocina.

INÉS: Bueno, la cocina ya está limpia. Hola, señora Zea.
SRA. ZEA: Hola, Inés. Hola, Víctor. ¡Qué casa tan limpia!
VÍCTOR: Gracias, mamá. Ahora voy al cine con Inés.

4 ¿Qué recuerdas?

1. ¿Qué hace Víctor?
2. ¿Adónde quiere ir Inés?
3. ¿Qué tiene que terminar Víctor primero?
4. ¿Qué limpia Inés?
5. ¿Qué dice la Sra. Zea?

5 Algo personal

1. ¿Cómo ayudas con los quehaceres en casa?
2. ¿Piensas que hacer los quehaceres es aburrido? Explica.
3. ¿Te gusta ir al cine?

6 ¿Me ayudas?

 Mira las tres fotos que van con el diálogo y di si lo que oyes va con la primera, la segunda o la tercera foto.

MODELO   Va con la tercera foto.

Todos ayudan en la cocina.

Cultura viva

España: país multicultural

Spain's culture and diverse population today reflect the influence of people from many different ethnic groups and races over thousands of years. For example, cave paintings indicate people lived in an area *(Altamira)* of northern Spain between 25,000 and 10,000 B.C. Over 4,000 years ago the Iberians *(íberos)* invaded the area

Córdoba es una ciudad bonita.

Granada, España.

that would later be named the Iberian Peninsula *(Península Ibérica)* and that is shared today by Spain and Portugal. In 1100 B.C., the Phoenicians *(fenicios)* from present day Lebanon founded cities where *Cádiz* and *Málaga* are located. Blue-eyed, blond Celts *(celtas)* traveled from northern Europe south to Spain between 800 and 700 B.C., which explains why many Spaniards have those features today. The Greeks *(griegos),* who arrived between 800 and 700 B.C., along with the Phoenicians, brought with them olive trees and grapevines. As a result, both olives *(aceitunas)* and grapes *(uvas)* are important products in Spain's economy today. Many other people

arrived later: the Carthaginians *(cartagineses)* from the area known today as Tunisia; the Romans *(romanos),* who introduced Latin, which evolved into Spanish; the Visigoths *(visigodos)* from Germany; and the Arabs from northern Africa, also called Moors *(moros),* who introduced the cultivation of rice *(arroz)* and oranges *(naranjas)* and turned *Córdoba* and *Granada* into important and prestigious cities. By the time the Moors were defeated in Granada and removed from power in 1492 by the Catholic monarchs Ferdinand *(Fernando)* and Isabella *(Isabel),* many elements in contemporary Spain had taken root and are still evident today.

Los Reyes Católicos, Isabel y Fernando.

---

7 **Conexiones con otras disciplinas:** historia y ciencias sociales

Conecta la información de las dos columnas de una manera lógica.

1. los griegos y los fenicios
2. los moros
3. los celtas
4. los romanos
5. los fenicios
6. 25,000–10,000 B.C.

A. el latín
B. Altamira
C. el arroz y las naranjas
D. Cádiz y Málaga
E. las aceitunas y las uvas
F. rubios

Idioma

Repaso rápido: direct object pronouns

You have already learned that direct object pronouns can precede conjugated verbs, attach to the end of an infinitive or attach to the end of a present participle.

me	nos
te	os
lo/la	los/las

Remember to add an accent mark to the present participle in order to maintain the original pronunciation of the present participle without the pronoun.

Marta está limpiando la cocina.
*Marta **está limpiándola.***

*Marta **la está limpiando.***

8 Todos están haciendo quehaceres

Sigue el modelo para decir la misma oración de forma diferente, usando un pronombre de complemento directo.

MODELO   Yo estoy doblando *la ropa.*
Yo la estoy doblando./Yo estoy doblándola.

1. Alfredo está buscando *las tazas.*
2. María y Fernando están preparando *la comida.*
3. Estamos adornando *el cuarto.*
4. Carlos está limpiando *la cocina.*
5. Mis hermanos están haciendo *las camas.*
6. Yo estoy colgando *los abrigos.*
7. Estamos haciendo juntos *los trabajos de la casa.*

¡Extra!

El verbo *colgar*

The present tense of *colgar* (to hang) follows the pattern of other verbs that require the change *o → ue*: *cuelgo, cuelgas, cuelga, colgamos, colgáis, cuelgan.*

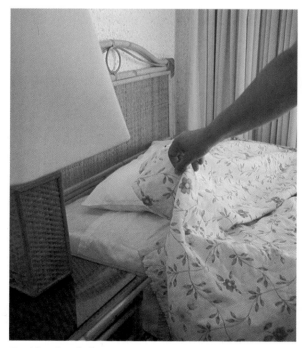
Está haciendo la cama.

Indirect object pronouns

An indirect object indicates **to whom** or **for whom** something is said or done. An indirect object pronoun *(pronombre de complemento indirecto)* may replace an indirect object. You have already learned to use indirect object pronouns with the verb *gustar*. They look the same as direct object pronouns except for *le* and *les*.

los pronombres de complemento indirecto			
me	*to me, for me*	**nos**	*to us, for us*
te	*to you, for you* (tú)	**os**	*to you, for you* (vosotros,-as)
le	*to you, for you* (Ud.) *to him, for him* *to her, for her*	**les**	*to you, for you* (Uds.) *to them, for them*

Indirect object pronouns follow the same rules for placement in a sentence that you learned for the direct object pronouns:

- They usually precede the conjugated form of the verb, but they also may follow and attach to an infinitive or a present participle. (Add an accent mark to the present participle in order to maintain the original pronunciation of the present participle.)

*Pilar **me** va a preparar una ensalada.*
*Pilar va a preparar**me** una ensalada.*   Pilar is going make a salad **for me.**

***Te** estoy escuchando.*
*Estoy escuchándo**te**.*   I am listening **to you.**

- Place negative expressions (e.g., *nunca*) before the indirect object pronouns.

***Nunca nos** hacen la cama.*   They **never** make the bed **for us.**

Add the word *a* plus a pronoun or noun to a sentence in order to clarify the meaning of *le* and *les,* or in order to add emphasis.

Le escribo   ***a ella.***
            a María.
            a mi hermana.

Les escribo   ***a ellas.***
            a María y a Mario.
            a mis primos.

Le escribo a María.

Práctica

9 Antes de ir de vacaciones

 ¡Extra!

El uso de *vosotros*

It is common to use the direct and indirect object pronoun *os* in Spain in the same circumstances in which you have learned to use *vosotros*: when talking informally with two or more people.

Pablo y su familia van de vacaciones y unos amigos van a ayudar a la familia a prepararse para el viaje. Completa tus oraciones con *me, te, le, nos* o *les*, diciendo qué van a hacer.

MODELO Marta <u>nos</u> va a limpiar las ventanas (a nosotros).

1. Raúl __ va a buscar las maletas (a mí).
2. Marta __ va a doblar la ropa (a mi madre).
3. La Sra. Martínez __ va a preparar la comida (a mis padres).
4. El Sr. Martínez __ va a colgar los abrigos (a mi padre).
5. Raúl y Marta __ van a hacer las camas (a nosotros).

10 De otra manera

Estás hablando de los quehaceres de la casa con unos amigos. ¿Cómo puedes decir la misma oración de otra manera *(another way)*?

MODELO ¿*Me* estás colgando la ropa?
¿Estás colgánd*ome* la ropa?

1. Él nunca *le* puede limpiar la casa.
2. Quizás Carlos *te* puede poner la mesa.
3. ¿No *me* quieres preparar la comida?
4. Quizás *te* debo escribir una lista de quehaceres.
5. *Les* estamos colgando la ropa.
6. ¿No *nos* está Ud. adornando el cuarto?

11 ¿Me ayudas?

 In pairs, take turns asking one another for help with the indicated tasks. The person responding may agree or refuse to help.

MODELO colgar los abrigos
A: ¿Me cuelgas los abrigos?
B: Sí, (No, no) te cuelgo los abrigos.

1. limpiar el patio
2. doblar las servilletas
3. limpiar la mesa del comedor
4. buscar la sal
5. encender las luces del comedor
6. hacer las camas
7. poner la mesa
8. subir la ropa a mi cuarto

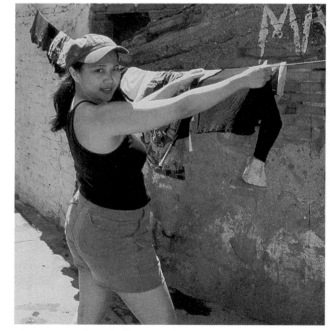
¿Me estás colgando la ropa?

12 Ayudando en casa

Las personas de la ilustración están ayudándote en las tareas de la casa. Describe lo que hace cada una de las personas.

MODELO Marta

Marta me está limpiando la mesa./Marta está limpiándome la mesa.

1. Antonio y Carlota

2. Ernesto

3. Cristóbal

4. Julia

✦ Comunicación

13 ¿Qué haces?

Make a list of your household chores and another list of what you do to help specific members of your family. Then talk with a classmate about what you do to help around the house and who you help with the household duties.

MODELO A: ¿Qué haces para ayudar en tu casa?
B: Doblo mi ropa y la subo a mi cuarto. ¿Y tú? ¿Ayudas a tus padres?
A: Sí. Le pongo la mesa a mi madre.

14 ¿Me ayudas?

A group of exchange students from Spain will be staying with families in your community. With a classmate, take turns asking one another when each of you will be able to help with various chores to prepare for their visit. Answers should indicate if and when the person answering will be able to help with the indicated tasks.

MODELO A: ¿Cuándo me puedes limpiar la cocina?
B: Quizás te puedo limpiar la cocina por la tarde./Quizás puedo limpiarte la cocina por la tarde.

15 ¿Qué les gusta hacer?

In small groups, discuss your most favorite and least favorite household chores. Each person should make a list of at least three chores you all like to do and a second list of three chores that you do not like to do. Each member of your group should then talk with members of other groups to find out how your lists compare. Finally, one person from each group should summarize the findings for the class.

MODELO A: ¿Les gusta cocinar la comida?
        B: Sí, nos gusta cocinarla.
        A: A nosotros también nos gusta.

Nos gusta	No nos gusta
cocinar	poner la mesa

Estructura

Saying what just happened with *acabar de*

You can say what has just happened using a form of the verb *acabar* (to finish, to complete, to terminate) followed by *de* and an infinitive.

> **acabar de + infinitive**

Acabo de llegar.   I just arrived.
Mi padre **acaba de poner la mesa.**   My father just set the table.

 Práctica

16 ¡Gracias por la ayuda!

Francisco tiene muchos quehaceres y muchos buenos amigos. A sus amigos les gusta ayudar con sus quehaceres. Contesta las preguntas para decir quién acaba de hacer cada quehacer, usando las pistas entre paréntesis.

MODELO ¿Los platos? (Alicia / limpiar)
        Alicia acaba de limpiarlos.

1. ¿Las camisas? (Ana / doblar)
2. ¿Las camas? (Pedro y Pablo / hacer / ahora mismo)
3. ¿El cuarto? (Alejandro y yo / limpiar / juntos)
4. ¿La sala? (Elena / adornar)
5. ¿Los abrigos? (yo / colgar)
6. ¿Las ventanas? (Ángel / limpiar / hace media hora)

Alicia acaba de limpiar los platos.

17 La fiesta de despedida

You and a friend are organizing the farewell party for the Spanish exchange students who just spent the last week with families in your community. Take turns asking and answering questions to find out what everyone has just done to help out.

MODELO Uds. / limpiar la cocina

    A: ¿Qué acaban de hacer Uds.?

    B: Acabamos de limpiar la cocina.

1. Ana / poner la mesa
2. Andrés y Rosa / adornar las paredes
3. tú / limpiar las ventanas
4. Jaime y Cristina / preparar la comida
5. Mercedes / llegar con la comida
6. yo / leer la lista de quehaceres

Comunicación

¡Oportunidades!

Estudiante de intercambio

It is becoming more and more popular for language students to spend time overseas as exchange students. After you have studied Spanish for a couple of years, it would be a great opportunity for you to become an exchange student in Spain or in another Spanish-speaking country. What you learn at school will be very valuable to you. Living within the culture in a different country, practicing the language you have learned with native speakers, developing life long friendships, and gathering firsthand experience will be very rewarding and exciting.

18 ¿Qué acabas de hacer?

Imagine it is Saturday at noon and you are talking on the phone with a friend. Discuss some things each of you did just recently and what you are going to do later in the day. You may want to include in your conversation something interesting that someone in your family or a friend did recently, too.

MODELO **A:** ¿Qué haces?

    B: Bueno, yo acabo de poner la mesa. ¿Y tú?

    A: Pues, yo acabo de terminar mi tarea. Mis padres dicen que puedo salir. ¿Quieres hacer algo?

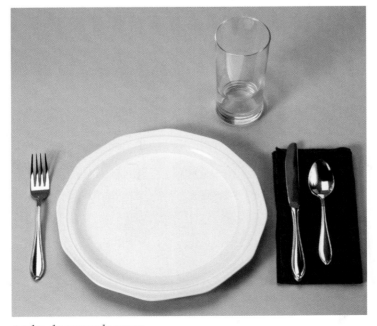

Acabo de poner la mesa.

Vocabulario II
Más quehaceres

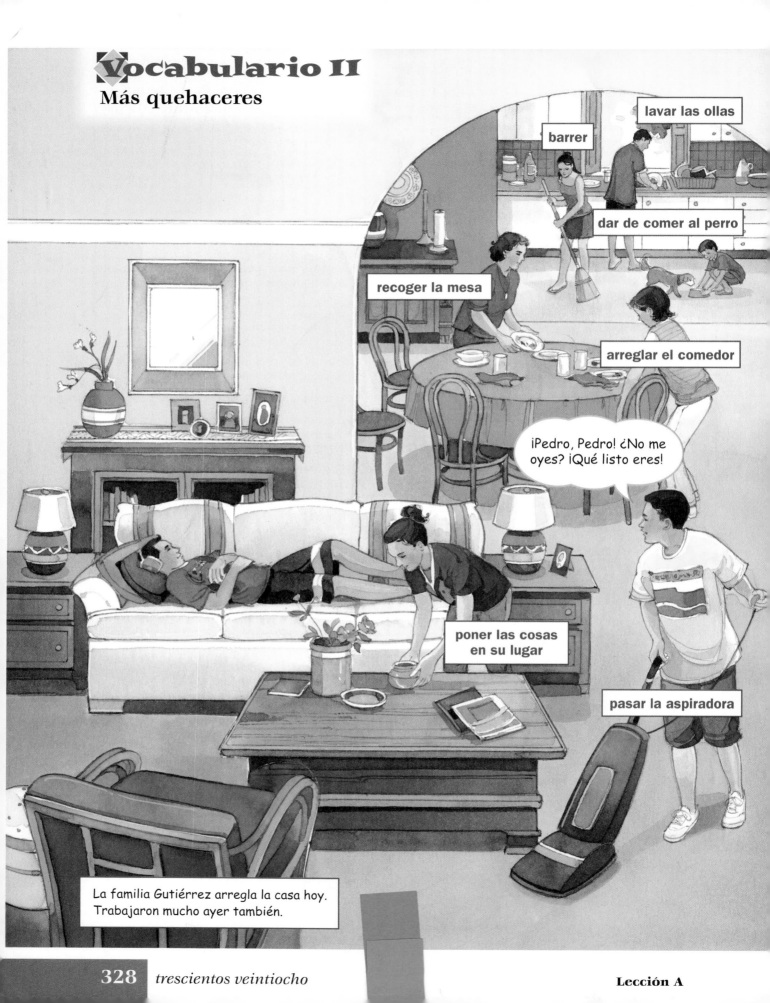

lavar las ollas

barrer

dar de comer al perro

recoger la mesa

arreglar el comedor

¡Pedro, Pedro! ¿No me oyes? ¡Qué listo eres!

poner las cosas en su lugar

pasar la aspiradora

La familia Gutiérrez arregla la casa hoy. Trabajaron mucho ayer también.

Yo traigo el pan y la leche.

sacar la basura

Él va a buscar leche y pan a la tienda.

19 Los quehaceres

Selecciona la foto de la persona que corresponda con lo que oyes.

A

B

C

D

20 ¡Más quehaceres!

Di qué quehaceres debes hacer, según las ilustraciones.

Debo poner la mesa.

1

2

3

4

5

6

Diálogo II

Hay mucho por hacer

SRA. ZEA: Ayer trabajasteis mucho, pero hoy hay quehaceres también.
VÍCTOR: Pues, yo voy a recoger la mesa y lavar las ollas.
SRA. ZEA: Entonces, David puede pasar la aspiradora.

SRA. ZEA: ¿Quién va a la tienda a buscar leche?
DAVID: ¿Qué?
SRA. ZEA: ¿No me oyes? ¡Qué listo!

SRA. ZEA: ¿Puedes ir a buscar leche a la tienda?
DAVID: ¿Y por qué yo? ¿Por qué no va Víctor?
SRA. ZEA: Porque él va a lavar las ollas. ¿Quieres hacer eso?

21 ¿Qué recuerdas?

1. ¿Quiénes trabajaron mucho ayer?
2. ¿Qué va a hacer Víctor?
3. ¿Quién pasa la aspiradora?
4. ¿Quién es listo?
5. ¿Qué no quiere hacer David?

22 Algo personal

1. ¿Qué quehaceres haces en casa?
2. ¿Eres listo/a?
3. ¿Te gusta ir a la tienda a buscar leche o pan? Explica.
4. ¿Quién saca la basura en tu casa? ¿Quién pasa la aspiradora?

¡Extra!

El cambio de g → j

You have learned to use several verbs that are regular in the present tense except for a minor stem change (*poder, jugar*) or a spelling change. These changes do not affect the verb's present-tense endings. For verbs that end in *-ger* (such as *recoger*) the letter *g* changes to *j* before the letters *a* and *o* to maintain pronunciation: *Yo recojo la mesa muchas veces.*

23 ¿Vais a hacer un quehacer o a hacer un deporte?

))) Las siguientes personas van a hablar de sus actividades de hoy. Di si lo que oyes es *un quehacer* o *un deporte*.

1.
2.
3.
4.
5.

Los quehaceres en una casa española

Do you like doing chores? Helping with the household chores is a long-standing tradition in many homes throughout the world. In Spain, young people generally help with chores starting at an early age, and everyone helps out with the cleaning *(la limpieza)* and upkeep of the home. Spanish houses do not, as a general rule, have wall-to-wall carpeting *(alfombra, moqueta)*. Instead, floors often

Limpiando un suelo.

consist of uncovered tile *(losa)*, marble *(mármol)* or wood *(madera)* and they are usually washed every day. If there are teenagers in the house, they usually are the ones chosen to perform this chore. The laundry is another household task that must

be performed nearly every day. Dryers *(secadoras de ropa)* are not common in Spanish homes because of the high cost of energy, so

Ropa en el tendedero (Almeria, España).

laundry *(lavado de ropa* or *colada)* in many instances must be washed daily or every other day, and clothes are left to hang from lines to dry *(tender la ropa en el tendedero)*. Both girls and boys often have to hang the laundry, take it down and fold it. In addition, boys are often required to run errands *(hacer recados)* for their parents, while girls, traditionally, help with cooking.

How do you help with the cleaning and maintenance of your home? Regardless of your answer, one thing you have in common with young people in Spain and throughout the world: Although you may accept that they are an integral part of living together as a family, nobody seems to like doing chores!

24 Los quehaceres en una casa española

¿Es cierto o falso? Si es falso, di lo que es cierto.

1. Es tradicional empezar a ayudar con los quehaceres de casa cuando uno es joven en España.
2. Sólo los padres hacen la limpieza en las casas españolas.
3. Muchas casas tienen alfombra o moqueta en los pisos.
4. Hay muchas secadoras porque la energía no cuesta mucho en España.
5. Las muchachas y los muchachos cuelgan la ropa y la doblan.

25 Comparando

Make two lists of chores, one with what you and your friends do and another one with the chores you know young people in Spain do. Do you see any differences? Are there similarities? In what other ways do you think young people in Spain help around the home?

Estructura

Present tense of *oír* and *traer*

The verbs *oír* (to hear, to listen) and *traer* (to bring) are irregular.

oír	
oigo	oímos
oyes	oís
oye	oyen
gerundio: oyendo	

traer	
traigo	traemos
traes	traéis
trae	traen
gerundio: trayendo	

 Práctica

26 A todos nos gusta oír la radio

Completa el siguiente párrafo con las formas correctas del verbo *oír*.

A toda mi familia le gusta oír la radio. Mis primos (1) las noticias todas las noches. Son muy listos. Mi tía (2) un programa de música española por las tardes. Mi hermano (3) los deportes, cuando no puede verlos en la televisión. Si mi abuelo y mi padre están trabajando en el garaje, (4) música popular y cantan. Mamá y yo siempre (5) el pronóstico del tiempo para saber si va a llover. Yo (6) la radio cuando escribo e-mails y también siempre estoy (7) música cuando hago la tarea. Y tú, ¿cuándo (8) la radio?

A mi hermano le gusta oír la radio.

27 ¿Qué trae cada uno?

Unos amigos vienen a una fiesta en tu casa y cada persona tiene que traer algo diferente. Trabajando en parejas, alterna con tu compañero/a preguntando y contestando qué trae cada persona.

MODELO

el Sr. y la Sra. Lorenzo
A: ¿Qué traen el Sr. y la Sra. Lorenzo?
B: El Sr. y la Sra. Lorenzo traen el pollo.

1. Paloma   **2.** Enrique y Tomás   **3.** mi amiga y yo

4. Alberto   **5.** Blanca y Graciela   **6.** Pedro

◆ Comunicación

28 En mi casa

Working in pairs, talk about how your families and friends balance fun and work, describing some of your families' and your friends' favorite pastimes and telling how everyone helps when organizing activities or when doing chores. Mention which of the activities people like a lot or do not like. You may wish to use some of these activities to get started.

oír la radio	cocinar	buscar la leche y el pan
mirar la televisión	lavar las ollas	limpiar la cocina
tener una fiesta	traer CDs	arreglar el cuarto

MODELO A: En mi familia nos gusta hacer quehaceres los sábados y, luego, algunas veces tenemos una fiesta con los amigos y la familia. Mis primos siempre traen la música para bailar.

B: Yo siempre oigo música y arreglo mi cuarto los fines de semana.

Talking about the past: preterite tense of *-ar* verbs

Use the preterite tense when you are talking about actions or events that were completed in the past. Form the preterite tense of a regular *-ar* verb by removing the last two letters from the infinitive and attaching the endings shown.

lavar					
yo	lav**é**	I washed	nosotros nosotras	lav**amos**	we washed
tú	lav**aste**	you washed	vosotros vosotras	lav**asteis**	you washed
Ud. él ella	lav**ó**	you washed he washed she washed	Uds. ellos ellas	lav**aron**	you washed they washed they washed

Note: Regular verbs that end in *-car (buscar, explicar, sacar, tocar)*, *-gar (apagar, colgar, jugar, llegar)* and *-zar (empezar)* require a spelling change in the *yo* form of the preterite in order to maintain the original sound of the infinitive.

infinitivo				pretérito
bus**car**	*c*	→	*qu*	yo bus**qué**
apa**gar**	*g*	→	*gu*	yo apa**gué**
empe**zar**	*z*	→	*c*	yo empe**cé**

❖ Práctica

29 Ayer en la casa de Pilar

Completa las siguientes oraciones con la forma correcta del pretérito de los verbos entre paréntesis para decir lo que pasó ayer en la casa de Pilar.

1. Mis amigos *(llegar)* temprano. [llegaron]
2. Yo *(cocinar)* desde las nueve. [cociné]
3. Daniel *(limpiar)* el piso del comedor. [limpió]
4. Ángela me *(ayudar)* mucho también.
5. Ella *(pasar)* la aspiradora por la sala. [pasó]
6. Tú *(sacar)* la basura antes de comer. [sacaste]
7. Uds. *(trabajar)* todo el día ayudándome.
8. Todos *(hablar)* bien de la comida.
9. Después de comer, Paco me *(lavar)* los platos.
10. Luego, nosotros *(bailar)* en la sala.

30 ¿Qué cocinaste?

Completa el siguiente párrafo con la forma apropiada del pretérito de los verbos entre paréntesis.

Yo *(1. cocinar)* una sopa ayer en mi casa para toda la familia. Mi hermana me *(2. ayudar)*. Yo *(3. empezar)* a preparar todo muy temprano. Primero yo *(4. buscar)* los ingredientes. Luego *(5. lavar)* la olla grande y *(6. sacar)* los cubiertos. Después *(7. preparar)* unos refrescos. Al terminar de cocinar, *(8. apagar)* la estufa y *(9. arreglar)* los cubiertos en la mesa. Entonces, *(10. llamar)* a todos a comer.

31 ¿Qué hiciste?

In pairs, take turns asking whether your classmate has completed the indicated chores. Your partner should say that he or she did not do each task because someone else already did it.

MODELO comprar el pan / Roberto

    A: ¿Compraste el pan?

    B: No, yo no compré el pan porque Roberto ya lo compró.

1. buscar los platos / Ernesto
2. apagar la estufa / Miguel
3. sacar la basura / Pedro
4. colgar los abrigos / Alfonso y Ana
5. preparar la comida / Jorge y Luisa
6. lavar la olla grande / Isabel

Comunicación

32 Mini-diálogos

Working in pairs, discuss some of the things that needed to be done around the home recently and whether or not either of you has done any of them. Some suggested chores and activities are provided to get you started.

MODELO **A:** ¿Preparaste la comida?

    B: Sí, (No, no) la preparé.

preparar la comida   sacar la basura   arreglar el cuarto

pasar la aspiradora

colgar la ropa en tu cuarto   comprar la leche   lavar las ollas

33 Todos en mi familia ayudaron

Talk about what everyone in your family did last week to help around the house.

¿Quién lo hace?

En España, mientras la participación de las mujeres[1] en el mercado laboral incrementa cada día (40% de mujeres trabajan), la desigualdad[2] entre los sexos todavía existe en las tareas domésticas. Las mujeres dedican siete horas y veintidós minutos

cada día a los quehaceres. Los hombres, en cambio, dedican tres horas y diez minutos. Si nos referimos a quehaceres específicos de la casa (lavar, planchar, barrer, etc.), las mujeres dedican cinco veces más tiempo que los hombres.

Entre los jóvenes de 15–17 años, son las mujeres, otra vez, las que hacen más labores domésticas.

	Mujeres	Hombres
Total	7 h 22'	3 h 10'
Trabajo de la casa	3 h 58'	0 h 44'
Mantenimiento	0 h 27'	0 h 55'
Cuidado de la familia	1 h 51'	0 h 51'
Compras	0 h 53'	0 h 26'
Servicio	0 h 13'	0 h 14'

Fuente: Encuesta sobre "Usos del tiempo", Instituto de la Mujer, 2001.

Porcentaje de jóvenes que no hacen nunca o sólo en ocasiones los siguientes quehaceres

	Mujeres 15–17 años	Hombres 15–17 años
Cuidar a los niños	57,1%	65,7%
Limpiar la casa	50,6%	75,8%
Hacer la cama	32,2%	49,5%

Fuente: INJUVE, Informe Juventud en España, 2000.

En el año 2000, la Unión Europea recomendó a los estados miembros (España es uno) la inclusión en la escuela de una asignatura de trabajo doméstico. Quizás, esta nueva asignatura ayude a establecer la igualdad[3] en los quehaceres. Después de todo, la democracia empieza en casa.

[1]women   [2]inequality   [3]equality

34 ¿Qué recuerdas?

¿Sí o no?

1. 40% de las mujeres en España trabajan en casa.
2. Las mujeres españolas pasan siete horas y veintidós minutos todos los días en los quehaceres de la casa.
3. En España, 75,8% de los hombres entre quince y diecisiete años limpian la casa.
4. En España, 67,8% de las mujeres entre quince y diecisiete años hacen las camas.
5. La Unión Europea quiere que las escuelas enseñen trabajo doméstico.

35 Algo personal

1. ¿Qué tareas domésticas tienes que hacer en casa?
2. ¿Crees que las mujeres y los hombres deben compartir *(share)* todos los quehaceres? Explica.
3. ¿Piensas que todos los estudiantes deben tomar una asignatura de trabajo doméstico? ¿Por qué sí o por qué no?

- Complete a survey of your classmates like the one in the article. Find out the percentage of girls and boys that never or only occasionally take care of younger siblings, clean the house and make their beds. Compare yourselves with the fifteen- to seventeen-year-old Spaniards surveyed. In your group, is there more or less equality among who does the chores?

¿Qué aprendí?

Visit the web-based activities at www.emcp.com

Autoevaluación

As a review and self-check, respond to the following:

1. What do you do to help around the house?

2. Name two things you have just done in the last week.

3. Your family is having a party at your house and you are in charge of getting the house ready for guests. Ask your sister or brother to do three or four things to help with preparations.

4. List three or four things you did to help your parents.

5. State something you learned in this lesson about Spain.

Palabras y expresiones

En casa
- el abrigo
- la aspiradora
- la basura
- la cama
- la gente
- el jardín
- la leche
- la olla
- pasar la aspiradora
- la persona
- el quehacer
- recoger la mesa

Verbos
- acabar
- adornar
- arreglar
- barrer
- cocinar
- colgar (ue)
- doblar
- dejar
- lavar
- limpiar
- llegar
- oír
- preparar
- recoger
- sacar
- subir
- trabajar
- traer

Expresiones y otras palabras
- acabar de *(+ infinitive)*
- algo
- dar de comer
- junto,-a
- listo,-a
- quizás
- sólo
- el trabajo

Él está sacando la basura.

Ella está limpiando la cocina.

◆Vocabulario I
El supermercado

¿Me prestas la receta de la paella?

Sí, claro.

De esta receta nos hace falta el ingrediente más importante, el arroz.

¡Ay, olvidamos añadirlo! La paella sin arroz no es paella.

Verduras

el guisante

la cebolla

el ajo

los peores tomates

el tomate

el pimiento

los mejores tomates

el aguacate

el arroz

la lata

la lechuga

No todos los tomates están frescos.
Algunos parecen muy maduros.
Los chicos van a escoger los mejores tomates.
A ellos les importa llevar tomates maduros.

1 En el supermercado

 Selecciona la ilustración que corresponde con lo que oyes.

A   **B**   **C**   **D**   **E**   **F**

2 De compras en el supermercado

Di lo que *le(s) gusta*, *le(s) hace falta*, *le(s) parece* o *le(s) importa* a estas personas, usando las pistas y las ilustraciones y añadiendo los artículos indefinidos apropiados.

> **¡Extra!**
>
> **Hacer falta, importar y parecer**
>
> The expressions *hacer falta* (to need), *importar* (to matter) and *parecer* (to seem) often require an indirect object pronoun and follow a pattern like the one you learned for the verb *gustar: Me gusta el ajo; Me hace falta un aguacate; No me importa si el tomate no es maduro; Me parece buena la receta.*

MODELO   a mí / parecer bien / llevar unos
             A mí me parece bien llevar unos tomates.

1. a Uds. / hacer falta / llevar una

2. a los chicos / hacer falta / llevar un

3. a la Sra. Herrera / gustar / los

4. a Pedro y a Julio / importar / comprar las mejores

5. a Rodrigo / hacer falta / comprar el

6. a Santiago / gustar / comprar mucho

7. a mí / importar / llevar los mejores

8. a Elena / no importar / llevar una

¿Qué nos hace falta comprar?

INÉS: ¿Tienes la receta de la paella?

VÍCTOR: Sí, aquí la tengo.

INÉS: ¿Qué nos hace falta comprar?

VÍCTOR: Ayer compramos el pollo. Todavía necesitamos arroz, tomates y pimientos.

INÉS: Vamos primero a las verduras.

VÍCTOR: ¡Ah, mira! ¿Qué te parecen estos tomates?

INÉS: No parecen muy frescos.

VÍCTOR: ¿Y estos? ¿Qué te parecen?

INÉS: Algunos parecen muy maduros.

VÍCTOR: ¿Por qué no escoges los tomates y yo escojo los pimientos? Me llaman el Sr. Pimiento.

INÉS: ¡Qué loco!

3 ¿Qué recuerdas?

1. ¿Quién tiene la receta de la paella?
2. ¿Qué les hace falta comprar?
3. ¿Cuándo compraron el pollo?
4. ¿Cómo parecen los tomates?
5. ¿Qué busca Víctor?
6. ¿Cómo llaman a Víctor?

4 Algo personal

1. ¿Te gusta ir de compras al supermercado? Explica.
2. ¿Qué verduras te gustan?
3. ¿Cuáles son los ingredientes de tu receta favorita?

5 ¿Qué les hace falta?

 Di la letra de la ilustración que identifica lo que les hace falta comprar a las siguientes personas, según lo que oyes.

A

B

C

D

E

F

La paella (ingredientes para seis personas)

1 pollo en pedazos[1]	1 cebolla, troceada[6]	1 taza de
1/2 kg. de gambas[2]	2 dientes[7] de ajo, troceados	guisantes
1/2 kg. de langostinos[3]	2 zanahorias, limpias y cortadas[8]	5 hilos de azafrán[9]
1/4 kg. de mejillones[4]	2 tomates grandes	4 tazas de agua
1 lata de almejas[5] (200 gramos)	1 pimiento verde, troceado	5 cucharadas de aceite de oliva
2 tazas de arroz	1 lata de pimientos rojos, troceados	sal y pimienta

En una sartén[10] grande o paellera (sartén especial para la paella), poner el aceite y añadir el pollo, la cebolla troceada, el ajo y el pimiento verde; freír[11] hasta que se empiece a dorar—diez minutos. Luego, añadir el tomate, la zanahoria y media taza de guisantes. Cubrir[12] y dejar freír durante diez minutos. Después, añadir el arroz y el agua, los pimientos, el azafrán, sal y pimienta, y cocinar por otros quince minutos. Luego, añadir las gambas, los langostinos, los mejillones y las almejas y cocinar, con la sartén cubierta[13] otros diez minutos. Para terminar, adornar con la otra mitad de los guisantes, otra lata de pimientos (opcional) y un poco de perejil. Dejar que repose la paella durante quince minutos antes de servirla.

[1]pieces [2]shrimp [3]prawns [4]mussels [5]clams [6]diced [7]cloves [8]cut [9]saffron strings [10]frying pan [11]fry [12]cover
[13]covered

6 La paella

Contesta las siguientes preguntas.

1. ¿Cuánto langostino tiene esta paella?
2. ¿Cuáles de los ingredientes en esta receta no son frescos?
3. ¿Qué verduras tiene la paella?
4. ¿Con qué puedes adornar la paella?

5. ¿Te gustaría preparar una paella? ¿Por qué?
6. ¿Hay un restaurante en tu ciudad con paella en el menú? ¿Cuál?

7 Conexión con otras disciplinas: matemáticas

Cambia los pesos (weights) a libras u onzas, según la pista entre paréntesis.

1. 2 kilos de aguacates (libras)
2. 200 gramos de pollo (onzas)
3. 1,5 kilos de tomates (libras)
4. 750 gramos de judías (libras)
5. 1/2 kilo de pimientos (onzas)
6. 1/4 kilo de arroz (onzas)

¡Extra!

¿Cuánto pesa?

1 kilogram, kg. (kilo, kg.)	=	2.2 pounds, lbs. (libras, lbs.)
1 kilogram	=	1000 grams, gr. (gramos, gr.)
1 ounce, oz. (onza, oz.)	=	28.35 grams

8 ¿Puedes preparar una paella?

Prepara una paella en tu casa y cuéntale la experiencia a la clase.

Estructura

Making comparisons

You can use the following patterns when making comparisons in Spanish:

> **más/menos + noun/adjective/adverb + que**

*Hay **más/menos ajo que** sal.*   There is **more/less (fewer)** garlic **than salt.**

> **tanto, -a, -os, -as + noun + como**

*Hay **tanto** pescado **como** verduras en esa paella.*   There is **as much** fish **as** vegetables in that paella.

> **tan + adjective/adverb + como**

*Estos aguacates no están **tan maduros como** esos aguacates.*   These avocados are not **as ripe as** those avocados.

> **verb + tanto como**

*Pedro **cocina tanto como** Pilar.*   Pedro **cooks as much as** Pilar.

> **verb + más que/menos que**

*Pedro **cocina más que** Tomás.*   Pedro **cooks more than** Tomás.

You can also make comparisons by singling out a person, group, object or attribute as the best, most or least by using the following patterns:

> **definite article (+ noun) + más/menos + adjective**

*El ajo es **el ingrediente más importante**.*   Garlic is **the most important ingredient.**

> **verb + lo + más/menos + adverb + posible**

*Debes lavarla **lo más** pronto **posible**.*   You should wash it **as** early **as possible.**

Use *más de* or *menos de* and a number for stating there are "more than" or "fewer than" the number of items or people indicated.

*Veo **más de/menos de** cinco cebollas.*   I see **more than/fewer than** five onions.

The following adjectives and adverbs have irregular comparative forms:

better	–	*mejor*
worse	–	*peor*
older	–	*mayor*
younger	–	*menor*

Esos aguacates son **buenos,** *pero aquellos aguacates son* **mejores** *y estos aguacates son* **los mejores de todos.**

Those avocados are **good,** but those avocados over there are **better** and these avocados **are the best of all.**

Note: When referring to quantity, the comparative forms of *pequeño* and *grande* are *menor* (lesser, smaller, fewer) and *mayor* (greater, larger).

Hay un **menor (mayor)** *número de pimientos en lata que de pimientos frescos.*

There are **fewer** canned bell peppers than fresh bell peppers.

Práctica

9 En el supermercado

Estás haciendo compras en el supermercado. Completa estas comparaciones.

MODELO   Estas cebollas son <u>más grandes</u> que esas cebollas. (grande)

1. Estos tomates están __ que esos tomates. (fresco)
2. Este pollo es __ que el otro. (pequeño)
3. Ese aguacate está __ que este aguacate. (maduro)
4. Estas lechugas son __ que esas lechugas. (pequeño)
5. Aquellos pimientos están __ que esos pimientos. (maduro)

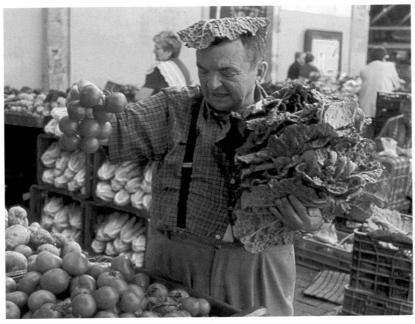

¡Estos tomates son los mejores de todos!

10 Comparando

Use the information provided to make as many comparisons as you can.

MODELO **Información:** Ana puede ir de compras al supermercado en una hora pero yo necesito dos horas para ir de compras al supermercado.

Comparación 1: No puedo ir de compras al supermercado tan rápidamente como Ana.

Comparación 2: Ana puede ir de compras al supermercado más rápidamente que yo.

Comparación 3: Yo puedo ir de compras al supermercado menos rápidamente que Ana.

1. Javier tiene dos kilos de arroz y Clara tiene dos kilos de arroz.
2. Las lechugas del supermercado Día son pequeñas pero las lechugas del supermercado Hypercor son grandes.
3. Alberto va al supermercado tres veces al mes y Ana va al supermercado tres veces al mes.
4. Hay mucho pescado en una paella valenciana pero no hay muchos guisantes.
5. Teresa y Armando compran dos latas de tomates y dos latas de guisantes.
6. Belén tiene cincuenta recetas y Alfonso tiene sólo cinco recetas.

11 ¿Cuánto necesitas?

You are preparing a paella valenciana, using the recipe in the *Cultura viva*. Complete these sentences, saying what you will need and compare whether you will need more, less or the same amount of each of the listed ingredients.

MODELO Necesito <u>tanto</u> pimiento verde <u>como</u> cebolla.

1. Necesito __ latas de almejas __ latas de pimientos rojos.
2. Necesito __ mejillones __ gambas.
3. Necesito __ tomates __ zanahorias.
4. Necesito __ agua __ aceite de oliva.
5. Necesito __ gambas __ langostinos.

¿Qué necesitas para hacer una paella?

12 ¡Deben hacer lo siguiente!

If you were the owner of a restaurant, what instructions might you give your employees during the week?

MODELO abrir el restaurante / temprano

Debes abrir el restaurante lo más temprano posible.

1. preparar las recetas / bien
2. hacer las comidas / pronto
3. recoger las mesas / rápidamente
4. barrer el suelo / bien
5. limpiar la cocina / bien
6. sacar la basura / pronto
7. cerrar el restaurante / tarde

13 ¡Dos supermercados!

Compara lo que ves en las ilustraciones de estos dos supermercados, según las pistas.

MODELO aguacates / ser grande

Los aguacates del supermercado Día son más grandes que los aguacates del supermercado Hypercor.

1. lechugas / ser pequeñas
2. tomates / ser mejores
3. los ajos / costar menos
4. las cebollas / ser grandes
5. los guisantes / costar más
6. los pimientos / ser peores
7. el señor / ser joven
8. la señora / ser vieja

14 ¡Más comparaciones!

Mira las ilustraciones de la actividad 13 y completa estas comparaciones con la palabra apropiada.

MODELO   Hay más <u>de</u> una persona en los dos supermercados.

1. El supermercado Hypercor tiene más tomates __ el supermercado Día.
2. Hay menos __ cinco lechugas en el supermercado Hypercor.
3. Hay menos cebollas en el supermercado Hypercor __ en el supermercado Día.
4. El supermercado Día tiene más __ tres pimientos.
5. Los aguacates en el supermercado Hypercor cuestan tanto __ los aguacates en el supermercado Día.

15 ¿Lo hacen tanto como tú?

Compare how much you help doing chores with how much your friends and family help around the house. You may make up any of the names you wish.

MODELO   pasar la aspiradora
    Mi hermano pasa la aspiradora tanto como yo.
    Yo paso la aspiradora más que Julio.

1. cocinar
2. hacer las camas
3. trabajar en el jardín
4. limpiar la cocina
5. poner la mesa
6. ayudar en casa

¿Pasas la aspiradora tanto como yo?

16 En tu opinión

Trabajando en parejas, alterna con tu compañero/a preguntando y contestando según las pistas.

MODELO   el mejor supermercado de la ciudad donde vives
    A: ¿Cuál es el mejor supermercado de la ciudad donde vives?
    B: El mejor supermercado de la ciudad donde vivo es. . . .

1. el supermercado más grande de la ciudad donde vives
2. el supermercado más pequeño de la ciudad donde vives
3. el supermercado más nuevo de la ciudad donde vives
4. el supermercado más viejo de la ciudad donde vives
5. el ingrediente más importante de tu receta favorita
6. la mejor receta de tu mamá/papá

✦ Comunicación

 17 **Me gusta la comida**

 Trabajando en parejas, hagan preguntas para comparar comidas diferentes y saber cuál les gusta más.

> **MODELO** **A:** ¿Te gusta la lechuga tanto como el tomate?
>
> **B:** Sí, (No, no) me gusta la lechuga tanto como el tomate.

18 **Lo que más comes**

 Working in pairs, talk about what you eat and drink. Include in your conversation what you eat or drink, and tell which are your most and least favorite foods and beverages.

> **MODELO** **A:** ¿Qué te gusta comer?
>
> **B:** Como más pollo que pescado, pero la paella es la mejor comida.

19 **En el supermercado**

Imagine you are at a supermarket in Spain shopping for ingredients to make *paella*. Working with a partner, take turns playing the roles of two clients. Remember to make comparisons of quality, size and price for items in the store.

El señor compra ingredientes para hacer una paella.

el chorizo

el jamón

la carne

20 En el mercado

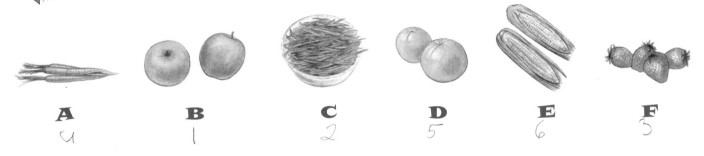

Selecciona la ilustración que corresponde con lo que oyes.

A
4

B
1

C
2

D
5

E
6

F
3

21 Fuera de lugar

Say which food item does not belong in each of the following groups.

1. maíz   habichuela   zanahoria   chocolate
2. queso   mantequilla   jamón   leche
3. huevo   manzana   fresa   naranja
4. café   cebolla   pimiento   zanahoria
5. carne   pescado   pollo   papa
6. fresa   maíz   uva   plátano

22 Una dieta equilibrada

Trabajando en parejas, escriban una dieta equilibrada *(balanced)* con todas las comidas básicas para cinco días de la semana. La dieta debe incluir el desayuno *(breakfast)*, el almuerzo y la cena *(dinner)*.

Diálogo II

Comprando chorizo

INÉS: Ayer estuve con Víctor en el supermercado.
EVA: ¿Y qué compraste?
INÉS: Compramos los ingredientes para hacer paella.

EVA: Entonces, ¿qué venimos a hacer al mercado?
INÉS: Quiero comprar chorizo. El chorizo del supermercado no me gusta.
EVA: Bueno, este mercado es el mejor mercado de la ciudad.

INÉS: Señora, ¿a qué precio tiene el kilo de chorizo?
SEÑORA: El chorizo está a € 4,00 el kilo.
INÉS: De acuerdo, llevo un kilo por favor.

23 ¿Qué recuerdas?

1. ¿Qué compró Inés ayer en el supermercado?
2. ¿Qué quiere comprar Inés en el mercado?
3. ¿Es bueno el mercado donde están las chicas?
4. ¿A qué precio está el kilo de chorizo?
5. ¿Compra Inés el chorizo?

24 Algo personal

1. ¿Hay un mercado en tu ciudad? ¿Dónde está?
2. ¿Prefieres ir al mercado o al supermercado? Explica.
3. ¿Cuál es el mercado o supermercado más grande de tu ciudad?

25 ¿Qué comprendiste?

🔊 Escucha lo que dicen las personas del diálogo *Comprando chorizo* y di si lo que oyes es cierto o falso. Corrige lo que no es cierto.

¡Extra!

El euro

The symbol for the European euro is €, which became the common currency of most European Union countries in 2002. Spain is a member of the European Union and adopted the euro as its currency, making the Spanish currency, *la peseta,* obsolete.

¡Cómo se come en España!

Spain's cuisine is as diverse as its people are. Learning about the different regional cuisines will allow you to choose what you would like to try during a trip there. For example, *paella valenciana,* which you learned about earlier in the chapter, is a popular rice dish originally from the Mediterranean coast in the region of Valencia. It combines seafood, meat, chicken or pork. On the northern coast of Spain, in the region called Galicia, you might want to try *pulpo a la gallega*, a cooked and marinated octopus dish. In the north central and northeastern regions of Spain that border the Pyrenees, you might try the hearty Basque cuisine by ordering

Bacalao al pilpil.

cod prepared the "Basque way" *(bacalao al pilpil),* or Catalán cuisine, which is known for its delicious oxtail in *diabla* sauce and *butifarra con alubias* (beans with sausage).

Madrid, the capital, is famous for its *callos* (beef tripe). The area around

Madrid is also famous for its sheep and goat cheeses, like *manchego,* and its many and delicious varieties of pork or blood sausages called *chorizos* and *morcillas.*

Gazpacho.

The southern part of Spain is well known for its vegetables and fish. Vegetables are used in the preparation of a cold soup called *gazpacho.* Gazpacho is popular in part because of its thirst-quenching qualities on hot summer days in sunny *Andalucía.* The region is also known for its ham *(jamón serrano)* and marvelous fresh sardines and smelt, fished right out of the Mediterranean Sea.

As you can see, Spaniards have plenty to choose from when it comes to meals!

Callos a la madrileña.

---

26 ¿Cómo se come en España?

Make a list of dishes mentioned in the *Cultura viva.* Then choose one that you would like to try, and find the recipe for it, using sources such as the Internet, cookbooks, etc.

Idioma

Repaso rápido: preterite tense of regular *-ar* verbs

Do you remember how to form the preterite tense of a regular *-ar* verb? Remove the last two letters from the infinitive and add the indicated endings.

hablar	
habl**é**	habl**amos**
habl**aste**	habl**asteis**
habl**ó**	habl**aron**

Note: Regular verbs that end in *-car* (*buscar, explicar, sacar, tocar*), *-gar* (*apagar, colgar, jugar, llegar, pagar*) and *-zar* (*empezar*) require a spelling change in the *yo* form of the preterite.

27 El diario de Marta

Marta siempre escribe en su diario por la noche. Haz oraciones completas con las pistas que se dan para saber lo que escribe esta noche.

1. nosotros / comprar zanahorias
2. mi madre / buscar el pollo
3. yo / buscar mi receta favorita
4. mi padre / trabajar todo el día

Estructura

Preterite tense of *dar* and *estar*

The verbs *dar* and *estar* are irregular in the preterite tense.

dar	
di	dimos
diste	disteis
dio	dieron

estar	
estuve	estuvimos
estuviste	estuvisteis
estuvo	estuvieron

28 Estuvieron en el mercado

Di cuándo las siguientes personas estuvieron en el mercado.

MODELO Enrique / el martes pasado
Enrique estuvo el martes pasado.

1. Daniel y Gloria / esta mañana
2. mi tía / el mes pasado
3. los chicos / el fin de semana pasado
4. mis primas / anteayer
5. Ud. / el viernes
6. yo / el sábado pasado
7. Uds. / ayer
8. tú / el jueves

Práctica

29 Todos ayudaron

 Last week your school held a food drive. In pairs, take turns reporting what food items people donated. Follow the model.

MODELO tú
A: ¿Qué diste tú?
B: Yo di unas frutas.

1. yo   **2.** el Sr. y la Sra. García

3. tú y yo   **4.** la profesora   **5.** Pedro   **6.** los hermanos Jiménez

30 Mi fiesta de cumpleaños

Completa el siguiente párrafo con la forma apropiada del pretérito de los verbos entre paréntesis.

El sábado pasado mi hermano mayor *(1. dar)* una fiesta para mi cumpleaños. Muchos de mis amigos *(2. estar)* allí. Mi amigo Pedro no *(3. estar)* y mis mejores amigas, Clara y Elvira, tampoco *(4. estar)*. Nosotros *(5. estar)* muy contentos. Mi hermano me *(6. dar)* un regalo que me *(7. gustar)* mucho. Luego, mis amigos Carlos y Gabriel *(8. dar)* un concierto muy bueno. Carlos *(9. cantar)* cinco canciones y Gabriel las *(10. tocar)* en su guitarra. Yo *(11. estar)* muy contento porque mis amigos *(12. estar)* muy contentos. Todos le *(13. dar)* las gracias a mi hermano por la fiesta tan buena.

Comunicación

31 ¿Dónde estuvieron?

 Working in pairs, discuss where you and people you know were last weekend, adding any details you wish.

MODELO A: ¿Dónde estuviste el fin de semana pasado?
B: Estuve con mi madre en el mercado.

32 ¿Qué dieron?

 In pairs, talk about your last birthday celebration. Discuss, among other things, when your birthday was, where it took place, what kind of food was served and the gifts that were given to you. Make up any information you want.

Lectura personal

Dirección http://www.emcp.com/músico/ola/e.diario-7.htm ▲ Archivo Edición Ver Favoritos Herramientas Ayuda

página principal   miembros   e-diario

Grupo musical La OLA

Nombre: **Yadira Torres Ortega**
Edad: **15 años**
País natal: **México**
Verdura favorita: **lechuga**
Postre favorito: **helado de arroz**

Ayer miércoles fue un día que nunca voy a olvidar. Acabábamos[1] de dar un concierto en Madrid, la capital de España, y estábamos[2] en ruta a Valencia para otro concierto. Al mediodía, paramos en un pueblo llamado Buñol. Al bajar del camión, miles de personas en las calles estaban tirándose[3] tomates maduros los unos a los otros. ¡Fue la pelea[4] de comida más grande del mundo! Parece que lo hacen todos los años. Se llama la Tomatina, un festival popular, divertido y—debo añadir—para personas a las que no les importa estar sucios[5]. El último miércoles de cada agosto, entre las 11:00 de la mañana y la 1:00 de la tarde, treinta mil personas se tiran[6] tomates: 68.000 kilos de tomates, para ser exacta. ¡Imaginen el desastre! Las calles parecen ríos de sopa de tomate. Cuando suena[7] una sirena, todos paran[8] y los residentes empiezan a barrer las calles y lavarlas con enormes mangueras[9]. (El agua la traen de un acueducto romano que está cerca.) En unas pocas horas, las calles de Buñol están limpias, sin evidencia de que hubo[10] más tomates que en ninguna otra parte del mundo.

[1]we just finished [2]we were [3]were throwing at each other [4]fight [5]dirty [6]they throw at each other [7]blows [8]stop [9]hoses [10]there were

33 ¿Qué recuerdas?

1. ¿Cuál es la pelea de comida *(food fight)* más grande del mundo?
2. ¿Dónde y cuándo es?
3. ¿Aproximadamente cuántas personas participan? ¿Cuántos tomates usan?
4. ¿Qué hacen los participantes entre las 11 A.M. y la 1 P.M.?
5. ¿Qué hacen los residentes cuando suena una sirena *(a siren blows)*?
6. ¿De dónde traen el agua?

34 Algo personal

1. ¿Has participado alguna vez en una pelea de comida?
2. En lugar de tomates, ¿qué otra fruta crees que es buena para una pelea de comida?
3. Imagina que vas a ir a la Tomatina. ¿Qué ropa llevas? ¿Por qué?

- Although people know that the Tomatina began in the 1940s, nobody knows for sure how it started. How do you think it all started? Compare your theory with those of your classmates.

¿Qué aprendí?

Visit the web-based activities at www.emcp.com

Autoevaluación
As a review and self-check, respond to the following:

1. Name some foods found in a supermarket. Which ones might you also find at an outdoor market *(mercado al aire libre)*?

2. Name some of the ingredients and how much of each is needed in a recipe to make *paella valenciana* for six people.

3. Compare several foods you like and dislike.

4. Name two or three things that are the most, the best or the worst possible.

5. Imagine you keep a journal and every day you write where you went, where you were and other interesting information about what you did during the day. Make a brief list of five things that you would write about today in your journal.

6. What are two things you have learned about Spain in this lesson?

Palabras y expresiones

En el mercado
el aguacate
el ajo
el arroz
el café
la carne
la cebolla
el chocolate
el chorizo
la fresa
la fruta
el guisante
la habichuela
el helado
el huevo
el ingrediente
el jamón
el kilo

la lata
la lechuga
el maíz
la manzana
el mercado
la papa
el pimiento
el plátano
el precio
el queso
el supermercado
el tomate
la uva
la verdura
el vinagre
la zanahoria

Para describir
fresco,-a
maduro,-a
mayor
mejor
menor
peor

Verbos
añadir
escoger
importar
olvidar
parecer

Expresiones y otras palabras
el/la/los/las (+ *noun*) más/menos (+ *adjective*)
el/la/los/las mejor/ mejores/peor/ peores (+ *noun*)
hacer falta
lo más/menos (+ *adverb*) posible
más/menos (+ *noun/adjective/ adverb*) que
la paella
la receta
sin
tan (+ *adjective/adverb*) como
tanto como
tanto,-a (+ *noun*) como

Frutas y verduras *(fruits and vegetables)*.

¡Viento en popa!

Tú lees

Estrategia

Gathering meaning from context
When reading in another language, you will often encounter words you do not know. Before looking in a dictionary, look for clues that tell you what a word means. For example, you have already learned to recognize some unknown words because they are cognates (e.g., *familia*) or because they are related to words you have already learned (e.g., *baile/bailar*). At other times it may be necessary to look at the words before and after an unknown word (the context) in order to guess its meaning. Looking for these contextual clues will help improve your reading skills and will also make reading more enjoyable because you will spend less time looking up words in a dictionary.

Preparación

¿Qué quieren decir las palabras *tertulia* y *tapas* en las siguientes oraciones?

1. Un pasatiempo español es la **tertulia** con amigos en un café o un restaurante.
   A. comer empanadas
   B. ir de compras
   C. tomar café
   D. reunirse y conversar con amigos
2. A los españoles les gusta comer **tapas** con sus amigos antes de ir a casa para comer.
   A. comida pequeña antes de una comida principal
   B. pan con mantequilla
   C. frutas y verduras
   D. comida grande con carne y pescado

Ir de tapas y a merendar

Hay un par de pasatiempos que son muy populares entre la gente en España: ir de tapas e ir a merendar.[1] Ir de tapas es reunirse[2] con amigos o parientes para conversar y tomar aperitivos[3] antes de ir a casa para comer con la familia. Durante la conversación (o tertulia) las personas hablan de todo y comen tapas muy diversas (aceitunas, jamón serrano, patatas bravas[4], diferentes quesos, empanadas[5], etc.). Hay restaurantes y bares que sólo tienen tapas. Los grupos de amigos o familia pueden ir a tres o cuatro lugares diferentes para comer las tapas típicas de ese lugar. Hay dos

Aquí sirven tapas.

razones para comer tapas en España: la primera es que los españoles toman el almuerzo muy tarde (a las 2:00 o a las 3:00 de la tarde) y también cenan[6] muy tarde (a las 9:00 o a las 10:00 de la noche), y la segunda, la verdadera[7] razón, es que a los españoles les gusta mucho hablar y pasar tiempo con sus amigos y familia.

Unas tapas ricas.

Merendar es otra forma de pasar tiempo con amigos y familia en donde los españoles salen para hablar y comer. En España la gente puede merendar en cafeterías, en merenderos[8] o en casa. Merendar, o la merienda, consiste de café para los adultos y de leche o chocolate para los jóvenes, además de[9] pasteles[10] y dulces. La merienda se come entre las cinco y las seis de la tarde, tres o cuatro horas antes de la cena[11], o ¡una hora antes de las tapas!

[1]to have an afternoon snack   [2]to get together   [3]appetizers   [4]spicy potatoes   [5]bread dough filled with meat or fish   [6]eat dinner   [7]real   [8]places to have *merienda*   [9]in addition to   [10]pastries and cakes   [11]supper

A ¿Qué recuerdas?

1. ¿Qué es ir de tapas?
2. ¿Qué es merendar?
3. ¿Qué tapas comen los españoles?
4. ¿Adónde puede ir la gente para merendar?
5. ¿Por qué salen los españoles de tapas y meriendas?

B Algo personal

1. ¿Te gustan los aperitivos? ¿Cuáles te gustan?
2. ¿Qué te gustaría más, ir de tapas o ir a merendar?
3. ¿Qué te gustaría comer de tapas?
4. ¿Qué te gustaría comer de merienda?

Ellas meriendan.

‡Tú escribes

A Imagine you are going to celebrate a special event by having a special dinner with friends. First, write the name of the event you are celebrating (e.g., *cumpleaños de mi amigo Julio, viaje de mi amiga Elena*), and the date and the time the dinner will begin. Next, draw two intersecting circles (a Venn diagram). In one circle, list in Spanish the things you plan to do. In the second circle, list the things your friends plan to do. In the shared space, list the activities that the two of you plan to do together. Place each activity you think of in the appropriate area of the graphic. Be sure to include the *quehaceres* that must be completed both before and after the dinner.

B Underneath the circles of the Venn diagram you prepared, write a paragraph in Spanish describing the dinner you are planning, who is invited and who is responsible for carrying out the preparations.

Proyectos adicionales

A Conexión con la tecnología

Search the Web for sites about Spanish cuisine using key words (cuisine, food, Spanish, paella, etc.). How many different recipes *(recetas)* can you find? For example, how many ways can *paella* be prepared? How are the recipes different? List the ingredients. Can you locate any restaurants that serve *paella*? How much does it cost? Share your findings with the class.

La comida española.

B Comparaciones

Working with three or four classmates, compare your food habits. For example, ask your classmates if they eat more often at home or in restaurants; talk about the location and names of restaurants where members of the group eat; find out what foods your classmates think are the best at home and in each of the restaurants they name; and find out what foods each person prepares at home (and ask whether it is better or worse than the same food at a restaurant or when someone else prepares it. Take notes and report your findings to the class.

MODELO **A:** ¿Comes más en restaurantes que en tu casa?
B: No, como más en mi casa que en restaurantes.

C Conexión cultural

What comes to mind when you think about Spain? Prepare a list of at least ten Spanish words that convey what you associate with Spain. Try to include words that relate to Spain's history as well as to modern Spain. Then, based on the words in your list, create a poster using pictures, art and other graphics to depict the images you have of Spain. Finally, display the poster and tell the class about your project. Be creative!

La Feria de abril (Sevilla, España).

Repaso

Now that I have completed this chapter, I can...   **Go to these pages for help:**

talk about household chores.	318
say what just happened.	318
ask for and offer help.	323
talk about the past.	334
identify and describe foods.	338
discuss food preparation.	338
make comparisons.	342

I can also...

talk about Spain's past.	321
talk about life in Spain today.	331
use survival skills.	341
name foods from different regions of Spain.	351

Trabalenguas

Pepe Pecas pica papas con un pico,
con un pico pica papas Pepe Pecas.

Vocabulario

el **abrigo** coat *8A*
  acabar to finish, *8A*
  acabar de *(+ infinitive)* to have just *8A*
  adornar to decorate *8A*
el **aguacate** avocado *8B*
el **ajo** garlic *8B*
  algo something, anything *8A*
  añadir to add *8B*
  arreglar to arrange, to straighten, to fix *8A*
el **arroz** rice *8B*
la **aspiradora** vacuum cleaner *8A*
  barrer to sweep *8A*
la **basura** garbage *8A*
el **café** coffee *8B*
la **cama** bed *8A*
la **carne** meat *8B*
la **cebolla** onion *8B*
el **chocolate** chocolate *8B*
el **chorizo** sausage *(seasoned with red peppers)* *8B*
  cocinar to cook *8A*
  colgar (ue) to hang *8A*
  dar de comer to feed *8A*
  dejar to leave *8A*
  doblar to fold *8A*
  escoger to choose *8B*
la **fresa** strawberry *8B*
  fresco,-a fresh, chilly *8B*
la **fruta** fruit *8B*
la **gente** people *8A*
el **guisante** pea *8B*
la **habichuela** green bean *8B*
  hacer falta to be necessary, to be lacking *8B*

el **helado** ice cream *8B*
el **huevo** egg *8B*
  importar to be important, to matter *8B*
el **ingrediente** ingredient *8B*
el **jamón** ham *8B*
el **jardín** garden *8A*
  junto,-a together *8A*
el **kilo (kg.)** kilogram *8B*
la **lata** can *8B*
  lavar to wash *8A*
la **leche** milk *8A*
la **lechuga** lettuce *8B*
  limpiar to clean *8A*
  listo,-a smart *8A*
  llegar to arrive *8A*
  llevar to take, to carry *5A*
  maduro,-a ripe *8B*
el **maíz** corn *8B*
la **manzana** apple *8B*
  más *(+ noun/adjective/adverb)* **que** more *(+ noun/adjective/adverb)* *8B*
  mayor older, oldest *8B*
  mejor better, *8B*
  menor lesser, least *8B*
  menos *(+ noun/adjective/adverb)* **que** less *(+ noun/adjective/adverb)* *8B*
el **mercado** market *8B*
la **olla** pot, saucepan *8A*
  olvidar to forget *8B*
  oír to hear, to listen *8A*
la **paella** paella *(traditional Spanish dish with rice)* *8B*
la **papa** potato *8B*
  parecer to seem *8B*
  pasar la aspiradora to vacuum *8A*
  peor worse *8B*
  peor/peores *(+ noun)* the worst *(+ noun)* *8B*

la **persona** person *8A*
el **pimiento** bell pepper *8B*
el **plátano** banana *8B*
el **precio** price *8B*
  preparar to prepare *8A*
  prestar to lend *8B*
el **quehacer** chore *8A*
el **queso** cheese *8B*
  quizás perhaps *8A*
la **receta** recipe *8B*
  recoger to pick up *8A*
  recoger la mesa to clear the table *8A*
  sacar to take out *8A*
  sin without *8B*
  sólo only, just *8A*
  subir to climb, to go up, to go upstairs, to take up, to bring up, to carry up *8A*
el **supermercado** supermarket *8B*
  tan *(+ adjective/adverb)* **como** *(person/item)* as *(+ person/item)* as *8B*
  tanto como as much as *8B*
  tanto,-a *(+ noun)* **como** *(person/item)* as many/much *(+ noun)* as *8B*
el **tomate** tomato *8B*
  trabajar to work *8A*
el **trabajo** work *8A*
  traer to bring *8A*
la **uva** grape *8B*
la **verdura** greens, vegetables *8B*
el **vinagre** vinegar *8B*
la **zanahoria** carrot *8B*

El jamón.

¡Hay buen chorizo! ¿Cuántos kilos quiere?

Capítulo 9

La ropa

Objetivos

- ❖ **describe clothing**
- ❖ **identify parts of the body**
- ❖ **express disagreement**
- ❖ **talk about the past**
- ❖ **discuss size and fit**
- ❖ **discuss price and payment**

Visit the web-based activities at www.emcp.com

Vocabulario I
En la tienda por departamentos

Departamento de ropa para hombres

el pijama

la camisa de algodón

la ropa interior

el traje de baño

la corbata

el traje

Departamento de ropa para mujeres

la blusa de seda

morada

marrón

rosada

anaranjada

el vestido

el traje de baño

el pijama

la ropa interior

las medias

el cuerpo

la cabeza

la bota

el dedo

el brazo

la mano

el zapato bajo

el zapato de tacón

la pierna

el pie

el dedo

¿Prefieres la camisa roja o la verde?

Prefiero la roja. Yo les pedí una roja a mis padres para mi cumpleaños, pero me dieron una azul.

1 Comprando ropa

Selecciona la ilustración que corresponde con lo que oyes.

A   B   C   D   E   F

2 ¿De qué color son?

Describe la ropa de la actividad anterior, usando los colores.

1. el vestido
2. las botas
3. el pijama
4. la corbata
5. la blusa
6. el traje de baño

3 El cuerpo

Nombra (name) las partes del cuerpo.

Diálogo I

¿Cuál prefieres?

ROCÍO: ¿Dónde está el departamento de ropa para mujeres?

PEDRO: ¿Qué buscas?

ROCÍO: Busco un vestido de seda para la fiesta del sábado.

ROCÍO: Aquí hay unos vestidos. ¿Cuál prefieres?

PEDRO: Prefiero el vestido rosado. Y no cuesta mucho.

ROCÍO: ¿El rosado? No me gusta ni un poquito. Prefiero el morado.

PEDRO: Con el rosado puedes llevar unas medias verdes.

ROCÍO: ¿Una medias verdes? ¡Estás loco!

PEDRO: Sí, te vas a ver muy bonita, como una flor.

4 ¿Qué recuerdas?

1. ¿Qué busca Rocío?
2. ¿Qué vestido prefiere Pedro?
3. ¿Cuesta mucho el vestido rosado?
4. ¿Le gusta el vestido rosado a Rocío?
5. ¿Qué vestido prefiere Rocío?
6. Según Pedro, ¿con qué puede llevar Rocío el vestido rosado?

5 Algo personal

1. ¿Cuál es tu color favorito?
2. ¿Tienes un color favorito para la ropa?
3. ¿Qué ropa te gustaría comprar?
4. ¿Qué colores te gusta llevar juntos?
5. ¿Te gusta ayudar a tus amigos/as a comprar ropa? Explica.

¡Extra!

¿Recuerdas?

Do you remember learning the following colors?

amarillo   negro

azul   rojo

blanco   verde

gris

6 ¿Cuál prefieres?

))) Selecciona la letra de la ilustración que corresponde con lo que las siguientes personas prefieren.

A

B

La ciudad
de Panamá.

Panamá, el cruce del mundo

Although small by comparison with many Spanish-speaking countries, Panama serves as an important crossroads for the world due to its geographic location and physical features. You are probably familiar with the canal (el Canal de Panamá) that divides the country in two. This valuable international travel route took years to build and many people died during its construction. Today the canal serves a critical function connecting the Atlantic and the Pacific oceans, shortening the time and energy required to transport goods from one part of the world to another.

Panama's people (los panameños) have a varied background. When Rodrigo de Bastidas, Juan de la Cosa and Vasco Nuñez de Balboa arrived in Panama in 1501, followed by Columbus in 1502, the land was inhabited primarily by natives of two indigenous groups, the kuna and the chocó. Panama's citizens today are descendants of these and other indigenous groups, Spanish conquistadors, African slaves and workers from China (who were involved in constructing the railroad in the mid-1800s), among others. Direct descendants of the kuna and chocó people still inhabit the San Blas archipelago.

Most Panamanians prefer to live in cities along the canal. For example, Panama City (la Ciudad de Panamá), the capital and largest city, is located along the canal. Panama City has become an important financial center, with more than ninety banks from throughout the world registered to do business.

El canal de
Panamá.

7 Panamá, el cruce del mundo

Di si lo siguiente es *cierto* o *falso*.

1. Panamá es un país pequeño.
2. La capital de Panamá es San José.
3. El Canal de Panamá va del Océano Pacífico al Atlántico.
4. La capital es la ciudad más grande del país.
5. Bastidas, de la Cosa y Balboa llegaron a Panamá en 1905.
6. Descendientes de los kuna y los chocó viven en el archipiélago de San Blas.

8 Conexión con otras disciplinas: arquitectura e historia

Working in small groups, research the history of the Panama Canal. Try to find information regarding its construction, how long the project took, etc. Share your findings with the class.

Estructura

Adjectives as nouns

Although a definite article is not usually needed when a color describes an object (because the color is an adjective), a definite article is required when naming colors in Spanish (because they are considered nouns).

Pedí un pantalón negro de cumpleaños.   I asked for black pants for my birthday.

but:

Colors will be masculine!

*Prefiero **el** (color) rojo.*   I prefer red.

In addition, sometimes a word being described may be omitted in order to avoid repeating a noun. In such cases the article remains and the adjective must agree with the noun that was omitted.

*¿Te gusta el vestido azul o **el** (vestido) **gris**?*   Do you like the blue dress or **the grey one?**
*Compré la camisa blanca, no **la verde.***   I bought the white shirt, not **the green one.**

Práctica

9 Los colores de mi ropa

Completa las oraciones con el adjetivo apropiado para describir algunos artículos de ropa en tu cuarto.

MODELO   Tengo un pantalón rojo.

1. Tengo mucha ropa ___. *azul*
2. Tengo unas botas ___. *amarillo*
3. Tengo unos zapatos ___. *verde*
4. Tengo un pijama ___. *anaranjado*
5. Tengo una camisa ___. *rojo*
6. Tengo un traje de baño ___ *morado*

Tengo un pantalón rojo.

10 Los gustos personales

Completa las siguientes oraciones con un artículo definido si lo necesitan.

1. A Marta le gusta ___ color verde. *da*
2. El color favorito de Enrique es ___ morado. *el*
3. A mi prima le gustaría comprar un impermeable ___ amarillo. *el*
4. ¿Elena prefiere los calcetines verdes o ___ rojos? *los*
5. Mi madre tiene una blusa de seda ___ rosada porque es su color favorito. *la*
6. A Pedro le gustan sus botas ___ negras. *las*
7. Esperanza compró la ropa interior azul ayer, no ___ blanca. *la*
8. ___ anaranjado es mi color favorito. *el*

11 ¡Vamos de compras!

Imagina que tienes $300.00. Haz una lista de la ropa que te gustaría comprar este sábado, añadiendo los colores y los materiales que te gustan.

✦ Comunicación

12 ¿Cuánto cuesta?

Trabajando en parejas, un estudiante hace de cliente *(customer)* y el otro de vendedor(a) *(salesperson)*. Alternen en regatear los precios de los artículos en las ilustraciones.

MODELO

A: ¿Cuánto cuestan las botas?
B: Las botas cuestan $80.
A: Le doy $70.
B: No puedo. Se las doy por $75.

Estrategia

Developing language survival skills: *regatear*

Most shops and stores in Spanish-speaking parts of the world have a fixed price *(precio fijo)*, and trying to negotiate a lower price would be inappropriate. However, in some instances negotiating *(regatear)* the price for an item is a common and accepted practice. For example, street vendors selling clothing, baskets, jewelry, etc. in Panama City would expect you to negotiate with them on prices.

How might knowing Spanish help you negotiate a price while visiting a Spanish-speaking country? Do you feel confident enough with your Spanish skills to be able to negotiate a price?

¡Oportunidades!

Regatear
Is there a flea market where you live? Go there and practice bargaining for items. Learning how to bargain will be beneficial if you travel to a Spanish-speaking country where you can combine your ability to bargain with your ability to speak Spanish.

1   **2**

3   **4**   **5**   **6**

13 ¿Qué ropa ves?

Trabajando en parejas, habla con tu compañero/a sobre la ropa de la tienda del Vocabulario I. Miren el dibujo y señalen *(point out)* con el dedo los artículos de ropa.

MODELO **A:** ¿Qué te gustaría comprar en la tienda?
   B: Me gustaría comprar los zapatos negros, los marrones no me gustan.

14 ¿Qué ropa llevan?

Discuss what clothing people around you are wearing. Begin by saying who is wearing the article of clothing. Your partner then must describe the material or color. Each student must name and describe at least five articles of clothing.

MODELO **A:** Estoy mirando el pantalón de Julia.
   B: Su pantalón es azul y es de algodón.

Estructura

Talking about the past: preterite tense of *-er* and *-ir* verbs

Form the preterite tense of regular *-er* and *-ir* verbs by removing the last two letters from the infinitive and adding the same set of endings for either type of verb.

correr	
corrí	corrimos
corriste	corristeis
corrió	corrieron

escribir	
escribí	escribimos
escribiste	escribisteis
escribió	escribieron

¿Quién **corrió** a la tienda?
¿Le **escribió** Julia una carta a su prima?

Who **ran** to the store?
Did Julia **write** a letter to her cousin?

Note: Stem changes that occur in the present tense for *-ar* and *-er* verbs do not occur in the preterite tense. However, *-ir* verbs that have a stem change in the present tense require a different stem change in the preterite tense for *Ud., él, ella, Uds., ellos* and *ellas.* This second change is shown in parentheses after infinitives in this book. Some verbs that follow this pattern include *dormir (ue, u), mentir (ie, i), pedir (i, i), preferir (ie, i), repetir (i, i)* and *sentir (ie, i).* The stem changes do not interfere with the verb endings.

dormir	
dormí	dormimos
dormiste	dormisteis
durmió	durmieron

pedir	
pedí	pedimos
pediste	pedisteis
pidió	pidieron

preferir	
preferí	preferimos
preferiste	preferisteis
prefirió	prefirieron

15 **¿Lo hiciste ayer o no?**

Use each of the verbs shown to state ten things you did or did not do
yesterday.

abrir		**recoger**	*comer*
	aprender		
correr		dormir	
	escribir		barrer
mentir	salir	repetir	

MODELO   recoger
Recogí unas fotos ayer.

¿Corriste ayer?

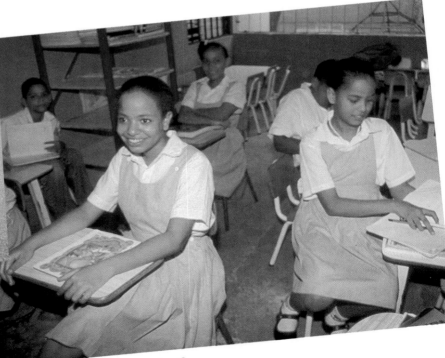

¿Aprendieron mucho en la clase?

16 En la tienda de ropa

Working in pairs, one person plays the part of the owner of a clothing store who has returned from vacation and one person plays the part of an employee who has been managing the store during the owner's absence. What might the conversation sound like, based upon the provided cues?

MODELO recoger las corbatas nuevas

  A: ¿Recogiste las corbatas nuevas?
  B: Sí, (No, no) las recogí.

1. aprender a arreglar los pantalones
2. barrer siempre el suelo de la tienda por la mañana
3. pedir las camisas
4. escoger las corbatas para los clientes
5. subir la ropa nueva a la oficina

17 ¿Qué hicieron ayer?

Usa elementos de cada columna para hacer siete oraciones completas y decir lo que pasó ayer.

MODELO Yo pedí tres corbatas.

I	II	III
tú y yo	pedir	al departamento de ropa para hombres
Uds.	estar	comprarte unas botas nuevas
la profesora	dormir	toda la tarde
Ud.	correr	ropa interior blanca
los chicos	preferir	en la tienda por departamentos
tú	repetir	tres corbatas
yo		los trajes de baño
		el precio dos veces

Estuvimos en el centro comercial ayer.

18 En la tienda por departamentos

En parejas, hablen Uds. de lo qué pasó en la tienda por departamentos ayer, según las pistas y las ilustraciones.

MODELO

Belén/pedir ver

A: ¿Qué pidió ver Belén?

B: Belén pidió ver unas botas marrones.

1. Jorge y Edgar/
pedir ver

2. Manuel/escoger

3. Alfonso y su hermano/
volver para comprar

4. la amiga de Ernesto/
correr a comprar

5. Carmen y su
mamá/escoger

6. Pedro/preferir comprar

◈ Comunicación

19 La semana pasada

Make a list of some things you did in the past week. Then, in small groups, talk about the activities on everyone's list. One person starts by mentioning something he or she did. Then others in the group ask questions such as when and with whom you did each activity. You may wish to include some of the following activities: *escribir un correo electrónico, dormir tarde, comer en un restaurante, salir con amigos,* etc.

MODELO   **A:** Escribí un correo electrónico.

B: ¿A quién lo escribiste?

A: Lo escribí a un amigo en Panamá.

C: ¿Cuándo escribiste el correo?

A: Lo escribí anteayer.

la chaqueta

20 ¿Qué es?

Escribe el artículo de ropa que oyes.

MODELO   el <u>sombrero</u>

1. los __   2. un __   3. una __   4. un __   5. tu __   6. el __

21 ¿Qué llevo?

Escoge la palabra apropiada para completar lógicamente las siguientes oraciones.

MODELO   Si hace frío llevo un (ropa interior, <u>abrigo</u>, blusa).

1. Ay, está nevando y no tengo (corbata, amarillo, botas).
2. Hace sol y calor. Debo llevar mi (suéter, traje de baño, falda) a la playa.
3. Me gusta caminar por la playa sin (zapatos, seda, gris).
4. No quiero llevar una (chaqueta, corbata, camisa) porque no hace frío.
5. Hace mucho viento y no debo llevar el (sombrero, camisa, suéter).
6. El pantalón del (rosado, traje, falda) está sucio.

22 La ropa que usas

Haz una lista de la ropa que necesitas para esquiar en la nieve y otra lista para pasar un día en la playa.

Diálogo II
Un vestido de seda

ROCÍO: ¿Hay alguien a quien preguntar por otros vestidos?
PEDRO: Sí, allí. Señora, ¿nos puede ayudar?
SEÑORA: Sí, cómo no.

ROCÍO: Busco un vestido de seda.
SEÑORA: ¿No le gusta ninguno de aquí?
ROCÍO: No, ninguno. Bueno, este azul, pero no me queda bien.

SEÑORA: Bueno, aquí hay otros pero son de lana.
ROCÍO: No, los vestidos de lana no me gustan nada.
SEÑORA: Le gustaría ver algo más, ¿guantes, abrigos, faldas?

23 ¿Qué recuerdas?

1. ¿Hay alguien a quien preguntar por otros vestidos?
2. ¿Le gustan los vestidos de seda a Rocío?
3. ¿Qué vestidos no le gustan a Rocío?
4. ¿Qué más puede ver Rocío?

24 Algo personal

1. ¿Prefieres los vestidos de lana o los de seda?
2. ¿Qué color de ropa te queda bien?
3. ¿Qué ropa compras cuando vas de vacaciones?

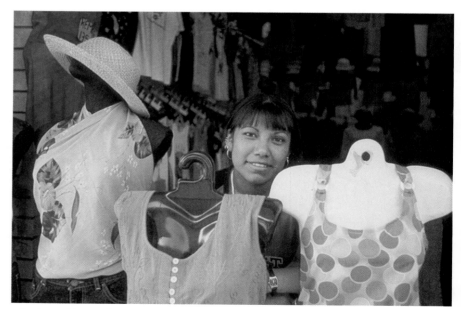

¿Qué vestido prefieres?

25 ¿Cuándo?

 Listen carefully to statements made by several people. Indicate whether each sentence you hear is in the past (pretérito) or in the present (presente).

Cultura viva

También se dice

As you have seen many times now, words that are used to name items in Spanish often vary a great deal as you travel from one country or region to the next. Even common articles of clothing are referred to in many different ways. For example, the item you know as a *falda* may be called a *saya* in the Caribbean or a *pollera* in parts of South America. However, in Panama the term *pollera* refers to the national dress, which consists of a brightly colored blouse that is connected to a full skirt. In the Caribbean, *zapatos de tacón* are sometimes called simply *tacones*. In addition, an *abrigo* may be called a *sobretodo* in Chile, and many people use *almacén* instead of *tienda de ropa* to refer to the place where they shop for clothing.

Words used to refer to some colors vary, too, as you travel from one Spanish-speaking part of the world to another. For instance, there are many different words to refer to the color brown. In countries that have been influenced by the French many people favor the word *marrón* for **brown.** In the Caribbean, *carmelita* and the expressions *color café* or *color tabaco* are used. In some countries the word for brown varies according to what is being described. For example, the word *castaño* describes brown hair or brown eyes.

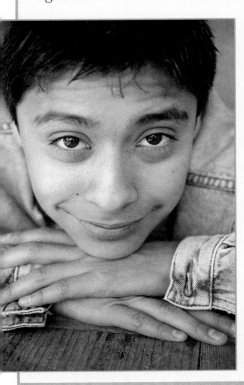
Tiene ojos castaños.

Un tacón de color café.

26 Juego: ¿Quién es?

In small groups, play this game: Take turns describing what someone in the class is wearing, one article of clothing at a time, without looking directly at the person; next, ask *¿Quién es?* and have one member of the group answer after the piece of clothing has been described. If the person does not guess correctly who the person is, describe another article of clothing and continue. The winner is the person that correctly identifies the classmate who is wearing the clothing being described.

MODELO A: Lleva una camisa blanca. ¿Quién es?
B: Es Carlos.

Lleva un abrigo rosado. ¿Quién es?

Capítulo 9 *trescientos setenta y siete* **377**

Idioma

Preterite tense of *ir* and *ser*

You have already seen forms of the preterite tense of *ser*. The irregular preterite-tense forms of *ir* (to go) and *ser* (to be) are identical.

ir/ser	
fui	fuimos
fuiste	fuisteis
fue	fueron

¿Quién **fue** al centro comercial ayer?	Who **went** to the mall yesterday?
¿**Fueron** ellos al centro comercial?	**Did** they **go** to the mall?

but:

¿Qué día **fue** ayer?	What day **was** yesterday?
Esos días **fueron** fantásticos.	Those days **were** fantastic.

¿Fueron ellos al centro comercial?

27 ¿Adónde fueron ayer?

Indica adónde fueron estas personas, según las ilustraciones.

MODELO

Ana y Pablo
Ana y Pablo fueron al cine ayer.

1. yo

2. tú

3. Julia

4. mis padres

5. mi amigo y yo

6. Raúl e Inés

28 Haciendo compras en la isla Contadora

Completa el siguiente párrafo con el pretérito de los verbos indicados para decir qué ropa compraron Juanita y sus dos hermanas en la isla Contadora.

Primero yo *(1. escoger)* un traje de baño porque el que tengo no me queda bien. Lo *(2. comprar)* por poco dinero. Mis hermanas también *(3. comprar)* en la misma tienda unos vestidos de algodón muy bonitos. Cuando nosotras *(4. volver)* al centro comercial, yo *(5. ir)* a buscar otro traje de baño para mí. Ese día en la tienda, los dependientes *(6. vender)* todos los trajes de baño rápidamente. Nosotras *(7. comprar)* el último. Me gustaría tener dos. Luego, mi tía Julia *(8. ir)* con nosotras de compras. Ella *(9. prometer)* comprarme ropa para mi cumpleaños y yo le *(10. pedir)* unos zapatos bajos, de color marrón. ¡Qué bonitos son! Nosotras *(11. estar)* comprando todo el día y *(12. llegar)* tarde al hotel, ¡cansadas pero contentas!

29 **Fueron y compraron lo siguiente**

Imagina que tus amigos y tú fueron de compras al centro comercial el sábado pasado. Di lo que las siguientes personas fueron a comprar. Sigue el modelo.

MODELO

Andrés
Andrés fue a comprar un suéter verde.

1. Marta   2. Lola y Rita   3. tú   4. nosotros   5. yo

✤ Comunicación

30 **Haciendo cosas**

With a partner, talk about where family and friends went yesterday, last week, last month or last year. Include in your discussion how the people named went to each place, whom they went with and what they did. Take notes as you talk. Then share the most interesting bit of information you learned with the class.

MODELO   **A:** ¿Fueron tú y tu familia a un buen restaurante la semana pasada?
B: Sí. Fuimos a un restaurante nuevo en el centro comercial.
A: ¿Te gustó?
B: Sí, me gustó mucho.

31 **Una encuesta**

Haz una investigación sobre las actividades que hacen tus compañeros(as) de clase. Prepara una lista de actividades (quehaceres, deportes, pasatiempos, etc.) y trata de encontrar una persona que haya hecho *(has done)* cada actividad y pregúntale cuándo la hizo durante la semana pasada. Puedes usar las siguientes frases para completar la investigación: *dormir tarde, escribir un correo electrónico, ir al centro comercial, ir a un buen restaurante, ir al cine, ir a la playa, ir al parque.*

MODELO   **A:** ¿Dormiste tarde la semana pasada?
B: Sí, dormí tarde el jueves.

Actividad	Nombre	Día
dormir tarde		jueves
escribir un correo electrónico		

Affirmative and negative words

You have learned to make a sentence negative by placing *no* before a verb.

No *veo la chaqueta.*   I do **not** see the jacket.

Unlike English, in Spanish it is sometimes possible to use two negative expressions in the same sentence. The following chart contains a list of common negative expressions along with their affirmative counterparts.

Expresiones afirmativas	Expresiones negativas
sí *(yes)* **Sí,** ella habla español. Él dice que **sí.**	**no** *(no)* **No,** él **no** habla español. Ella dice que **no.**
algo *(something, anything)* ¿Quieres comprar **algo**? ¿Compraste **algo** ayer?	**nada** *(nothing, anything)* **No** quiero comprar **nada.** **Nada** me gustó.
alguien *(somebody, anybody)* ¿Lo sabe **alguien**? **Alguien** debe saberlo.	**nadie** *(nobody, anybody)* **No** lo sabe **nadie.** **Nadie** lo sabe.
algún, alguna, -os, -as *(some, any)* ¿Le gusta **algún** abrigo? ¿Le gusta **alguna** blusa? ¿Compras **algunos** calcetines? ¿Buscas **algunas** corbatas?	**ningún, ninguna, -os, -as** *(none, not any)* No, **ningún** abrigo me gusta. No, **ninguna** me gusta. No, **no** compro **ningunos** calcetines. No, **no** busco **ningunas** corbatas.
o...o *(either... or)* Puedes comprar **o** un abrigo **o** un sombrero.	**ni... ni** *(neither... nor)* **No** voy a comprar **ni** un abrigo **ni** un sombrero.
siempre *(always)* Él **siempre** lleva botas.	**nunca** *(never)* Ella **no** lleva botas **nunca.** Ella **nunca** lleva botas.
también *(also, too)* Ella viene hoy **también.** Ella **también** viene hoy.	**tampoco** *(neither, either)* Él **no** viene mañana **tampoco.** Él **tampoco** viene mañana.

Note: The words *alguno,-a* (some, any) and *ninguno,-a* (none, not any) sometimes are used as pronouns.

¿*Va* **alguno** *o* **alguna** *de Uds.*
al centro comercial ahora?

No, **ninguno** *de nosotros va al*
centro comercial ahora.

When combining negative expressions in one sentence in Spanish, it is often possible to use one of the negative expressions before the verb and another negative expression (and sometimes even more than one) after the verb. However, *no, nada, nadie, nunca, tampoco* and forms of *ninguno* may be used alone, before the verb, without the word *no*.

No voy **nunca** al centro.
Nunca voy al centro.

I **never** go downtown.

No estoy comprando **nada tampoco**.
Tampoco estoy comprando **nada**.

I am **not** buying **anything either**.

When *nadie* or a form of *ninguno* are direct objects referring to people they require the personal *a*.

No veo **a nadie** aquí.
No veo **a ningún** amigo aquí.

I don't see **anyone** here.
I don't see **any** friends here.

Práctica

32 **A completar**

Completa estos mini-diálogos lógicamente, usando una de las siguientes palabras: *algo, alguien, nada* o *nadie*.

1. _Alguien_ debe ir con Uds.
   No queremos ir con _nadie_.
2. _Alguien_ te llama por teléfono.
   Marta te quiere decir _algo_.
3. ¿Va _alguien_ con Uds.?
   Sí, Isabel va con nosotras porque quiere comprar _algo_.
4. ¿Ves a _alguien_ en esa tienda de ropa?
   No, no veo a _nadie_.
5. ¿Quieres comprar _algo_?
   No, no me gusta _nada_.

33 **¡No!**

Contesta las preguntas en forma negativa.

MODELO ¿Qué quieres mirar?
No quiero mirar nada.

1. Yo no voy a la tienda de ropa. ¿Y tú?
2. ¿Con quién fueron Uds. de compras ayer?
3. ¿Prefieres las botas anaranjadas o las verdes?
4. ¿Viste alguna falda de algodón?
5. ¿Ves a algún amigo del colegio?
6. ¿Compraron Uds. el suéter rojo o el suéter azul?
7. ¿Sus padres siempre les dan dinero para ir de compras?
8. ¿Te gustaría vender ropa interior o carros?
9. ¿Siempre van Uds. de compras al centro?
10. ¿Quiénes de Uds. son de Panamá?

¿Compraron el suéter rojo?

34 ¡Estoy enfermo/a y no quiero hacer nada!

Estás de mal humor porque estás enfermo/a y tus padres te hacen muchas preguntas. Trabajando en parejas, alternen en hacer las siguientes preguntas y en dar respuestas negativas a cada una.

MODELO **A:** ¿Piensas ir de compras o vas a estudiar?
B: No, no pienso ni ir de compras ni estudiar.

1. ¿Qué vas a hacer hoy?
2. ¿Quién te va a visitar en casa?
3. ¿Siempre juegas con el perro cuando estás enfermo/a?
4. ¿Quieres comer algo?
5. ¿Vas a hablar con alguien por teléfono?
6. ¿Quieres ver alguna película en DVD?
7. ¿Te puedo comprar algo?

✦ Comunicación

35 No se hace

Trabajando en parejas, hablen Uds. de lo que nadie hace nunca y hagan una lista de siete u ocho cosas que nadie hace nunca. Luego, deben leer las mejores frases de la lista a la clase.

MODELO Nadie va al centro comercial sin zapatos.

36 ¿Qué llevas mucho?

Talk with a classmate about the clothing you like to wear and when. Include in your discussion how often you wear various articles of clothing, the colors you prefer, when and where you went shopping and whether or not you purchased something, which articles of clothing each of you purchased last week/month/year (naming a specific time) and anything else you wish.

MODELO **A:** ¿Qué ropa te gusta llevar mucho?
B: Me gusta llevar este suéter anaranjado casi todos los días.
A: ¿Dónde lo compraste?
B: No lo compré, me lo regaló mi hermano.

Me gusta llevar mi vestido rojo y azul.

Las molas: símbolo de la cultura kuna

En el mar[1] Caribe, a 200 millas de la costa de Panamá, está el archipiélago de San Blas *(Kuna Yala)*. En estas islas tropicales viven los indios kuna. Uno de los elementos más conocidos de los indios kuna es su vestimenta tradicional[2] que es espectacular: las mujeres llevan anillos de oro[3] en la nariz, faldas coloridas y blusas decoradas con las famosas molas. Las molas son paneles de intricados diseños[4] cosidos a mano[5].

Las mujeres kuna observan, transforman y representan el mundo que ven y su medio ambiente y los convierten en estas obras de arte usando aguja, hilos y telas de colores vivos[6].

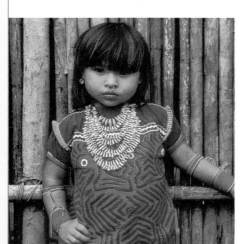

Los paneles adornan la parte delantera y trasera de las blusas y los diseños pueden ser muy antiguos, con piezas geométricas y animales sagrados, relativos a la vida diaria de las mujeres. Las molas son apreciadas piezas de arte indígena y pueden encontrarse en museos y colecciones privadas. Las molas pueden alcanzar un precio muy elevado, dependiendo del número de capas, los detalles y el mérito artístico del diseño.

[1]sea [2]traditional clothing [3]gold [4]designs [5]hand-sewn [6]threads and fabrics of bright coloring

37 ¿Qué recuerdas?

1. ¿Dónde viven los kunas?
2. ¿Cómo es el traje tradicional de las mujeres kunas?
3. ¿Cómo se hacen las molas?
4. ¿Para qué usan las molas?

38 Algo personal

1. En tu opinión, ¿son las molas ropa, arte o los dos? Explica.
2. Imagina que vas a crear una mola. Describe el diseño y los colores de tu mola.

- Compare and contrast the molas of the Kuna Indians with a traditional piece of clothing of another culture. Are they worn just by women? Are they sold as art pieces? Are they made of cotton? Do they have colorful designs?

¿Qué aprendí?

Autoevaluación

As a review and self-check, respond to the following:

1. Describe three of your favorite clothing items, saying what color they are and what they are made of.

2. Imagine you are deciding either to take a vacation to Panama to enjoy warm weather or go to Chile for a winter ski trip. List at least three articles of clothing you will need to take with you for each vacation choice.

3. State three things you did yesterday.

4. Name two places you went yesterday.

5. Make two affirmative and two negative statements about something that happened yesterday.

6. Name two things you have learned about Panama.

Palabras y expresiones

Para describir
algún, alguna
anaranjado,-a
marrón
morado,-a
ningún, ninguna
rosado,-a

Pronombres
algo
alguien
alguno,-a
nada
nadie
ninguno,-a

La ropa
la bota
la chaqueta
la corbata
el guante
el impermeable
las medias
el pijama
la ropa interior
el sombrero
el suéter
el traje (de baño)
el vestido
el zapato (bajo/de tacón)

Partes del cuerpo
el brazo
la cabeza
el cuerpo
el dedo
la mano
el pie
la pierna

Verbos
combinar
contar (ue)
prometer
quedar
vender

Expresiones y otras palabras
el algodón
el centro comercial
el departamento
el hombre
la lana
la mujer
ni... ni
o... o
quedarle bien a uno
la seda
las vacaciones

Unas botas marrones.

Un traje de baño rosado.

Un traje de baño azul.

Vocabulario I
Regalos

la escalera mecánica

el ascensor

el regalo

el paraguas

 1 **¿Qué les gustaría recibir de regalo?**

🔊))) Selecciona la letra de la ilustración que corresponde con lo que oyes.

A

B

C

D

E

F

2 **Hablando de los artículos de la tienda**

Contesta las siguientes preguntas en español.

1. ¿Qué puede ser de cuero?
2. ¿Qué puede ser de plata?
3. ¿Qué puede ser de perlas?
4. ¿Te gusta usar perfume? Explica.
5. ¿Cuándo llevas pañuelo?
6. ¿Cuándo llevas bufanda?
7. ¿De qué materiales puede ser un bolso?
8. ¿Qué joyas te gusta llevar?

3 **Regalos para todos**

Trabajando en parejas, preparen tres listas de regalos, una para hombres, otra para mujeres y otra para hombres y mujeres. Cada lista debe tener tres o cuatro regalos en cada columna.

Para hombres	Para mujeres	Para hombres y mujeres
?	?	?

Diálogo I

Busco un regalo

DANIEL: Busco un regalo, bueno, bonito y barato.
SEÑORA: ¿Para hombre o para mujer?
DANIEL: Para mujer.

SEÑORA: ¿Qué le parece una pulsera de oro?
DANIEL: No. Ella dijo que joyas no.

SEÑORA: Entonces, ¿qué le parece este perfume?
DANIEL: El perfume es perfecto.

4 ¿Qué recuerdas?

1. ¿Qué busca Daniel?
2. ¿Qué tipo de regalo busca?
3. ¿Para quién busca algo Daniel?
4. ¿Va a comprar Daniel una pulsera de oro?
5. ¿Qué le parece perfecto?

¡Extra!

En otras palabras

el anillo	*la argolla, la sortija*
los aretes	*los zarcillos, los aros, los pendientes*
el bolso	*la cartera, la bolsa, el monedero*
el material sintético	*el plástico, el acrílico*
el paraguas	*la sombrilla*
el pijama	*el payama/el piyama*
la pulsera	*el brazalete*

5 Algo personal

1. Cuando buscas un regalo, ¿lo buscas bueno, bonito y barato? Explica.
2. ¿Piensas que es más fácil comprar un regalo para un hombre o una mujer?
3. En tu opinión, ¿qué regalos piensas son para hombres? ¿Y para mujeres?

6 Bueno, bonito y barato

Selecciona la letra de la ilustración que corresponde con lo que las siguientes personas buscan.

A

B

Ecuador, país de maravillas naturales

Ecuador is located southwest of Colombia and north of Peru. The equator (ecuador), which is located high in the Andes Mountains, cuts through the country just a few miles north of the nation's capital, Quito. A monument here marks the dividing point between the Northern and the Southern Hemisphere.

Soy de las Islas Galápagos.

Quito, Ecuador.

Ecuador was once part of the Incan Empire. When he died in the sixteenth century, the Incan emperor Huayna Cápac divided the empire between two sons: Atahualpa ruled the portion that was based in Quito, and Huáscar ruled the portion that was based in Cuzco, Peru. Huayna Cápac did not know, however, that the division would weaken the empire and lead to its rapid conquest by the Spanish conquistadors. Ecuador remained Spanish until becoming the first South American nation to declare its independence in 1809.

Remains of Ecuador's colorful past are still evident throughout the nation today. Along with historical reminders of the past, Ecuador offers visitors compelling natural wonders, as well. One of these, the *Archipiélago de Colón,* also known as the Galapagos Islands *(Islas Galápagos),* is located off the coast of Ecuador in the Pacific Ocean. The islands were formed by volcanic eruptions. Today they have become a national park *(parque nacional)* consisting of more than 600 miles of coastline, where an interesting mix of tropical and cold-climate animals *(animales)* and plants *(plantas)* live that cannot be found in any other part of the world.

GALAPAGOS ISLANDS

PINTA I. MARCHENA I. GENOVESA I.
ISABELA I. SANTIAGO I. SEYMOUR I. BALTRA I.
FERNANDINA I. PINZON I. SANTA CRUZ I. Pto. Ayora
SAN CRISTOBAL I. El Progreso
Tomás de Berlanga SANTA FE I.
Pto. Villamil Pto. Baquerizo Moreno
FLOREANA I. ESPAÑOLA I.

7 Conexión con otras disciplinas: geografía

Completa las frases de la izquierda con una de las frases de la derecha, según la información en la Cultura viva.

1. El ecuador divide...
2. La capital del Ecuador...
3. El Ecuador formó parte...
4. El Ecuador declaró su independencia...
5. Al Archipiélago de Colón se le llama también...
6. Las Islas Galápagos están...
7. En las Galápagos hay...

A. ...en el Océano Pacífico.
B. ...en 1809.
C. ...el mundo en norte y sur.
D. ...un parque nacional con plantas y animales.
E. ...es Quito.
F. ...las Islas Galápagos.
G. ...del imperio inca.

Idioma

Diminutives

Indicate affection or convey the idea that something is small by replacing the final vowel of a noun with the endings *-ito, -ita, -itos* and *-itas: Ana (Anita).* For nouns that end in a consonant, add the endings *-cito, -cita, -citos* or *-citas* to the complete word: *collar (collarcito).* Additional diminutive endings you may encounter include *-illo, -illa, -uelo, -uela, -ico* and *-ica.* Other words may require a spelling change: *poquito (poco).*

Although many exceptions exist for the diminutive forms, most are easily recognized: *hotelito (hotel), Daniel (Danielito).* It is best to learn the variations as you encounter them since they can vary from country to country and even from one person to another within countries.

Práctica

8 **Todo es pequeñito**

Cambia las siguientes palabras al diminutivo.

1. el bolso
2. la billetera
3. el cinturón
4. el pañuelo
5. la bufanda
6. el collar
7. las botas
8. los guantes
9. el suéter

9 **¿De dónde vienen?**

Indica la palabra original.

MODELO   el regalillo   →   el regalo

1. la chaquetilla
2. el zapatico
3. las joyitas
4. el trajecillo
5. la portezuela
6. el sombrerito
7. la corbatica
8. el jardincito
9. el hijuelo

Los guantes.

Comunicación

10 **Comprando un regalo con mucho cariño**

Imagine you and a close friend are in a department store shopping for a birthday gift for someone you like a lot. Create a conversation using the diminutive to refer to the objects you are considering buying and to convey your affection for the person for whom you are shopping.

MODELO   **A:** Mira estas joyitas tan lindas para tu mamita. Me gustan mucho.
         B: No me gustan mucho. Me gusta más este bolsito.
         A: El bolsito no está mal, pero prefiero aquel collarcito de perlitas.

Preterite tense of *leer, oír, ver, decir, hacer* and *tener*

The verbs *leer, oír, ver, decir, hacer* and *tener* all have irregularities in the preterite tense. For example, for *leer* and *oír,* an *i* between two vowels changes to a *y.* Both *leer* and *oír* require additional accent marks to separate vowel sounds and to indicate how these words are pronounced. The preterite tense of the verb *ver* uses the regular *-er* verb endings, but without any accent marks.

leer	
leí	leímos
leíste	leísteis
leyó	leyeron

oír	
oí	oímos
oíste	oísteis
oyó	oyeron

ver	
vi	vimos
viste	visteis
vio	vieron

Learning the irregular preterite-tense stem of *decir (dij), hacer (hic)* and *tener (tuv)* and the endings *-e, -iste, -o, -imos, -isteis* and *-ieron* will help you when you wish to use the preterite tense of these three irregular verbs.

Note: The *c* in the preterite-tense stem for *hacer* changes to *z* in *hizo; dijeron* is also an exception to the above because no *i* is required for the preterite ending.

decir	
dije	dijimos
dijiste	dijisteis
dijo	dijeron

hacer	
hice	hicimos
hiciste	hicisteis
hizo	hicieron

tener	
tuve	tuvimos
tuviste	tuvisteis
tuvo	tuvieron

 Práctica

11 ¡No oí!

Imagina que estás en una tienda comprando ropa con tu familia y todos te dicen algo al mismo tiempo y no oyes algunos de los comentarios. ¿Qué debes decir?

MODELO   mi mamá
　　　　¿Qué dijo mi madre? No la oí.

1. tú
2. la Sra. de la tienda
3. mis hermanos
4. mi padre
5. mis hermanas
6. mi prima y mi tío

¿Qué dijo mi madre?

12 ¿Qué le(s) gustaría recibir?

Di qué dijeron las siguientes personas que les gustaría recibir de regalo para su cumpleaños, según las ilustraciones.

MODELO

mi padre
Mi padre dijo que le gustaría recibir unos pañuelos.

1. yo   2. mis primos   3. mi tía   4. mi mamá

5. mi hermano   6. nosotros   7. tú   8. Uds.

13 ¿Qué hice?

Di cuáles de las siguientes cosas hiciste o no hiciste ayer.

MODELO leer un libro

Sí, leí un libro ayer./No, no leí un libro ayer.

1. tener que ir a la tienda para comprar pan y leche
2. oír un CD de mi cantante favorito
3. ver televisión
4. hacer la tarea de español
5. decir una mentira
6. comprar un regalo para alguien
7. tener un examen
8. leer una revista

14 Todos hicieron algo

En parejas, hablen de lo que hicieron las siguientes personas, usando las pistas que se dan.

MODELO tu amigo: leer un libro / y / oír un disco compacto
    A: ¿Qué hizo tu amigo?
    B: Mi amigo leyó un libro y oyó un disco compacto.

1. Uds.: tener que comprar un regalo / y / hacerlo por la internet
2. tus amigos: hacer la tarea / y / ir a jugar al fútbol con sus amigos
3. tu hermana: tener que comprar unos zapatos cómodos / e / hacer unos quehaceres
4. tú: leer un libro muy interesante / y / ver una película divertida en DVD
5. tu madre: tener que ir a trabajar / y luego / volver a casa a hacer la comida
6. tus tías: hacer un viaje a las Islas Galápagos / pero / olvidar llevar sus trajes de baño

15 En la tienda por departamentos

Di lo que hicieron algunas personas el fin de semana en la tienda, según las ilustraciones y los verbos indicados.

MODELO comprar

Algunas personas compraron paraguas.

1. oír

2. hacer

3. tener

4. arreglar

5. ver

6. leer

✦ Comunicación

16 ¿Qué hicimos?

Trabajando con un/a compañero/a de clase, hablen de lo que hicieron el fin de semana pasado.

MODELO **A:** ¿Qué hiciste el sábado?
B: Leí un libro fascinante.

A: ¿Y qué más hiciste?
B: El sábado oí música por la mañana, luego tuve que .... Y tú, ¿qué hiciste?

17 ¿Qué tuviste que hacer?

Imagine you and a classmate work at a department store. Yesterday was a very busy day at the store and you each had to do too many things. Make up activities and talk with your classmate about all the things each of you had to do.

MODELO **A:** Ayer tuve muchas cosas que hacer en la tienda.
B: ¿Qué tuviste que hacer?
A: Para empezar, tuve que llegar muy temprano. Luego, otra persona y yo tuvimos que arreglar las billeteras, los cinturones y las bufandas en la sección de regalos antes de abrir. Luego, tuve que....

18 ¿Cuál es la respuesta correcta?

Escoge la letra de la respuesta correcta a lo que oyes.

A

Sí, es una seda
muy buena.

B

Necesita el recibo.

C

Pago con tarjeta
de crédito.

D

No, está en oferta.

E

Son tres dólares con
cincuenta.

F

Sí, voy contigo.

19 Lo opuesto

Completa las siguientes oraciones para decir lo opuesto de las palabras indicadas.

MODELO   No compré el anillo *caro,* preferí el anillo <u>barato</u>.

1. No compré ningún perfume *de mala calidad*, compré un perfume _buena calidad_
2. No pagué *a crédito*, pagué_efectivo_en una de las cajas.
3. No me gustó el bolso *de tamaño pequeño*, me gustó el bolso _tamaño grande_
4. No vi los aretes *caros*, vi los aretes _baratos_
5. No vi cinturones *cortos*, sólo vi cinturones demasiado _largos_
6. No le pagué *al dependiente*, le pagué _a la dependianta_
7. No me gusta ir de compras *contigo*, porque a ti no te gusta ir de compras __.

Diálogo II

¿Cómo va a pagar?

DANIEL: ¿Cuánto cuesta el perfume?

SEÑORA: Está en oferta. Cuesta treinta dólares.

DANIEL: Sí, no está caro. Lo llevo.

SEÑORA: ¿Cómo va a pagar? ¿En efectivo o a crédito?

DANIEL: Voy a pagar en efectivo.

SEÑORA: Aquí tiene diez dólares de cambio y su recibo.

DANIEL: Muchas gracias.

20 ¿Qué recuerdas?

1. ¿Qué está en oferta?
2. ¿Cuánto cuesta el perfume?
3. ¿Cómo va a pagar Daniel?
4. ¿Cuánto es el cambio?
5. ¿Qué más le da la señora a Daniel?

¿Cuánto cuesta el perfume?

21 Algo personal

1. ¿Qué compras en oferta?
2. ¿Prefieres pagar a crédito o en efectivo? Explica.
3. ¿Te gusta dar regalos caros o baratos? Explica.
4. ¿Qué haces con el dinero que recibes de cambio?

22 ¿Sí o no?

¿Son lógicos los diálogos? Corrige lo que no es lógico.

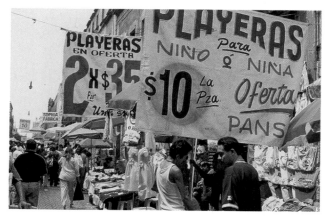

Compro camisetas en oferta.

Cultura viva

De compras en Guayaquil

Para hacer compras en Ecuador, debes ir a
Guayaquil. Para las compras modernas
está en Guayaquil el Mall del Sol, el centro
comercial más grande del Ecuador con
más de 187 tiendas, veinticinco
restaurantes de comida rápida, cinco
bancos, un supermercado grande
(Megamaxi), nueve cines, cibercafés,
discotecas, tiendas de souvenirs, parques
y estacionamiento (parking) para más de
2.000 carros. Es un centro comercial
supergigante y muy divertido.

Si te gustan las compras menos
modernas y más de artesanía, y no te
gustan los centros comerciales, puedes ir al
Mercado Artesano de Guayaquil. En el
Mercado Artesano hay 280 exhibiciones y puestos
de venta (sales stands) donde trabajan sólo

Unos chicos ecuatorianos
en el mall.

Una artesana vendiendo
su arte.

Unos chalecos (vests) en el Mercado Artesano.

artesanos (las personas que hacen artesanía)
creando y vendiendo su arte. Al dar un paseo por
las exhibiciones puedes escuchar música
ecuatoriana a la vez que admiras los diferentes
estilos de los artistas del país.

Como puedes ver, tanto si te gusta la compra
moderna y dinámica, como la más tranquila y
tradicional, Guayaquil te ofrece infinitas
posibilidades.

23 Comparando

Compara el
centro
comercial Mall
del Sol en
Guayaquil con
un centro
comercial de tu
ciudad.

Centro comercial Mall del Sol	Centro comercial de tu ciudad
1. 187 tiendas	1. 150 tiendas
2.	2.
3.	3.

Repaso rápido: prepositions

How many of the following prepositions (*preposiciones*) in Spanish do you remember?

preposiciones

a	de	para	con	desde
por	en	sin	hasta	sobre

until

 24 Unos aretes para mi mamá

Completa las siguientes oraciones, escogiendo una palabra apropiada de la lista.

✗ con	de	desde	en
para	por	sin	sobre

without   *on top of*

1. ¿Cuánto cuestan los aretes que están (1) aquella mesa?
2. Los aretes son (2) plata y cuestan veinte dólares.
3. ¿Va a pagarlos (3) tarjeta de crédito?
4. No, voy a pagarlos (4) efectivo.
5. Los aretes son (5) mi mamá.
6. Mi madre usa aretes (6) pequeña.
7. Ella nunca sale a la calle (7) aretes.
8. Muchas gracias (8) su compra.

Estructura

Using prepositions

You have already learned to use prepositions with prepositional pronouns. For example, prepositional pronouns are sometimes used in combination with the preposition *a* to add emphasis or to clarify the meaning of a sentence: *A mí me gusta comprar todo lo que está en oferta.* The following prepositional pronouns also may be used with the other prepositions you have learned.

los pronombres después de las preposiciones			
sin mí	*without me*	sin nosotros,-as	*without us*
sin ti	*without you*	sin vosotros,-as	*without you*
sin Ud.	*without you*	sin Uds.	*without you*
sin él	*without him*	sin ellos	*without them*
sin ella	*without her*	sin ellas	*without them*

Two exceptions are the words *conmigo* (with me), which is used instead of *con* followed by *mí,* and *contigo* (with you), which is used instead of *con* followed by *ti.*

¿Quieres ir de compras **conmigo***?* — Do you want to go shopping **with me?**
Sí, me gusta ir de compras **contigo***.* — Yes, I like to go shopping **with you.**

 Práctica

25 Un regalo para mi tío

Completa este correo electrónico con palabras de la lista. Puedes usar las palabras más de una vez.

conmigo	contigo	ella	él	mí	nosotros	ti

E-Mail

Archivo   Ver   Mensajes   Ayuda

A...   Amparo
Cc...
Asunto: Regalo para el tío Gonzalo

Hola, prima,
Como tú sabes, el próximo fin de semana es el cumpleaños del tío Gonzalo y quiero ir al centro comercial a comprar un regalo para (1). Te llamé a casa pero parece que estás en la internet. Bueno, sólo quiero saber si quieres venir (2). Me gustaría mucho ir (3) porque tú sabes más sobre (4) que yo. Si voy (5) puedo comprar algo más rápido y va a ser más fácil para (6). ¿Puedes escribirme un correo electrónico ahora mismo para decirme si puedes venir (7)? Sin (8) voy a tomar horas comprando el regalo. Voy a estar en la computadora una hora más. Si no me contestas en una hora, voy sin (9).

Anabel

26 ¿Puedes venir conmigo?

 Trabajando con un(a) compañero/a de clase, alternen en hacer las invitaciones indicadas y en dar excusas para cada invitación.

MODELO   al cine
> **A:** ¿Puedes venir conmigo al cine?
> **B:** No, no puedo ir contigo porque no tengo dinero.

1. el banco
2. a comprar unos zapatos que están en oferta
3. la tienda de artículos electrónicos
4. la tienda por departamentos
5. el centro comercial
6. a cambiar un cinturón que compré y ahora no me gusta

27 En la tienda por departamentos

Da conclusiones apropiadas para las siguientes situaciones, usando las preposiciones y pronombres apropiados. Sigue las indicaciones entre paréntesis.

MODELO **Situación:** Yo llegué a la tienda a las cuatro de la tarde, tu amigo llegó a las cuatro menos diez y tú llegaste allí a las tres y media. (yo/después de)

Conclusión: (Yo) llegué después de Uds.

1. **Situación:** Tú llegaste primero porque vives más cerca de la tienda que yo. (yo/lejos de)
2. **Situación:** Tu amigo me dijo que vive en la Calle 128, N° 171, y mi familia y yo vivimos en la Calle 128, N° 173. (él/cerca de)
3. **Situación:** Son las cinco de la tarde y mi amigo y yo estamos mirando cinturones en el departamento para hombres y tú y tu amigo están mirando perfumes en el mismo departamento. (Uds./al lado de)
4. **Situación:** Mi amigo y yo nos compramos regalos el uno para el otro. Yo compré un regalo para mi amigo. (él/para)
5. **Situación:** Yo voy a recibir un bolso de mi amigo y tú también vas a recibir un bolso de tu amigo. (nosotras/de)

28 ¿Qué hiciste?

Trabajando con un(a) compañero/a de clase hagan mini-diálogos, tomando elementos de cada columna para hablar de lo que hiciste en días pasados.

MODELO **A:** ¿Adónde fuiste después de las clases?
B: Fui a la biblioteca.

A: ¿Quién fue contigo?
B: Mi hermano Pedro.

A	**B**	**C**
antes de venir aquí	la tienda por departamentos	mis padres
ayer por la noche	de compras	nadie
después de las clases	la tienda de artículos electrónicos	mi hermano/a
el domingo por la mañana	el cine	mi tío/a
el sábado por la noche	el centro comercial	mis abuelos
el viernes por la tarde	la biblioteca	mi primo/a
la semana pasada	el parque	mi amigo/a

¿Fuiste al cine?

Comunicación

29 **Fuimos de compras**

Trabajando con un(a) compañero/a de clase, hablen de la última vez que fueron de compras. Pueden hablar de lo que compraron, para quién lo compraron y con quién fueron.

Fui de compras el sábado pasado.

MODELO **A:** ¿Cuándo fue la última vez que fuiste de compras?

B: Fui el sábado pasado.

A: ¿Qué compraste y para quién?

B: Compré unos aretes para mi mamá.

A: ¿Con quién fuiste?

B: Fui contigo.

30 **De compras**

Trabajando con un(a) compañero/a de clase, preparen un diálogo de cinco o seis oraciones sobre un día de compras. Uno de Uds. puede preguntar si la otra persona quiere ir contigo o no. Luego, pueden hablar de lo que van a comprar, el precio, la calidad, el tamaño y cómo van a pagar. Recuerden usar en forma apropiada las preposiciones.

MODELO **A:** ¿Te gustaría ir de compras conmigo al centro comercial?

B: Sí, claro, voy contigo. ¿Vas con tu hermana?

A: No, voy sin ella.

B: ¡Qué lástima! ¿Qué vas a comprar?

31 **Seguimos de compras**

In groups of six to eight, form concentric circles so three or four students in an inside circle face the same number of students in an outside circle. Then the opposing pairs of students should take turns asking and answering what each of you bought the last time you went shopping and what each of you would like to buy when you return there. Take notes as your partner speaks. Then students in the outer circle move one to the right and begin a similar conversation with the new partner. Continue until you have spoken with everyone in the other circle. One person from each circle should report the findings to the class.

MODELO **A:** ¿Qué compraste la última vez que fuiste de compras?

B: Compré un bolso de material sintético para mí.

Lectura personal

Cantantes y grupos musicales

Dirección http://www.emcp.com/músico/ola/e.diario-9.htm ▲ Archivo Edición Ver Favoritos Herramientas Ayuda

página principal   miembros   e-diario

Grupo musical La OLA

Nombre: Xavier Rodríguez Guerra
Edad: 18 años
País natal: Estados Unidos
Artículo de ropa favorito: sombreros
Artículo de ropa que nunca usa: pantalones de cuero

Hacen sombreros "panamá" en Ecuador.

Estamos en Ecuador, un país muy lindo. Después del concierto, el grupo se fue de compras a Quito. Yo también me fui de compras pero no a una tienda por departamentos con escaleras mecánicas y todo eso. Yo me fui en avión a la provincia de Manabi, que está en el centro de las costas ecuatorianas. Manabi tiene playas lindas, pero ésa no es la razón por la cual fui. Estuve en el pueblo[1] colonial de Montecristi, para comprar un sombrero "panamá" para mi nuevo *"look"*. Grandes personajes como Humphrey Bogart, Gary Cooper y Winston Churchill han usado sombreros "panamá". Creo

que se ven muy elegantes. Saben, el sombrero "panamá" no es de Panamá; es un producto de Ecuador. Ecuador empezó a exportar estos sombreros en los años 1800s. En los años 40, era el producto de exportación número uno de Ecuador. Como se vendían[2] en los puertos[3] de Panamá, se les llamó sombreros "panamá", pero su verdadero[4] nombre es sombrero de jipijapa o sombrero de Montecristi. Montecristi produce los mejores sombreros "panamá" del mundo llamados "superfinos". Están hechos con la planta Carludovica palmata, que se hierve[5], se seca[6] y luego se teje[7]. Tardan tres meses en hacer un sólo sombrero. Son bastante caros, pero también son muy *"cool"*, ¿no creen?

[1]town [2]were sold [3]ports [4]real [5]boil [6]dry [7]weave

32 ¿Qué recuerdas?

Identifica cada uno.

1. el producto de exportación número uno de Ecuador en los cuarenta
2. sombrero de jipijapa
3. Manabi
4. Montecristi
5. Carludovica palmata

33 Algo personal

1. En tu opinión, ¿son los sombreros "panamá" elegantes? ¿Por qué sí o por qué no?
2. Donde tú vives, ¿hay un centro de producción de ropa? ¿Qué artículos de ropa hacen o venden?
3. Imagina que quieres tener un nuevo "look". Describe tu nueva ropa.

- Panama hats are really from Ecuador. Can you think of other products (such as foods) that have a country in their names even though they did not originate from that country? How do you think this happens?

Visit the web-based activities at www.emcp.com

Autoevaluación
As a review and self-check, respond to the following:

1. Name at least three items sold in a mall department store.

2. Name something that can be made of gold, silver or pearl.

3. Imagine you are buying a gift for your best friend. Describe the item you purchased.

4. Say at least three things you read, heard or saw yesterday.

5. The last time you made a purchase, did you pay cash or did you use credit?

6. Imagine you are shopping in a Spanish-speaking country. How would you ask how much an item costs and if it is on sale?

7. Say two things you learned about Ecuador.

Palabras y expresiones

Para describir
barato,-a
bastante
caro,-a
corto,-a
demasiado
largo,-a
lindo,-a
perfecto,-a
sintético,-a

En la tienda
el anillo
el arete
el ascensor
la billetera

el bolso
la bufanda
la caja
la calidad
el cambio
el cinturón
el collar
el crédito
el cuero
el dependiente,
    la dependienta
el efectivo
la escalera mecánica
la joya
el material

mecánico,-a
la oferta
el oro
el pañuelo
el paraguas
el perfume
la perla
la plata
la pulsera
el recibo
el regalo
el tamaño
la tarjeta (de crédito)

Verbos
ahorrar
cambiar
pagar
recibir
usar

Expresiones y otras palabras
a crédito
conmigo
contigo
en efectivo

Venden aretes, collares y otras joyas.

Un paraguas negro.

Tú lees

Estrategia

Using visual format to predict meaning
Visual details of printed information such as the style and format of printed media can tell you a lot about its probable content. For instance, the format of a letter will indicate whether it is for business or if it is personal. Similarly, cartoons are easily recognized by the style of the illustration and the way the contents appear on the page. Advertisements and brochures can differ greatly from one another depending on the intended population. Before starting to read, look at the layout, the artwork, the pictures, the titles and the format of the writing for hints about its content and meaning.

Preparación

Observa el título, el arte y la forma de esta lectura y contesta las siguientes preguntas.

1. ¿Qué tipo de lectura es ésta?
   A. Es un anuncio (ad).
   B. Es un artículo (article) de periódico.
   C. Es una encuesta (survey).
2. ¿Qué venden?
   A. Venden artículos electrónicos.
   B. Venden frutas y verduras.
   C. Venden ropa y servicios.
3. ¿Para quién es lo que venden?
   A. Para hombres.
   B. Para hombres, mujeres y jóvenes.
   C. Para mujeres.

Las rebajas de Danté

Las fabulosas rebajas de Danté te ofrecen grandes ahorros en ropa casual para todos. Tenemos grandes rebajas del 20%, 30%, 40% y hasta el 50%. Aquí puedes conseguir la ropa que necesitas para ir al cine, las fiestas y al colegio. Tenemos todos los estilos que te gustan en todas las marcas y colores.

Servicios generales

❖ Sastrería
❖ Pedidos especiales de vestidos
❖ Sorteos

❖ Danté Café
❖ Abrimos los domingos
❖ Tarjeta de crédito Danté

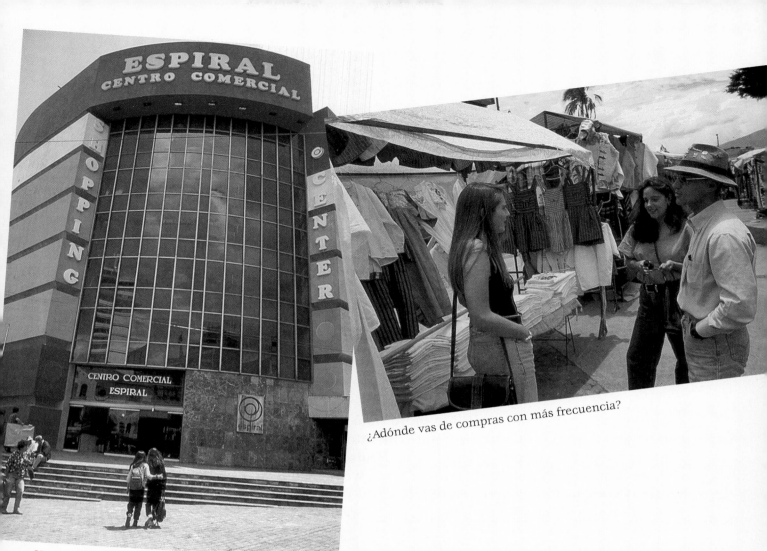

¿Adónde vas de compras con más frecuencia?

Un centro comercial en Quito, Ecuador.

A ¿Qué recuerdas?

1. ¿En qué tipo de ropa puedes ahorrar dinero si la compras en esta tienda?
2. ¿De cuánto son las rebajas en esta tienda?
3. ¿Para ir a qué tipo de lugares puedes comprar ropa en Danté?
4. ¿Qué servicios tiene esta tienda?

B Algo personal

1. ¿Qué piensas del anuncio?
2. ¿Para qué tipo de personas piensas que es este anuncio?
3. ¿Buscas anuncios con rebajas antes de ir de compras? Explica.
4. ¿Qué tipo de anuncios te gustan?
5. ¿Adónde vas de compras con más frecuencia?

Tú escribes

Estrategia

Indicating sequence
You have already learned to use transition words to make your writing flow smoothly. When writing about past activities or events, transition words can indicate the sequence in which actions occurred. Some sequence words you may want to use in your writing include the following: *primero* (first), *luego* (later, then), *antes de* (before), *después de* (after), *finalmente* (finally).

Shopping centers and malls are more than just convenient places to shop. Going to a *centro comercial* often turns into a social event that offers shoppers an opportunity to spend time with friends and to meet new people. What does shopping at the mall mean to you? Write a short composition telling about your last visit to the mall *(Mi última visita al centro comercial)*. Include when you went, with whom you went, what places you visited, if you visited a *tienda por departamentos*, what you did, whom you met, what you bought and any other information you wish. Be sure to use connecting words for making smooth transitions and for telling the sequence of events.

Compré una bolsa de cuero en la tienda por departamentos.

Proyectos adicionales

A Conexión con la tecnología

You learned how to create a dialog journal in the *Tú escribes* activity in the *¡Viento en popa!* section of *Capítulo 2*. Create an electronic dialog journal entry to send to your teacher. Write about your last trip to a *tienda por departamentos* to shop for something special (e.g., clothing for yourself, a gift). You may wish to tell about where and with whom you went shopping, what you purchased and how much you paid. Include any other information you would like and e-mail the journal entry to your teacher.

B Conexión con otras disciplinas: arte y diseño

Imagine you work for an advertising agency. Cut out advertisements and pictures of different clothing items from fashion magazines and newspapers and design a poster-sized advertisement for clothing. Include in your collage various types of clothing in different colors and sizes. Then, working with a classmate, talk about fashion and clothing styles in the advertisement, including what the people are wearing, the colors of each article of clothing and whether you like the item or not. For what type of occasions is the clothing shown appropriate? What age and gender are you targeting with your advertisement?

C Comunidades

How do people in your community dress? Write a short composition describing how young people dress during a specific season of the year. What are the most popular colors and materials? What statement do you think they wish to convey by how they dress?

Unas mujeres en Otavalo, Ecuador.

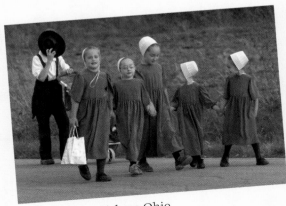

Unos niños Amish en Ohio.

Repaso

Now that I have completed this chapter, I can...   **Go to these pages for help:**

describe clothing.	364
identify parts of the body.	364
express disagreement.	374
talk about the past.	374
discuss size and fit.	386
discuss price and payment.	394

I can also...

talk about life in Panama and Ecuador.	367, 389
ask questions when I do not understand something.	368
talk about personal taste in clothing.	374
use affirmative and negative expressions in conversations.	381
use diminutives to express affection or that something is small.	390

Trabalenguas

Venancio vendía bonitas boinas, bonitas, baratas, embalaba baberos, bolillos, botas bellas y boinas buenas.

Vocabulario

ahorrar to save *9B*
algo something, anything *9A*
el **algodón** cotton *9A*
alguien someone, anyone, somebody, anybody *9A*
algún, alguna some, any *9A*
alguno,-a some, any *9A*
anaranjado,-a orange (color) *9A*
el **anillo** ring *9B*
el **arete** earring *9B*
el **ascensor** elevator *9B*
barato,-a cheap *9B*
bastante rather, fairly, sufficiently, enough, sufficient *9B*
la **billetera** wallet *9B*
el **bolso** purse *9B*
la **bota** boot *9A*
el **brazo** arm *9A*
la **bufanda** scarf *9B*
la **cabeza** head
la **caja** cashier's desk *9B*
la **calidad** quality *9B*
cambiar to change, to exchange *9B*
el **cambio** change *9B*
caro,-a expensive *9B*
el **centro comercial** shopping center, mall *9A*
la **chaqueta** jacket *9A*
el **cinturón** belt *9B*
el **collar** necklace *9B*
combinar to combine *9A*
conmigo with me *9B*
contar (ue) to tell (a story) *9A*
contigo with you *9B*
la **corbata** tie *9A*

corto,-a short (not long) *9B*
el **crédito** credit *9B*
a crédito on credit *9B*
el **cuero** leather *9B*
el **cuerpo** body *9A*
el **dedo** finger *9A*
demasiado too (much) *9B*
el **departamento** department *9A*
el **dependiente,** la **dependienta** clerk *9B*
el **efectivo** effective *9B*
en efectivo in cash *9B*
la **escalera mecánica** escalator *9B*
estar en oferta to be on sale *9B*
el **guante** glove *9A*
la **joya** jewel *9B*
el **hombre** man *9A*
el **impermeable** raincoat *9A*
la **lana** wool *9A*
largo,-a long *9B*
lindo,-a pretty *9B*
la **mano** hand *9A*
marrón brown *9A*
el **material** material *9B*
las **medias** pantyhose, nylons *9A*
morado,-a purple *9A*
la **mujer** woman *9A*
nada nothing *9A*
nadie nobody *9A*
ni... ni neither... nor *9A*
ningún, ninguna none, not any *9A*
ninguno,-a none, not any *9A*
o... o either... or *9A*
la **oferta** offer *9B*
el **oro** gold *9B*

pagar pay *9B*
el **pañuelo** handkerchief, hanky *9B*
el **paraguas** umbrella *9B*
perfecto,-a perfect *9B*
el **perfume** perfume *9B*
la **perla** pearl *9B*
el **pie** foot *9A*
la **pierna** leg *9A*
el **pijama** pajamas *9A*
la **plata** silver *9B*
prometer promise *9A*
la **pulsera** bracelet *9B*
quedar to remain, to stay *9A*
quedarle bien a uno to fit, to be becoming *9A*
recibir to receive *9B*
el **recibo** receipt *9B*
el **regalo** gift *9B*
la **ropa interior** underwear *9A*
rosado,-a pink *9A*
la **seda** silk *9A*
sintético,-a synthetic *9B*
el **sombrero** hat *9A*
el **suéter** sweater *9A*
el **tamaño** size *9B*
la **tarjeta (de crédito)** credit card *9B*
el **traje (de baño)** swimsuit *9A*
usar to use *9B*
las **vacaciones** vacation *9A*
vender to sell *9A*
el **vestido** dress *9A*
el **zapato bajo** flat shoe *9A*
el **zapato de tacón** high-heeled shoe *9A*

Llevamos las corbatas a la escuela.

Venden ropa interior para mujeres.

Objetivos

- ❖ **discuss past actions and events**
- ❖ **talk about everyday activities**
- ❖ **express emotion**
- ❖ **indicate wishes and preferences**
- ❖ **write about past actions**
- ❖ **talk about the future**
- ❖ **make polite requests**
- ❖ **describe personal characteristics**

**Visit the web-based
activities at
www.emcp.com**

Diálogo

Fue un año divertido

MARIO: ¡Un año más! No hay más tareas por unos meses.

SILVIA: ¡Qué bueno! Fue un año divertido.

MARIO: Estudié mucho.

SILVIA: ¿Qué fue lo que más te gustó?

MARIO: ¡Jugar al fútbol y las clases de historia!

SILVIA: A mí me gustó más la clase de biología.

MARIO: A mí la biología no me gusta.

SILVIA: Sí, yo sé. Bueno, también hice nuevos amigos.

MARIO: ¿Tus amigos del equipo de voleibol?

SILVIA: Sí, y voy a verlos ahora. Adiós.

1 ¿Qué recuerdas?

1. ¿Qué no hay por unos meses?
2. ¿Quién estudió mucho?
3. ¿Qué fue lo que más le gustó a Mario?
4. ¿Qué le gustó más a Silvia?
5. ¿Qué no le gusta a Mario?
6. ¿Quién tiene amigos en el equipo de voleibol?

2 Algo personal

1. ¿Fue tu año divertido? Explica.
2. ¿Te gusta hacer tareas? ¿Por qué?
3. ¿Qué fue lo que más te gustó del colegio este año?
4. ¿Qué deporte jugaste más este año?

3 ¡Fue un año divertido!

Di si lo que oyes es cierto o falso, según el Diálogo. Si es falso, corrige la información.

El Perú, centro del imperio inca

Peru formed the center point of the Incan Empire (el imperio inca). Located on the Pacific Ocean along the western shores of South America, and situated between Ecuador and Chile, Peru, with its rich gold and silver deposits, quickly attracted many Spanish explorers in the sixteenth century. Although the Spaniards introduced their language and religion, the influence of the Inca civilization is evident throughout the modern-day culture of Peru. Descendants of the Incas still populate the Andean (Andes) highlands and the eastern jungles (selvas del este). Many of them do not speak Spanish and they continue to live as their ancestors did centuries ago.

In direct contrast to Peru's indigenous past is the country's contemporary capital, Lima, where 30 percent of Peru's population lives and works. Lima is the most important area of development in the country. However, remnants of the past can be found even in this modern city. One example is the University of San Marcos, which is one of the oldest universities in the world.

Somos del Perú.

Descendientes de los incas viven en Perú.

La iglesia Santo Domingo en Cuzco, Perú.

4 El Perú

Contesta las siguientes preguntas sobre el Perú.

1. ¿De qué imperio fue Perú el centro?
2. ¿Por qué vinieron los exploradores españoles al Perú?
3. ¿En qué zona del Perú viven todavía los descendientes de los incas?
4. ¿Cómo se llama la capital del Perú?
5. ¿Cómo se llama una de las universidades más viejas del mundo?

5 ¡A viajar!

Imagina que te gustaría visitar Perú para practicar tu español. ¿Qué te gustaría ver o hacer allí? Busca información sobre Perú en la internet. Luego, haz un itinerario con fechas, hoteles, restaurantes, lugares interesantes para visitar, precios, etc. Prepara un póster de viaje sobre el lugar y presenta la información a la clase.

¡Oportunidades!

En otro país

Have you ever visited another country? What did you see? What did you do there? After studying Spanish for a year, you probably realize the many opportunities that are available to you to use your language skills. Have you ever considered attending school in a different country for a year? Studying and living in a Spanish-speaking country could increase the Spanish skills you acquired this year.

Proyectos

6 Una entrevista para el periódico del colegio

Prepara una entrevista para hacerla a un(a) compañero/a de clase para saber sobre sus experiencias y actividades durante este año. Pregúntale sobre las cosas más importantes que hizo, las más divertidas, las más aburridas, lo que más le gustó del año, lo que menos le gustó, algo interesante que le pasó y cualquier otra información de su vida en el colegio o en su casa. Luego, escribe un artículo en español de una página y preséntalo a la clase.

7 Tus experiencias

Escribe un ensayo *(essay)* en español de uno o dos párrafos sobre algo especial que te pasó durante tu vida escolar este año. En tu composición puedes hablar por ejemplo sobre alguien interesante que conociste, una actividad importante que hiciste, una clase que te gustó mucho, un deporte que hiciste o un evento al que fuiste. Añade detalles *(details)* importantes que rodearon *(surrounded)* el hecho *(event)*, como por ejemplo, la fecha en que pasó, el lugar, el tiempo que hizo, lo que pasó antes y lo que pasó después, etc.

Estrategia

The importance of reviewing
It is important to review what you have learned. No one remembers everything they have studied. You have made progress this year with Spanish, and reviewing will help keep everything fresh in your mind.

8 Encuesta estudiantil

Haz la siguiente encuesta a diez compañeros(as) de clase para averiguar *(to find out)* cuáles fueron las clases favoritas de tus compañeros(as) este año. Primero, completa la encuesta en cualquier clase que no sea la de español y hazte la encuesta a ti mismo y luego a tus compañeros(as) de español del grupo, compartan los resultados. Finalmente, reporten los resultados del grupo a la clase.

Encuesta sobre las clases favoritas del año

Por cada una de las siguientes clases di el número que representa mejor tu opinión.

1. el arte	0	1	2	3	4
2. las ciencias (biología, química, etc.)	0	1	2	3	4
3. la computación	0	1	2	3	4
4. la educación física	0	1	2	3	4
5. el español	0	1	2	3	4
6. los estudios sociales	0	1	2	3	4
7. la historia	0	1	2	3	4
8. el inglés	0	1	2	3	4
9. las matemáticas (álgebra, geometría, etc.)	0	1	2	3	4
10. la música (banda, orquesta, coro, etc.)	0	1	2	3	4
11. (¿otras?) _____	0	1	2	3	4

0 = No sé. No tengo una opinión.
1 = Fue horrible. Me disgustó *(disliked)* mucho.

2 = Fue aburrida. No me gustó mucho.
3 = Fue buena. Me gustó.
4 = Fue excelente. Me gustó mucho.

9 Encuesta electrónica

Prepara un e-mail o una página de la Web con una encuesta como la que hiciste en la actividad anterior sobre las clases favoritas. Envíala a otra clase (de tu colegio, de cualquier otro colegio del país o de un país de habla hispana), pidiendo a los estudiantes contestarla también por la internet. Comparte los resultados con la clase, comparando y contrastando los resultados de la encuesta.

10 Un país hispanohablante

Crea un collage que represente al país hispanohablante que encontraste *(found)* más interesante durante tu año de clases de español. Luego, muéstralo a la clase y da una corta explicación del collage.

Un collage de fotos de la Argentina.

11 Tu poesía

Escribe un poema o una canción en español sobre algún tema que aprendiste este año. Después, puedes leer tu poema o cantar tu canción a la clase.

Estoy escribiendo un poema.

Machu Picchu

Miles de turistas visitan este sitio arqueológico cerca de Cuzco, Perú. ¿Por qué?

Belleza[1]...

Los incas construyeron[2] Machu Picchu entre dos picos[3] altos. Las construcciones de piedra[4] parecen desplegarse[5] sobre la montaña. Abajo, el torrencial río[6] Urubamba corre por la selva amazónica. Es un lugar mágico.

Historia...

Machu Picchu fue construida[7] en el siglo XV cuando el imperio inca se extendía desde Ecuador a Argentina. Se la conoce como la Ciudad Perdida porque permaneció[8] escondida[9] hasta 1911 cuando Hiram Bingham la descubrió[10] intacta.

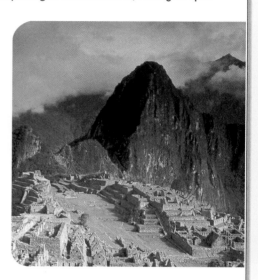

Misterio...

Machu Picchu, en quechua, quiere decir "Cima[11] Vieja" pero su verdadero nombre no se conoce. Tampoco se sabe la historia o la función de esta ciudad fortificada inca. Algunos creen que fue un monasterio pero como los incas no tenían escritura[12], este lugar estará siempre rodeado[13] de misterio.

Respeto...

La perfección de las paredes de Machu Picchu sorprende[14]. No usaron argamasa[15], y sin embargo[16], la unión entre las piedras es tan perfecta que no se puede introducir ni la hoja[17] de un cuchillo. La construcción de Machu Picchu—con sus paredes perfectas, acueductos, terrazas, observatorios, reloj solar—es evidencia de la sabiduría[18] de los incas.

[1]Beauty [2]built [3]peaks [4]stone [5]unfold [6]river [7]built [8]remained [9]hidden [10]discovered [11]Peak [12]writing [13]surrounded
[14]amazes [15]mortar [16]however [17]blade [18]wisdom

12 ¿Qué recuerdas?

¿Sí o no?

1. Machu Picchu fue la capital secreta del imperio inca en el siglo XV.
2. Hiram Bingham descubrió las ruinas de Machu Picchu en 1911.
3. La geografía de Machu Picchu incluye montañas y selva.
4. La construcción de las paredes de Machu Picchu es perfecta.
5. Los incas sabían escribir y leer.

13 Algo personal

1. ¿Qué más sabes sobre Machu Picchu? Comparte algunos datos con la clase.
2. ¿Por qué crees que nadie, ni los conquistadores españoles, descubrieron Machu Picchu hasta 1911? ¿Cuál crees que fue la función de esa ciudad inca?

> • Compare and contrast the architecture and landscape of Machu Picchu with that of the city in which you live.

¿Qué aprendí?

Visit the web-based activities at www.emcp.com

Autoevaluación

As a review and self-check, respond to the following:

1. Use the preterite tense to state six things you did this year.

2. State four things you learned about Peru.

3. Name two opportunities you have because you know Spanish.

4. Why is it important to review what you have learned?

5. Summarize the results of the surveys you did about favorite classes for activities 8 and 9.

6. State two things you learned about Machu Picchu.

Lima, la capital de Perú.

Unas paredes en Machu Picchu.

¡Aprendimos mucho este año!

Diálogo

¿Adónde van de vacaciones?

LUIS: Hola, Inés.
INÉS: Hola, Luis. ¿Qué hiciste el sábado?
LUIS: Tuve que ayudar a mis padres.

INÉS: ¿Van a ir de vacaciones?
LUIS: Vamos a ir a las ruinas de Tikal.
INÉS: Fui a Tikal el año pasado. Me gustó mucho.

LUIS: Y tú, ¿qué vas a hacer en las vacaciones?
INÉS: No sé. Me gustaría ir a California a la casa de mi tía, o trabajar en la tienda de mi padre.
LUIS: Pienso que debes ir a California. Va a ser más divertido.

1 ¿Qué recuerdas?

1. ¿Qué hizo Luis el sábado pasado?
2. ¿Adónde va Luis de vacaciones?
3. ¿Adónde fue Inés el año pasado?
4. ¿Adónde le gustaría a Inés ir de vacaciones?

2 Algo personal

1. ¿Qué hiciste el sábado pasado?
2. ¿Qué vas a hacer en las vacaciones?
3. ¿Adónde te gustaría ir de vacaciones?
4. ¿Piensas que trabajar durante las vacaciones es una buena idea?

¡Extra!

Me gustaría

Remember to use *gustaría* combined with *me, te, les, nos* and *les* in order to make a request, to politely express a wish or to ask about another person's wishes.

Me gustaría ir a California.
¿Te gustaría ir de vacaciones?

3 ¿Quién dijo qué?

¿Quién dijo lo siguiente, Inés o Luis?

Cultura viva

Guatemala, tierra maya

One aspect of Guatemala that fascinates anyone who visits the country is that Guatemala is the land of the Maya Indian civilization. Although the ancient Mayan civilization disappeared mysteriously, traces of the advanced Mayan culture remain today. The Mayans had an extensive knowledge of astronomy, mathematics and architecture. Tikal, one of the most well-known Mayan cities, was founded around 700 B.C. The Mayan languages (mainly *quiché*) and traditions are still very much alive among the Mayans in today's Guatemala. The colors and patterns of the traditional ceremonial costumes that many Mayan descendants wear are visible evidence of one tradition that has been passed on for many years from one generation to the next.

The cities of *Antigua, Chichicastenango, Huehuetenango* and *Quetzaltenango* still contain remnants of the Spanish colonial period, which started in 1524. The capital, Guatemala City *(Ciudad de Guatemala)*, was founded in 1776, and in 1821 the region declared its independence from Spain.

Today Guatemala offers a mix of old and new, rustic and urban. The modern capital is the commercial, industrial, educational and governmental center of the country. However, Guatemala's rich farmland serves as the main source of income for the country's 14 million inhabitants, just as it has for centuries.

Tikal, Guatemala.

Los colores de Guatemala.

Unas chicas mayas.

4 Guatemala, tierra maya

Di si las siguientes oraciones sobre Guatemala son ciertas o falsas.

1. Guatemala es un centro de la civilización maya.
2. Los mayas estudiaron astronomía, matemáticas y biología.
3. La ciudad más famosa del imperio maya es Tikal.
4. La lengua maya es el español.
5. Antigua es una ciudad muy moderna.
6. La capital de Guatemala es la Ciudad de Guatemala.

Proyectos

5 Otra entrevista para el periódico del colegio

Trabajando con un(a) compañero/a de clase, hazle las siguientes preguntas en combinación con cinco preguntas originales para saber sobre sus planes para el verano. Después de la entrevista, escribe un artículo de uno o dos párrafos sobre los planes de tu compañero/a y léelo a la clase.

1. ¿Cuál de los trabajos de la lista te gustaría hacer este verano?
2. ¿Qué otro trabajo de la lista te gustaría hacer?
3. ¿Tienes experiencia en alguno de estos trabajos? ¿En cuál? ¿Cuánta experiencia tienes?
4. ¿En cuáles de los trabajos de la lista no te gustaría trabajar? Explica.
5. ¿Vas a viajar durante tus vacaciones? ¿Adónde?
6. – 10. ¿...?

- cuidar a niños
- ser salvavidas de una piscina o de una playa
- hacer trabajos de jardinería
- trabajar en un restaurante
- limpiar casas
- trabajar en un supermercado
- pintar casas
- trabajar en una oficina
- reparar autos
- trabajar en una tienda

6 Tus vacaciones de verano

Escribe un ensayo en español de uno o dos párrafos sobre tus planes para las vacaciones. Di qué actividades piensas hacer, con quién las piensas hacer, cuál es la actividad que más te gusta hacer durante el verano, etc. Añade detalles relevantes asociados con cada actividad, como por ejemplo, cuándo piensas hacer la actividad, en dónde, por cuánto tiempo, etc.

7 Otra encuesta

Haz la siguiente encuesta a diez compañeros(as) de clase para averiguar cuáles son las actividades favoritas de tus compañeros(as) durante el verano. Hazte la encuesta a ti mismo y luego a tus compañeros(as). Añade otras actividades a la encuesta si es necesario. Después, en grupos de cuatro o cinco estudiantes compartan los resultados. Finalmente, reporten los resultados del grupo a la clase.

Encuesta sobre las actividades favoritas durante el verano

Por cada una de las siguientes actividades di el número que representa mejor tu opinión.

dormir	0	1	2	3	4
hacer deportes	0	1	2	3	4
hacer quehaceres	0	1	2	3	4
ir a la playa	0	1	2	3	4
ir al centro comercial	0	1	2	3	4
ir al cine	0	1	2	3	4
jugar a videojuegos	0	1	2	3	4
leer	0	1	2	3	4
nadar en una piscina	0	1	2	3	4
navegar en la internet	0	1	2	3	4
ver la televisión	0	1	2	3	4
viajar	0	1	2	3	4
(¿otras?) _____	0	1	2	3	4

0 = No sé. No tengo una opinión.
1 = Es horrible. Me disgusta mucho.
2 = Es aburrida. No me gusta mucho.
3 = Es buena. Me gusta.
4 = Es excelente. Me gusta mucho.

8 Las próximas vacaciones

Trabajando en los mismos grupos de la actividad anterior, creen un collage que represente las actividades favoritas del grupo durante las vacaciones y luego, preséntenlo a la clase.

9 Un proyecto en la internet

Trabajando en grupos de tres a cinco estudiantes, busquen información en la internet sobre algún lugar en un país hispanohablante adonde les gustaría ir de vacaciones. Luego, preparen un póster sobre el lugar, indicando las principales actividades que se pueden hacer allí y creando un slogan para decir por qué creen Uds. que este lugar es el mejor para ir de vacaciones. Finalmente, presenten el póster a la clase.

10 ¿Qué te gustaría ser?

Numera del 1 al 12 las siguientes profesiones en el orden de tu preferencia, siendo la número 1 la que más te gusta y la número 12 la que menos te gusta. Luego, en grupos de tres, compara los resultados de cada persona. Explica por qué crees que ciertas carreras y profesiones son más populares que otras, considerando el salario, los beneficios, las condiciones de trabajo, el horario, etc. Reporta los resultados de tu grupo a la clase.

agricultor/a	hombre/mujer
arquitecto/a	de negocios
artista	ingeniero/a
banquero/a	maestro/a
cocinero/a	médico/a
enfermero/a	programador/a
	veterinario/a

¡Oportunidades!

Pensando en el futuro, las carreras y el español
You are already aware that knowing how to communicate in a foreign language can enhance your career (*carrera*) opportunities. The following are some interesting careers requiring foreign language expertise that you may want to consider investigating:

border patrol agent	journalist
court interpreter	language
customer service representative	teacher
foreign broadcaster	lawyer
foreign diplomat	travel
hotel sales manager	agent
imported clothing merchandiser	

11 Tu futuro

Escribe uno o dos párrafos en español sobre la carrera que te gustaría estudiar. En tu composición, debes decir por qué te gustaría estudiar esa carrera y qué características piensas que tienes y son importantes para poder trabajar en esa profesión.

Lectura personal

Dirección http://www.emcp.com/músico/ola/e.diario-10.htm ▲ Archivo Edición Ver Favoritos Herramientas Ayuda

Cantantes y grupos musicales

página principal   miembros   e-diario

Grupo musical La OLA

Nombre: **Ceci Eugenia Madrigal**
Edad: **18 años**
País natal: **Uruguay**
Pasatiempos: **dormir, comer, escuchar música**

Mercado de Chichicastenango.

Iglesia de San Tomás, Chichicastenango.

El domingo, tempranito por la mañana, tomamos un bus de la Ciudad de Guatemala a Chichicastenango. Nosotros hemos viajado[1] mucho este año y hemos visto[2] muchos mercados pero ninguno como el mercado de Chichicastenango. Es más que un mercado: es un impresionante espectáculo de colores, sonidos y aromas. Miles de indígenas de la región llegan al mercado cada jueves y domingo a vender, comprar, hablar, comer, reír, regatear. Chichicastenango se distingue por sus tejidos[3], particularmente el huipil, blusa femenina de los mayas. Yo me compré una muy colorida y después fui a la plaza. Allí está la iglesia[4] de San Tomás, construída[5] en 1540. Fue en esta iglesia donde un español vio por primera vez el Popul Vuh, el libro sagrado[6] de los mayas quichés. Aunque[7] es una iglesia católica, muchas de las ceremonias y los rituales son mayas. En las escaleras, vi a un hombre maya quemar[8] incienso[9]. En Guatemala viven 6 millones de mayas y hablan 20 lenguas mayas. Presenciar[10] la cultura maya fue una gran manera de concluir nuestra gira mundial.

[1]have traveled [2]have seen [3]weavings [4]church [5]built [6]sacred [7]Although [8]burn [9]incense [10]To witness

12 ¿Qué recuerdas?

1. ¿Cuántos mayas viven en Guatemala?
2. ¿Cómo se llama el libro sagrado de los mayas quichés?
3. ¿Cómo se llama la blusa que usan la mujeres mayas?
4. ¿Cuáles son los días de mercado en Chichicastenango?
5. ¿Por qué es el mercado de Chichicastenango interesante?

- **Compare the market in Chichicastenango with a place in your town where people go to buy, talk, eat, laugh. What are the similarities? What are the differences?**

13 Algo personal

1. ¿Hay un mercado en tu comunidad? ¿Qué venden allí?
2. ¿Existe una cultura indígena en tu comunidad? ¿Cómo es su traje tradicional?
3. ¿Cuándo fue la última vez que oliste incienso? ¿Dónde fue?

Visit the web-based
activities at
www.emcp.com

¿Qué aprendí?

Autoevaluación

As a review and self-check, respond to the following:

1. Where is Tikal?

2. State four things you learned about Guatemala.

3. Tell what you are going to do this summer. Say where you are going to go, whom you are going to be with and what you are going to do there.

4. Summarize the results of the survey you did about favorite summer activities for Activity 7.

5. Name a place in a Spanish-speaking country you would like to go for vacation. Why would you like to go there?

6. Name three careers that may be open to you because you know Spanish.

7. What do you know about Chichicastenango?

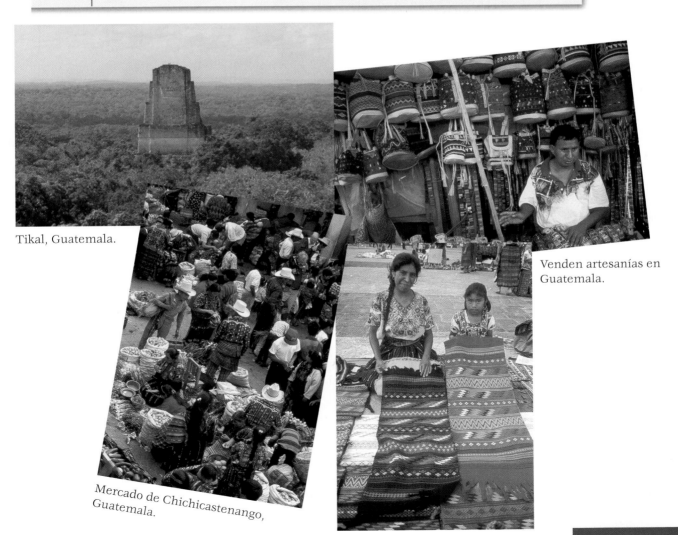

Tikal, Guatemala.

Mercado de Chichicastenango, Guatemala.

Venden artesanías en Guatemala.

Tú lees

Conexión con otras disciplinas: música

Preparación
Contesta las siguientes preguntas como preparación para la lectura de la canción.

1. ¿Qué crees que quiere decir el título de la canción?
2. ¿Cuál es el tema principal de la canción?

Es sólo una cuestión[1] de actitud

Por Fito Páez

Es sólo una cuestión de actitud,
si lo cuentas no se cumple el deseo[2].
Es sólo una cuestión de actitud,
caballero, ¿me podría[3] dar fuego[4]?

Es sólo una cuestión de actitud
atreverse[5] a desplazarse[6] en el tiempo.
Es sólo una cuestión de actitud
entender[7] lo que está escrito en el viento.

Es sólo una cuestión de actitud
ir con taco aguja[8] en pista de hielo[9].
Es sólo una cuestión de actitud
recibir los golpes[10], no tener miedo.

Es sólo una cuestión de actitud
y no quejarse[11] más de todo, por cierto.
Es sólo una cuestión de actitud
atreverse a atravesar[12] el desierto[13].

Hay un pozo profundo[14] en la esquina[15] del sol,
si caés[16], la vida te muele a palos[17].

Tengo rabia[18], que todo se pase y adiós
mis peleas[19] por estar a tu lado.

Cuando vos decidís elegir[20] la razón
yo prefiero siempre un poco de caos.

Soy tu rey[21], soy tu perro, soy tu esclavo[22]
y soy tu amor,

soy tu espejo[23] mirando el otro lado.

Es sólo una cuestión de actitud
reírse[24] del fracaso[25] y del oro.

Es sólo una cuestión de actitud
no tener nada y tenerlo todo.

Es sólo una cuestión de actitud
y nunca nadie sabe nunca nada,
para colmo[26].

Es sólo una cuestión de actitud,
espada[27], capa[28], torero[29] y toro[30].

[1]It's only a matter of   [2]the wish will not come true   [3]could   [4]light   [5]to dare   [6]to travel   [7]understand   [8]stiletto heels   [9]ice arena   [10]receive a beating   [11]not complain   [12]to cross   [13]the desert   [14]deep well   [15]corner   [16]if you fall   [17]life gives you a beating   [18]I am mad   [19]fights   [20]to choose   [21]king   [22]slave   [23]mirror   [24]to laugh   [25]failure   [26]to top it all off   [27]sword   [28]cape   [29]bullfighter   [30]bull

A ¿Qué recuerdas?

Completa las frases de la izquierda con una de las frases de la derecha, según la canción *Es sólo una cuestión de actitud*.

1. si lo cuentas...
2. caballero,...
3. atreverse a...
4. entender...
5. recibir los golpes,...
6. Tengo rabia,...
7. soy tu espejo...
8. reírse...

A. ...¿me podría dar fuego?
B. ...lo que está escrito en el viento
C. ...mirando el otro lado
D. ...que todo se pase y adiós
E. ...no se cumple el deseo
F. ...desplazarse en el tiempo
G. ...del fracaso y del oro
H. ...no tener miedo

B Algo personal

1. ¿Qué piensas de esta canción? ¿Te gusta? Explica.
2. ¿Piensas que en la vida todo es cuestión de actitud? Explica.
3. ¿Qué actitud puedes cambiar hoy para hacer tu vida mejor?
4. ¿Te gustan las canciones con mensajes para pensar? ¿Por qué sí? ¿Por qué no?

Tú escribes

Estrategia

Defining your purpose for writing
Before you begin a writing assignment, it is a good idea to identify your purpose. Then keep your purpose in mind throughout the writing process as you brainstorm your topic, formulate your rough draft and edit your finished product.

The purpose of this writing assignment is to describe yourself, using the format of an acrostic poem. In an acrostic poem, certain letters of each line spell out the letters of a specific word the author has in mind.

Use the letters of your name or nickname, in their correct order, as your acrostic word. Design the pattern for placing a letter of your name in each line. For instance, you might choose to highlight the first letter of each line, the first letter of the last word in each line, etc.

Then, in the lines, include some personal information you have learned this year to describe your personality, your appearance and your preferences. Also, work in some information about what you are going to do in the future. Be sure to make the letters of your acrostic word stand out in the poem (as was done in the poem on this page). Finally, you may wish to accompany your poem with artwork or graphics to make it more visually appealing.

> Juego al fútbol, al básquetbol, y mucho más.
> Soy un jugador, fuerte y rápido.
> Quiero jugar al fútbol profesional algún día.
> Las matemáticas, no me gustan ni un poquito.

royectos adicionales

A Conexión con la tecnología

Prepare an electronic survey about favorite careers or jobs, using an e-mail or a Web page similar to the surveys you completed in this chapter. Ask another class (preferably in a different state or country) to complete the survey and send the results back to you via Internet. Share the information with your classmates, comparing and contrasting the results of your survey.

B Conexión con otras disciplinas: música

Working in pairs, find a song in any language you like. Using the music for the song, create lyrics in Spanish about some aspect of your life (school, vacations, family, etc.). Sing the song to the class.

C Conexión cultural

In groups of three to five students, research a group or culture that is native to your state or region. Find out the name of the group, where they lived, their social activities, number of inhabitants and where any ruins or remains may be found. Share the results with another group of students (a class in another region of the world, for example) and request the same information about civilizations that inhabited their region of the world.

Un indígena de North Dakota.

Ruinas de un pueblo de los Anasazi, indígenas de norteamérica.
(Mesa Verde National Park, Colorado, U.S.A.)

Repaso

Now that I have completed this chapter, I can... **Go to these pages for help:**

discuss past actions and events.	412
talk about everyday activities.	412
express emotion.	418
indicate wishes and preferences.	418
write about past actions.	418
talk about the future.	421
make polite requests.	421
describe personal characteristics.	426

I can also...

talk about Peru and Guatemala.	413, 419
research a topic in the library and on the Internet.	413
name some personal benefits to learning Spanish.	413
recognize some benefits to reviewing what I have already learned.	414
recognize the importance of reviewing what I have learned.	414
talk about Machu Picchu and Chichicastenango.	416, 422
identify some careers that use Spanish.	421
express myself artistically about what I have learned.	426

Trabalenguas

Pedro Pérez pide permiso para partir para París, para ponerse peluca postiza porque parece puerco pelado.

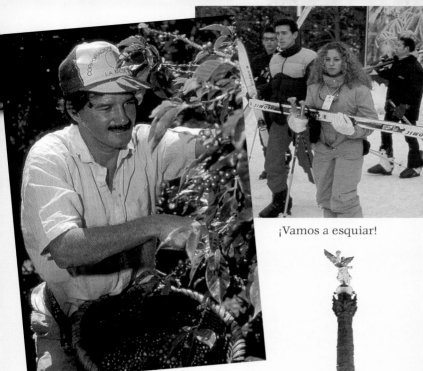

Café de Colombia.

¡Vamos a esquiar!

El Angelito, México, D.F.

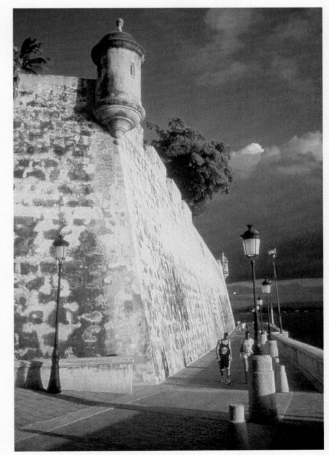

El Morro, San Juan, Puerto Rico.

Appendix A

Definite articles

	Singular	Plural
Masculine	el	los
Feminine	la	las

Indefinite articles

	Singular	Plural
Masculine	un	unos
Feminine	una	unas

Adjective/noun agreement

	Singular	Plural
Masculine	El chico es alto.	Los chicos son altos.
Feminine	La chica es alta.	Las chicas son altas.

Pronouns

Singular	Subject	Direct object	Indirect object	Object of preposition
1st person	yo	me	me	mí
2nd person	tú	te	te	ti
	Ud.	lo/la	le	Ud.
3rd person	él	lo	le	él
	ella	la	le	ella
Plural				
1st person	nosotros	nos	nos	nosotros
	nosotras	nos	nos	nosotras
2nd person	vosotros	os	os	vosotros
	vosotras	os	os	vosotras
3rd person	Uds.	los/las	les	Uds.
	ellos	los	les	ellos
	ellas	las	les	ellas

Interrogatives

qué	*what*
cómo	*how*
dónde	*where*
cuándo	*when*
cuánto, -a, -os, -as	*how much, how many*
cuál/cuáles	*which (one)*
quién/quiénes	*who, whom*
por qué	*why*
para qué	*why, what for*

Demonstrative adjectives

Singular		Plural	
Masculine	**Feminine**	**Masculine**	**Feminine**
este	esta	estos	estas
ese	esa	esos	esas
aquel	aquella	aquellos	aquellas

Possessive adjectives

Singular	Singular nouns	Plural nouns
1st person	mi hermano mi hermana	mis hermanos mis hermanas
2nd person	tu hermano tu hermana	tus hermanos tus hermanas
3rd person	su hermano su hermana	sus hermanos sus hermanas

Plural	Singular nouns	Plural nouns
1st person	nuestro hermano nuestra hermana	nuestros hermanos nuestras hermanas
2nd person	vuestro hermano vuestra hermana	vuestros hermanos vuestras hermanas
3rd person	su hermano su hermana	sus hermanos sus hermanas

Appendix B

Verbs

Present tense (indicative)

Regular present tense		
hablar *(to speak)*	hablo hablas habla	hablamos habláis hablan
comer *(to eat)*	como comes come	comemos coméis comen
escribir *(to write)*	escribo escribes escribe	escribimos escribís escriben

Preterite tense (indicative)

hablar *(to speak)*	hablé hablaste habló	hablamos hablasteis hablaron
comer *(to eat)*	comí comiste comió	comimos comisteis comieron
escribir *(to write)*	escribí escribiste escribió	escribimos escribisteis escribieron

Present participle

The present participle is formed by replacing the *-ar* of the infinitive with *-ando* and the *-er* or *-ir* with *-iendo*.

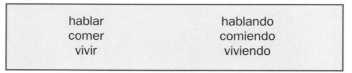

hablar	hablando
comer	comiendo
vivir	viviendo

Progressive tenses

The present participle is used with the verbs *estar, continuar, seguir, andar* and some other motion verbs to produce the progressive tenses. They are reserved for recounting actions that are or were in progress at the time in question.

Present tense of stem-changing verbs

Stem-changing verbs are identified in this book by the presence of vowels in parentheses after the infinitive. If these verbs end in *-ar* or *-er*, they have only one change. If they end in *-ir*, they have two changes. The stem change of *-ar* and *-er* verbs and the first stem change of *-ir* verbs occur in all forms of the present tense, except *nosotros* and *vosotros*.

cerrar (ie) *(to close)*	e → ie	cierro cierras cierra	cerramos cerráis cierran

Verbs like **cerrar:** calentar *(to heat)*, comenzar *(to begin)*, despertar *(to wake up)*, despertarse *(to awaken)*, empezar *(to begin)*, encerrar *(to lock up)*, nevar *(to snow)*, pensar *(to think)*, recomendar *(to recommend)*, sentarse *(to sit down)*

contar (ue) *(to tell)*	o→ ue	cuento cuentas cuenta	contamos contáis cuentan

Verbs like **contar:** acordar *(to agree)*, acordarse *(to remember)*, almorzar *(to have lunch)*, colgar *(to hang)*, costar *(to cost)*, demostrar *(to demonstrate)*, encontrar *(to find, to meet someone)*, probar *(to taste, to try)*, recordar *(to remember)*

jugar (ue) *(to play)*	u → ue	juego juegas juega	jugamos jugáis juegan

perder (ie) *(to lose)*	e → ie	pierdo pierdes pierde	perdemos perdéis pierden

Verbs like **perder:** defender *(to defend)*, descender *(to descend, to go down)*, encender *(to light, to turn on)*, entender *(to understand)*, extender *(to extend)*, tender *(to spread out)*

volver (ue) *(to return)*	o → ue	vuelvo vuelves vuelve	volvemos volvéis vuelven

Verbs like **volver:** devolver *(to return something)*, doler *(to hurt)*, llover *(to rain)*, morder *(to bite)*, mover *(to move)*, resolver *(to resolve)*, soler *(to be in the habit of)*, torcer *(to twist)*

pedir (i, i) *(to ask for)*	e → i	pido pides pide	pedimos pedís piden

Verbs like **pedir:** conseguir *(to obtain, to attain, to get)*, despedirse *(to say good-bye)*, elegir *(to choose, to elect)*, medir *(to measure)*, perseguir *(to pursue)*, repetir *(to repeat)*

sentir (ie, i) (to feel)	e → ie	siento	sentimos
		sientes	sentís
		siente	sienten

Verbs like **sentir:** advertir *(to warn)*, arrepentirse *(to regret)*, convertir *(to convert)*, convertirse *(to become)*, divertirse *(to have fun)*, herir *(to wound)*, invertir *(to invest)*, mentir *(to lie)*, preferir *(to prefer)*, requerir *(to require)*, sugerir *(to suggest)*

dormir (ue, u) (to sleep)	o → ue	duermo	dormimos
		duermes	dormís
		duerme	duermen

Another verb like **dormir:** morir *(to die)*

Present participle of stem-changing verbs

Stem-changing verbs that end in *-ir* use the second stem change in the present participle.

dormir (ue, u)	durmiendo
seguir (i, i)	siguiendo
sentir (ie, i)	sintiendo

Preterite tense of stem-changing verbs

Stem-changing verbs that end in *-ar* and *-er* are regular in the preterite tense. That is, they do not require a spelling change, and they use the regular preterite endings.

pensar (ie)	
pensé	pensamos
pensaste	pensasteis
pensó	pensaron

volver (ue)	
volví	volvimos
volviste	volvisteis
volvió	volvieron

Stem-changing verbs ending in *-ir* change their third-person forms in the preterite tense, but they still require the regular preterite endings.

sentir (ie, i)	
sentí	sentimos
sentiste	sentisteis
sintió	sintieron

dormir (ue, u)	
dormí	dormimos
dormiste	dormisteis
durmió	durmieron

Verbs with irregularities

The following charts provide some frequently used Spanish verbs with irregularities.

buscar *(to look for)*	
preterite	busqué, buscaste, buscó, buscamos, buscasteis, buscaron
Similar to:	explicar *(to explain)*, sacar *(to take out)*, tocar *(to touch, to play an instrument)*

dar *(to give)*	
present	doy, das, da, damos, dais, dan
preterite	di, diste, dio, dimos, disteis, dieron

decir *(to say, to tell)*

present	digo, dices, dice, decimos, decís, dicen
preterite	dije, dijiste, dijo, dijimos, dijisteis, dijeron
present participle	diciendo

enviar *(to send)*

present	envío, envías, envía, enviamos, enviáis, envían
Similar to:	esquiar *(to ski)*

estar *(to be)*

present	estoy, estás, está, estamos, estáis, están
preterite	estuve, estuviste, estuvo, estuvimos, estuvisteis, estuvieron

hacer *(to do, to make)*

present	hago, haces, hace, hacemos, hacéis, hacen
preterite	hice, hiciste, hizo, hicimos, hicisteis, hicieron

ir *(to go)*

present	voy, vas, va, vamos, vais, van
preterite	fui, fuiste, fue, fuimos, fuisteis, fueron
present participle	yendo

leer *(to read)*

preterite	leí, leíste, leyó, leímos, leísteis, leyeron
present participle	leyendo

llegar *(to arrive)*

preterite	llegué, llegaste, llegó, llegamos, llegasteis, llegaron
Similar to:	colgar *(to hang)*, pagar *(to pay)*

oír *(to hear, to listen)*

present	oigo, oyes, oye, oímos, oís, oyen
preterite	oí, oíste, oyó, oímos, oísteis, oyeron
present participle	oyendo

poder *(to be able)*

present	puedo, puedes, puede, podemos, podéis, pueden
preterite	pude, pudiste, pudo, pudimos, pudisteis, pudieron
present participle	pudiendo

poner *(to put, to place, to set)*

present	pongo, pones, pone, ponemos, ponéis, ponen
preterite	puse, pusiste, puso, pusimos, pusisteis, pusieron

querer *(to love, to want)*

present	quiero, quieres, quiere, queremos, queréis, quieren
preterite	quise, quisiste, quiso, quisimos, quisisteis, quisieron

saber *(to know)*

present	sé, sabes, sabe, sabemos, sabéis, saben
preterite	supe, supiste, supo, supimos, supisteis, supieron

salir *(to go out, to leave)*

present	salgo, sales, sale, salimos, salís, salen

ser *(to be)*

present	soy, eres, es, somos, sois, son
preterite	fui, fuiste, fue, fuimos, fuisteis, fueron

tener *(to have)*

present	tengo, tienes, tiene, tenemos, tenéis, tienen
preterite	tuve, tuviste, tuvo, tuvimos, tuvisteis, tuvieron

traer *(to bring)*

present	traigo, traes, trae, traemos, traéis, traen
preterite	traje, trajiste, trajo, trajimos, trajisteis, trajeron
present participle	trayendo

venir *(to come)*

present	vengo, vienes, viene, venimos, venís, vienen
preterite	vine, viniste, vino, vinimos, vinisteis, vinieron
present participle	viniendo

ver *(to see, to watch)*

present	veo, ves, ve, vemos, veis, ven
preterite	vi, viste, vio, vimos, visteis, vieron

Appendix C

Numbers

Cardinal numbers 0–1.000

0—cero	13—trece	26—veintiséis	90—noventa
1—uno	14—catorce	27—veintisiete	100—cien/ciento
2—dos	15—quince	28—veintiocho	200—doscientos,-as
3—tres	16—dieciséis	29—veintinueve	300—trescientos,-as
4—cuatro	17—diecisiete	30—treinta	400—cuatrocientos,-as
5—cinco	18—dieciocho	31—treinta y uno	500—quinientos,-as
6—seis	19—diecinueve	32—treinta y dos	600—seiscientos,-as
7—siete	20—veinte	33—treinta y tres, etc.	700—setecientos,-as
8—ocho	21—veintiuno	40—cuarenta	800—ochocientos,-as
9—nueve	22—veintidós	50—cincuenta	900—novecientos,-as
10—diez	23—veintitrés	60—sesenta	1.000—mil
11—once	24—veinticuatro	70—setenta	
12—doce	25—veinticinco	80—ochenta	

Ordinal numbers

1—primero,-a (primer)	6—sexto,-a
2—segundo,-a	7—séptimo,-a
3—tercero,-a (tercer)	8—octavo,-a
4—cuarto,-a	9—noveno,-a
5—quinto,-a	10—décimo,-a

Appendix D

Syllabification

Spanish vowels may be weak or strong. The vowels *a, e* and *o* are strong, whereas *i* (and sometimes *y*) and *u* are weak. The combination of one weak and one strong vowel or of two weak vowels produces a diphthong, two vowels pronounced as one.

A word in Spanish has as many syllables as it has vowels or diphthongs.

>   al gu nas
>   lue go
>   pa la bra

A single consonant (including *ch, ll, rr*) between two vowels accompanies the second vowel and begins a syllable.

>   a mi ga
>   fa vo ri to
>   mu cho

Two consonants are divided, the first going with the previous vowel and the second going with the following vowel.

>   an tes
>   quin ce
>   ter mi nar

A consonant plus *l* or *r* is inseparable except for *rl, sl* and *sr*.

>   ma dre
>   pa la bra
>   com ple tar
>   Car los
>   is la

If three consonants occur together, the last, or any inseparable combination, accompanies the following vowel to begin another syllable.

>   es cri bir
>   som bre ro
>   trans por te

Prefixes should remain intact.

>   re es cri bir

Appendix E

Accentuation

Words that end in *a, e, i, o, u, n* or *s* are pronounced with the major stress on the next-to-the-last syllable. No accent mark is needed to show this emphasis.

> octubre
> refresco
> señora

Words that end in any consonant except *n* or *s* are pronounced with the major stress on the last syllable. No accent mark is needed to show this emphasis.

> escribir
> papel
> reloj

Words that are not pronounced according to the above two rules must have a written accent mark.

> lógico
> canción
> después
> lápiz

An accent mark may be necessary to distinguish identical words with different meanings.

> dé/de
> qué/que
> sí/si
> sólo/solo

An accent mark is often used to divide a diphthong into two separate syllables.

> día
> frío
> Raúl

Vocabulary Spanish / English

All active words introduced in *NAVEGANDO 1* appear in this end vocabulary. The number and letter following an entry indicate the lesson in which an item is first actively used. Additional words and expressions are included for reference and have no number. Obvious cognates and expressions that occur as passive vocabulary for recognition only have been excluded from this end vocabulary.

A

a to, at, in *2B; a caballo* on horseback *3A; a crédito* on credit *9B; a pie* on foot *3A; a propósito* by the way *1A; ¿a qué hora?* at what time? *2B; a veces* sometimes, at times *5B; a ver* let's see, hello (telephone greeting)
abierto,-a open *4A*
abran: see *abrir*
el **abrazo** hug *6B*
abre: see *abrir*
la **abreviatura** abbreviation
el **abrigo** coat *8A*
abril April *5B*
abrir to open *5A; abran (Uds. command)* open; *abre (tú command)* open
la **abuela** grandmother *4A*
el **abuelo** grandfather *4A*
aburrido,-a bored, boring *4B*
acabar to finish, to complete, to terminate *8A; acabar de (+ infinitive)* to have just *8A*
el **aceite** oil *6A*
la **aceituna** olive
el **acento** accent *1A*
la **acentuación** accentuation
aclarar to make clear, to explain
la **actividad** activity *5A*, exercise
el **acuerdo** accord; *de acuerdo* agreed, okay *3B*
adiós good-bye *1A*
el **adjetivo** adjective; *adjetivo posesivo* possessive adjective

¿adónde? (to) where? *3A*
adoptar to adopt
adornar to decorate *8A*
el **adverbio** adverb
los **aeróbicos** aerobics *7A*
el **aeropuerto** airport
la **agencia** agency; *agencia de viajes* travel agency
agosto August *5B*
el **agricultor** farmer
el **agua** *f.* water *3B; agua mineral* mineral water *3B*
el **aguacate** avocado *8B*
ahora now *3B; ahora mismo* right now *7A*
ahorrar to save *9B*
el **ajedrez** chess *7A*
el **ajo** garlic *8B*
al to the *3A; al lado de* next to, beside *6B*
alegre happy, merry, lively
el **alfabeto** alphabet
el **álgebra** algebra
algo something, anything *8A*
el **algodón** cotton *9A*
alguien someone, anyone, somebody, anybody *9A*
algún, alguna some, any *9A*
alguno,-a some, any *9A*
allá over there *6B*
allí there *2B*
la **almeja** clam
el **almuerzo** lunch *2B*
aló hello (telephone greeting) *2B*
alquilar to rent *7A*

alterna alternate (*tú* command)
alternen alternate (*Uds.* command)
alto,-a tall, high *4B*
amable kind, nice *4A*
amarillo,-a yellow *2B*
ambiguo,-a ambiguous
la **América** America; *América Central* Central America; *América del Sur* South America
americano,-a American *7A; el fútbol americano* football *7A*
el **amigo,** la **amiga** friend *2A; amigo/a por correspondencia* pen pal
el **amor** love *5A*
anaranjado,-a orange (color) *9A*
andino,-a Andean, of the Andes Mountains
el **anillo** ring *9B*
anteayer the day before yesterday *5B*
anterior preceding
antes de before *7A*
añade: see *añadir*
añadir to add *8B; añade (tú command)* add
el **año** year *5B; Año Nuevo* New Year's Day *5B; ¿Cuántos años tienes?* How old are you? *1A; tener (+ number) años* to be (+ number) years old *5A*
apagar to turn off *7A*
el **apartamento** apartment
el **apellido** last name, surname
el **apodo** nickname

aprender to learn
apropiado,-a appropriate
apunta: see *apuntar*
apuntar to point; *apunta (tú* command) point (at); *apunten (Uds.* command) point (at)
apunten: see *apuntar*
apurado,-a in a hurry *4A*
aquel, aquella that (far away) *6A*
aquellos, aquellas those (far away) *6A*
aquí here *1A; Aquí se habla español.* Spanish is spoken here.
el **árbol** tree; *árbol genealógico* family tree
el **arete** earring *9B*
la **Argentina** Argentina *1A*
arreglar to arrange, to straighten, to fix *8A*
arroba (@) at *(the symbol (@) used for e-mail addresses) 2B*
el **arroz** rice *8B*
el **arte** art *2B*
la **artesanía** handicrafts, artisanry
el **artículo** article *5A*
el **artista** artist
el **ascensor** elevator *9B*
la **asignatura** subject
la **aspiradora** vacuum *7A; pasar la aspiradora* to vacuum *8A*
el **Atlántico** Atlantic Ocean
la **atracción** attraction
aunque although
el **autobús** bus *3A*
la **avenida** avenue *3B*
aventurero,-a adventurous
el **avión** airplane *3A*
¡ay! oh! *2A*
ayer yesterday *5B*
la **ayuda** help
ayudar to help *6A*
el **azafrán** saffron
los **aztecas** Aztecs
el **azúcar** sugar *6A*
azul blue *2B*

bailar to dance *4B*
bajo,-a short (not tall), low *4B; planta baja* floor level *6B*
balanceado,-a balanced
el **baloncesto** basketball
el **banco** bank *3A*
el **baño** bathroom *6B; traje de*

baño swimsuit *9A*
barato,-a cheap *9B*
el **barco** boat, ship *3A*
barrer to sweep *8A*
el **barril** barrel
basado,-a based
el **básquetbol** basketball *7A*
el **basquetbolista, la basquetbolista** basketball player *7B*
bastante rather, fairly, sufficiently; enough, sufficient *9B*
la **basura** garbage *8A*
la **bebida** drink
el **béisbol** baseball *4B*
la **biblioteca** library *3A*
la **bicicleta** bicycle, bike *3A*
bien well *1B*
bienvenido,-a welcome
la **billetera** wallet *9B*
la **biología** biology *2B*
blanco,-a white *2B*
la **blusa** blouse *2B*
la **boda** wedding
el **bolígrafo** pen *2A*
Bolivia Bolivia *1A*
el **bolo** ball; *jugar a los bolos* to bowl
el **bolso** handbag, purse *9B*
bonito,-a pretty, good-looking, attractive *4A*
borra: see *borrar*
el **borrador** eraser *2A*
borrar to erase; *borra (tú* command) erase; *borren (Uds.* command) erase
borren: see *borrar*
la **bota** boot *9A*
el **brazo** arm *9A*
buen good (form of *bueno* before a *m., s.* noun) *7B*
bueno well, okay (pause in speech) *3B;* hello (telephone greeting)
bueno,-a good *4B; buena suerte* good luck; *buenas noches* good night *1B; buenas tardes* good afternoon *1B; buenos días* good morning *1B*
la **bufanda** scarf *9B*
buscar to look for *5A*

el **caballero** gentleman
el **caballo** horse *3A; a caballo* on

horseback *3A*
la **cabeza** head *9A*
cada each, every *5A*
el **café** coffee *8B*
la **cafetería** cafeteria
la **caja** cashier's desk *9B*
el **calcetín** sock *2B*
el **calendario** calendar
la **calidad** quality *9B*
caliente hot *4A*
la **calle** street *3B*
el **calor** heat *6B; hace calor* it is hot *7B; tener calor* to be hot *6B*
calvo,-a bald *4B*
la **cama** bed *8A*
el **camarón** shrimp
cambiar to change, to exchange *9B*
el **cambio** change *9B; en cambio* on the other hand *7B*
caminar to walk *3A*
el **camión** truck *3A;* bus (Mexico); *en camión* by truck *3A*
la **camisa** shirt *2B*
la **camiseta** jersey, polo, t-shirt *2B*
la **canción** song *5A*
canoso,-a white-haired *4B*
cansado,-a tired *4A*
el **cantante, la cantante** singer *3B*
cantar to sing *4B*
la **cantidad** quantity
la **capital** capital *1A*
el **capitán** captain
el **capítulo** chapter
la **cara** face
la **característica** characteristic, trait; *características de personalidad* personality traits; *características físicas* physical traits
¡caramba! wow! *5A*
cariñoso,-a affectionate *4A*
el **carnaval** carnival
la **carne** meat *8B*
caro,-a expensive *9B*
la **carrera** career, race
el **carro** car *3A; en carro* by car *3A*
la **carta** letter *6B*, playing card *7A*
la **casa** home, house *4A; en casa* at home
el **casete** cassette *5A*
casi almost *7A*
catorce fourteen *1A*
el **CD** CD (compact disc) *2B*
la **cebolla** onion *8B*
celebrar to celebrate *5B*

el **censo** census
el **centavo** cent
el **centro** downtown, center *3B*; *centro comercial* shopping center, mall *9A*
  cerca (de) near *3A*
  cero zero *1A*
  cerrado,-a closed *4A*
  cerrar (ie) to close *6A; cierra (tú command)* close; *cierren (Uds. command)* close
el **cesto de papeles** wastebasket *2A*
  chao bye
la **chaqueta** jacket *9A*
  charlando talking, chatting
la **chica** girl *2A*
el **chico** boy *2A*, man, buddy
  Chile Chile *1A*
el **chisme** gossip *6B*
el **chocolate** chocolate *8B*
el **chorizo** sausage (seasoned with red peppers) *8B*
el **ciclismo** cycling
  cien one hundred *1B*
la **ciencia** science
  ciento one hundred (when followed by another number) *5B*
  cierra: see *cerrar*
  cierren: see *cerrar*
  cinco five *1A*
  cincuenta fifty *1B*
el **cine** movie theater *3A*
el **cinturón** belt *9B*
la **ciudad** city *3A*
la **civilización** civilization
el **clarinete** clarinet
  ¡claro! of course! *3A*
la **clase** class *2A*
el **clima** climate
el **coche** car; *en coche* by car
la **cocina** kitchen *6A*
  cocinar to cook *8A*
el **cognado** cognate
el **colegio** school *2B*
  colgar (ue) to hang *8A*
el **collar** necklace *9B*
  Colombia Colombia *1A*
la **colonia** colony
el **color** color *2B*
  combinar to combine *9A*
el **comedor** dining room *6A*
  comer to eat *3B; dar de comer* to feed *8A*
  cómico,-a comical, funny *4B*

la **comida** food *3B*, dinner
  como like, since, as
  ¿cómo? how?, what? *1A*; *¿Cómo?* What (did you say)? *2B; ¿Cómo está (Ud.)?* How are you (formal)? *1B; ¿Cómo están (Uds.)?* How are you *(pl.)?* *1B; ¿Cómo estás (tú)?* How are you (informal)? *1B; ¡Cómo no!* Of course! *3B; ¿Cómo se dice...?* How do you say...? *2A; ¿Cómo se escribe...?* How do you write (spell)...? *1A; ¿Cómo se llama (Ud./él/ella)?* What is (your/his/her) name? *1A; ¿Cómo te llamas?* What is your name? *2A*
  comodidad comfort
  cómodo,-a comfortable *6B*
el **compañero,** la **compañera** classmate, partner *5A*
  comparando comparing
la **competencia** competition
  completa: see *completar*
  completar to complete; *completa (tú command)* complete
la **compra** purchase *4B; ir de compras* to go shopping *4B*
  comprar to buy *4B*
  comprender to understand *2A; comprendo* I understand *2A*
  comprendo: see *comprender*
la **computadora** computer (machine) *2B*
la **computación** computer science *2B*
  común common
  con with *1A; con (mucho) gusto* I would be (very) glad to *1B; con permiso* excuse me (with your permission), may I *1B*
el **concierto** concert *3B*
la **conjunción** conjunction
  conmigo with me *9B*
  conquistar to conquer
  conseguir (i, i) to obtain, to attain, to get
la **contaminación** contamination, pollution; *contaminación ambiental* environmental pollution
  contar (ue) to tell (a story) *9A; cuenta (tú command)* tell; *cuenten (Uds. command)* tell; to count

  contento,-a happy, glad *4A; estar contento,-a (con)* to be satisfied (with) *4A*
  contesta: see *contestar*
  contestar to answer *4B; contesta (tú command)* answer; *contesten (Uds. command)* answer
  contesten: see *contestar*
el **contexto** context
  contigo with you (tú) *9B*
  continúa: see *continuar*
  continuar to continue *7B; continúa (tú command)* continue; *continúen (Uds. command)* continue
  continúen: see *continuar*
la **contracción** contraction
el **control remoto** remote control *7A*
  copiar to copy *7B*
la **corbata** tie *9A*
  correcto,-a right, correct
el **corredor,** la **corredora** runner *7B*
el **correo** mail; *correo electrónico* e-mail *2B*
  correr to run *6B*
la **cortesía** courtesy
  corto,-a short (not long) *9B*
la **cosa** thing *6A*
la **costa** coast
  Costa Rica Costa Rica *1A*
  costar (ue) to cost *7A*
  crear to create
el **crédito** credit *9B; a crédito* on credit *9B; la tarjeta de crédito* credit card *9B*
  creer to believe
el **crucero** cruise ship
  cruzar to cross
el **cuaderno** notebook *2A*
  ¿cuál? which?, what?, which one? *(pl. ¿cuáles?)* which ones? *2B*
la **cualidad** quality
  cualquier any
  cuando when *6B*
  ¿cuándo? when? *3A*
  ¿cuánto,-a? how much? *2B (pl. ¿cuántos,-as?)* how many? *2B; ¿Cuántos años tienes?* How old are you? *1A; ¿Cuánto (+ time expression) hace que (+ present tense of verb)...?* How long...? *7A*

cuarenta forty *1B*

el **cuarto** quarter *1B*, room, bedroom *6B; cuarto de baño* bathroom; *menos cuarto* a quarter to, a quarter before *1B; y cuarto* a quarter after, a quarter past *1B*

cuarto,-a fourth *7B*

cuatro four *1A*

cuatrocientos,-as four hundred *5B*

Cuba Cuba *1A*

los **cubiertos** silverware *6A*

la **cuchara** tablespoon *6A*

la **cucharita** teaspoon *6A*

el **cuchillo** knife *6A*

cuenta: see *contar*

cuenten: see *contar*

el **cuero** leather *9B*

el **cuerpo** body *9A*

cuidar to take care of

el **cumpleaños** birthday *5B; ¡Feliz cumpleaños!* Happy birthday! *5B*

cumplir to become, to become (+ number) years old, to reach *5B; cumplir años* to have a birthday *5B*

D

la **dama** lady

las **damas** checkers *7A*

dar to give *7A; dar de comer* to feed *8A; dar un paseo* to go for a walk, to go for a ride *7B; dé (Ud.* command) give

de from, of *1A; de acuerdo* agreed, okay *3B; ¿de dónde?* from where? *1A; ¿De dónde eres?* Where are you from? *1A; de la mañana* in the morning, A.M. *1B; de la noche* at night, P.M. *1B; de la tarde* in the afternoon, P.M. *1B; de nada* you are welcome, not at all *1B; de todos los días* everyday *6A; ¿de veras?* really? *5B; ¿Eres (tú) de...?* Are you from...? *1A*

dé: see *dar*

deber should, to have to, must, ought (expressing a moral duty) *6A*

décimo,-a tenth *7B*

decir to tell, to say *6B; ¿Cómo se dice...?* How do you say...?

2A; di (tú command) say, tell; *díganme (Uds.* command) tell me; *dime (tú* command) tell me; *¿Qué quiere decir...?* What is the meaning (of)...? *2A; querer decir* to mean *6B; quiere decir* it means *2A; se dice* one says *2A*

el **dedo** finger, toe *9A*

dejar to leave *8A*

del of the, from the *3A*

delgado,-a thin *4B*

demasiado too (much) *9B*

la **democracia** democracy

el **dentista,** la **dentista** dentist *3A*

el **departamento** department *9A*

el **dependiente,** la **dependienta** clerk *9B*

el **deporte** sport *5A*

el **deportista,** la **deportista** athlete *7B*

desaparecido,-a missing

el **desastre** disaster

el **desayuno** breakfast

describe *(tú* command) describe

descubrir to discover

desde since, from *6B*

desear to wish

el **deseo** wish

la **despedida** farewell

después afterwards, later, then *6A; después de* after *7A*

di: see *decir*

el **día** day *2B; buenos días* good morning *1B; de todos los días* everyday *5A; todos los días* every day *5A*

el **diálogo** dialog

diario,-a daily

dibuja: see *dibujar*

dibujar to draw, to sketch *7A; dibuja (tú* command) draw; *dibujen (Uds.* command) draw

dibujen: see *dibujar*

el **dibujo** drawing, sketch *6B*

diciembre December *5B*

el **dictado** dictation

diecinueve nineteen *1A*

dieciocho eighteen *1A*

dieciséis sixteen *1A*

diecisiete seventeen *1A*

diez ten *1A*

la **diferencia** difference

diferente different

difícil difficult, hard *4B*

diga hello (telephone greeting)

dígame tell me, hello (telephone greeting)

díganme: see *decir*

dime: see *decir*

el **dinero** money *5A*

la **dirección** address *2B; dirección de correo electrónico* e-mail *2B*

el **director,** la **directora** director

dirigir to direct

el **disco** disc *2B; disco compacto (CD)* compact disk *2B*

disfrutar to enjoy

diskette diskette *2B*

divertido,-a fun *4A*

doblar to fold *8A*

doce twelve *1A*

el **doctor,** la **doctora** doctor

el **dólar** dollar

domingo Sunday *2B; el domingo* on Sunday

don title of respect used before a man's first name

donde where *6B*

¿dónde? where? *1A*

doña title of respect used before a woman's first name

dormir (ue, u) to sleep *7A*

dos two *1A*

doscientos,-as two hundred *5B*

Dr. abbreviation for *doctor*

Dra. abbreviation for *doctora*

durante during

el **DVD** DVD (digital video disc) *5A; el reproductor de DVDs* DVD player *5A*

E

e and (used before a word beginning with *i* or *hi*) *6B*

la **ecología** ecology

el **Ecuador** Ecuador *1A*

la **edad** age

el **edificio** building *3B*

la **educación física** physical education

el **efectivo** cash *9B; en efectivo* in cash *9B*

egoísta selfish *4B*

el **ejemplo** example; *por ejemplo* for example

el the *(m., s.) 2A*

él he *2A*; him (after a preposition) *4B*; *Él se llama....* His name is.... *2A*
eléctrico,-a electric
electrónico,-a electronic *2B*
El Salvador El Salvador *1A*
ella she *2A*; her (after a preposition) *4B*; *Ella se llama....* Her name is.... *2A*
ellos,-as they *2A*; them (after a preposition) *4B*
empatados: see *empate*
el **empate** tie; *los partidos empatados* games tied
empezar (ie) to begin, to start *6A*
en in, on, at *2A*; *en (+ vehicle)* by *(+ vehicle) 3A*; *en cambio* on the other hand *7B*; *en casa* at home; *en efectivo* in cash *9B*; *en resumen* in short
encantado,-a delighted, the pleasure is mine *3A*
encender (ie) to light, to turn on (a light) *6A*
encontrar (ue) to find
la **encuesta** survey, poll
enero January *5B*
el **énfasis** emphasis
el **enfermero,** la **enfermera** nurse
enfermo,-a sick *4A*
la **ensalada** salad *3B*
enseñar to teach, to show
entero,-a whole
entonces then *6A*
entrar to go in, to come in *5A*
entre between, among
la **entrevista** interview
enviar to send *7B*
el **equipo** team *7A*; *equipo de sonido* sound system, stereo *5A*
equivocado mistaken; *número equivocado* wrong number *2B*
eres: see *ser*
es: see *ser*
escalar to climb
la **escalera** stairway, stairs *6B*; *escalera mecánica* escalator *9B*
la **escena** scene
escoger to choose *8B*; *escogiendo* choosing
escogiendo: see *escoger*
escriban: see *escribir*
escribe: see *escribir*

escribir to write *6B*; *¿Cómo se escribe...?* How do you write (spell)...? *1A*; *escriban (Uds.* command) write; *escribe (tú* command) write; *se escribe* it is written *1A*
el **escritorio** desk *2A*
escucha: see *escuchar*
escuchar to listen (to) *4B*; *escucha (tú* command) listen; *escuchen (Uds.* command) listen
escuchen: see *escuchar*
la **escuela** school *3A*
ese, esa that *6A*
eso that (neuter form)
esos, esas those *6A*
el **espacio** space
España Spain *1A*
el **español** Spanish (language) *2B*
español, española Spanish
especial special *6A*
especializado,-a specialized
el **espectáculo** showcase
la **esposa** wife, spouse *4A*
el **esposo** husband, spouse *4A*
el **esquiador,** la **esquiadora** skier *7B*
esquiar to ski *7B*
está: see *estar*
establecieron settled down
la **estación** season *7B*
el **estadio** stadium
el **Estado Libre Asociado** Commonwealth
los **Estados Unidos** United States of America *1A*
están: see *estar*
estar to be *2B*;*¿Cómo está (Ud.)?* How are you (formal)? *1B*; *¿Cómo están (Uds.)?* How are you (pl.)? *1B*; *¿Cómo estás (tú)?* How are are you (informal)? *1B*; *está nublado,-a* it's cloudy *7B*; *está soleado,-a* it's sunny *7B*; *están* they are *1B*; *estar contento,-a (con)* to be satisfied (with) *4A*; *estar en oferta* to be on sale *9B*; *estar listo,-a* to be ready *7B*; *estás* you (informal) are *1B*; *estoy* I am *1B*
estás: see *estar*
este well, so (pause in speech)
este, esta this *6A*; *esta noche* tonight *7A*

el **estéreo** stereo
estos, estas these *6A*
estoy: see *estar*
la **estructura** structure
estudia: see *estudiar*
el **estudiante,** la **estudiante** student *2A*
estudiar to study *2B*; *estudia (tú* command) study; *estudien (Uds.* command) study
estudien: see *estudiar*
el **estudio** study
la **estufa** stove *6A*
estupendo,-a wonderful, marvellous *7A*
el **examen** exam, test *2B*
excelente excellent *7B*
el **éxito** success
explica: see *explicar*
la **explicación** explanation
explicar to explain; *explica (tú* command) explain
el **explorador,** la **exploradora** explorer
la **exportación** exportation
exportador, exportadora exporting
expresar to express
la **expresión** expression
la **extensión** extension

fácil easy *4B*
la **falda** skirt *2B*
falso,-a false
la **familia** family *4A*
famoso,-a famous
fantástico,-a fantastic, great *3A*
el **favor** favor; *por favor* please *1B*
favorito,-a favorite *3B*
febrero February *5B*
la **fecha** date *5B*
felicitaciones congratulations
feliz happy *(pl. felices) 5B*; *¡Feliz cumpleaños!* Happy birthday! *5B*
femenino,-a feminine
feo,-a ugly *4B*
el **ferrocarril** railway, railroad
la **fiesta** party *3A*
la **filosofía** philosophy
el **fin** end *5A*; *fin de semana* weekend *5A*
la **física** physics *6A*
la **flauta** flute

la **flor** flower *7B*
la **florcita** small flower
la **forma** form
la **foto(grafía)** photo *4A*
la **frase** phrase, sentence
el **fregadero** sink *6A*
la **fresa** strawberry *8B*
el **fresco** cool *7B; hace fresco* it is cool *7B*
　fresco,-a fresh, chilly *8B*
los **frijoles** beans *3B*
el **frío** cold *4A; hace frío* it is cold *7B; tener frío* to be cold *6B*
　frío,-a cold *4A*
la **fruta** fruit *8B*
　fue: see *ser*
　fuerte strong
el **fútbol** soccer *4B; fútbol americano* football *7A*
el **futbolista,** la **futbolista** soccer player *7B*
el **futuro** future

la **gana** desire *6B; tener ganas de* to feel like *6B*
　ganados: see *ganar*
　ganar to win; *los partidos ganados* games won
el **garaje** garage *6B*
el **gato,** la **gata** cat *5A*
el **género** gender
　generoso,-a generous *4B*
la **gente** people *8A*
la **geografía** geography
la **geometría** geometry
el **gerundio** present participle
el **gesto** gesture
el **gimnasio** gym
la **gira** tour
el **gobernador,** la **gobernadora** governor
　gordo,-a fat *4B*
la **grabadora** tape recorder *5A*
　gracias thanks *1B; muchas gracias* thank you very much *1B*
el **grado** degree *7B*
　gran big (form of *grande* before a *m., s.* noun)
　grande big *3B*
　gris gray *2B*
el **grupo** group; *grupo musical* musical group
el **guante** glove *9A*

　guapo,-a good-looking, attractive, handsome, pretty *4A*
　Guatemala Guatemala *1A*
el **guía,** la **guía** guide
　Guinea Ecuatorial Equatorial Guinea *1A*
el **guisante** pea *8B*
la **guitarra** guitar
　gusta: see *gustar*
　gustar to like, to be pleasing to *4B; me/te/le/nos/vos/les gustaría...* I/you/he/she/it/we/they would like... *6B*
　gustaría: see *gustar*
el **gusto** pleasure, delight, taste *3A; con (mucho) gusto* I would be (very) glad to *1B; el gusto es mío* the pleasure is mine *3A; ¡Mucho gusto!* Glad to meet you! *1A; Tanto gusto.* So glad to meet you. *3A*

la **habichuela** green bean *8B*
la **habitación** room, bedroom
el **habitante,** la **habitante** inhabitant
　habla: see *hablar*
　hablar to speak *2B; habla (tú command)* speak; *hablen (Uds. command)* speak; *Se habla español.* Spanish is spoken.
　hablen: see *hablar*
　hace: see *hacer*
　hacer to do, to make *3B; ¿Cuánto (+ time expression) hace que (+ present tense of verb)...?* How long...? *7A; hace buen (mal) tiempo* the weather is nice (bad) *7B; hace fresco* it is cool *7B; hace frío (calor)* it is cold (hot) *7B; hace (+ time expression) que* ago *7A; hace sol* it is sunny *7B; hace viento* it is windy *7B; hacer aeróbicos* to do aerobics *7A; hacer falta* to be necessary, to be lacking *8B; hacer un viaje* to take a trip *5A; hacer una pregunta* to ask a question *3B; hagan (Uds. command)* do, make; *haz (tú command)* do, make; *haz el papel* play the part; *hecha* made
　hagan: see *hacer*
el **hambre** hunger *6B; tener hambre* to be hungry *6B*

　hasta until, up to, down to *1A; hasta la vista* so long, see you later; *hasta luego* so long, see you later *1A; hasta mañana* see you tomorrow *1B; hasta pronto* see you soon *1B*
　hay there is, there are *2A; hay neblina* it is misting *7B; hay sol* it is sunny *7B*
　haz: see *hacer*
　hecha: see *hacer*
el **helado** ice cream *8B*
la **hermana** sister *4A*
el **hermano** brother *4A*
el **hielo** ice *7B; patinar sobre hielo* to ice skate *7B*
la **hija** daughter *4A*
el **hijo** son *4A*
　hispano,-a Hispanic
　hispanohablante Spanish-speaking
la **historia** history *2B*
la **hoja** sheet; *hoja de papel* sheet of paper; leaf
　hola hi, hello *1A*
el **hombre** man *9A*
　Honduras Honduras *1A*
la **hora** hour *1B; ¿a qué hora?* at what time? *2B; ¿Qué hora es?* What time is it? *1B*
el **horario** schedule *2B*
el **horno microondas** microwave oven *6A*
　horrible horrible *4B*
el **hotel** hotel *3A*
　hoy today *3B*
el **huevo** egg *8B*

la **idea** idea *5B*
　ideal ideal *4B*
　ignorar to not know
　imagina: see *imaginar*
la **imaginación** imagination
　imaginar to imagine; *imagina (tú command)* imagine
el **impermeable** raincoat *9A*
　importante important *4B*
　importar to be important, to matter *8B*
la **impresora (láser)** (laser) printer *2B*
los **incas** Incas
　incluir to include
　indefinido,-a indefinite
la **independencia** independence

la **indica:** see *indicar*
la **indicación** cue
indicado,-a indicated
indicar to indicate; *indica*
(*tú* command) indicate
indígena native
el **informe** report
el **inglés** English (language) *2B*
el **ingrediente** ingredient *8B*
inicial initial
inmenso,-a immense
la **inspiración** inspiration
inteligente intelligent *4B*
interesante interesting *4B*
interrogativo,-a interrogative
el **invierno** winter *7B*
la **invitación** invitation
invitar to invite
ir to go *3A; ir a* (+ infinitive)
to be going to (do something)
3B; ir de compras to go
shopping *4B; ¡vamos!* let's go!
3A; ¡vamos a (+ infinitive)!
let's (+ infinitive)! *3B; vayan*
(*Uds.* command) go to; *ve*
(*tú* command) go to
la **isla** island

el **jamón** ham *8B*
el **jardín** garden *8A*
la **jirafa** giraffe
los **jeans** jeans, blue jeans *2B*
joven young *5B*
la **joya** jewel *9B*
el **juego** game
jueves Thursday *2B; el jueves*
on Thursday
el **jugador,** la **jugadora**
player *7B*
jugar (ue) to play *4B, jugar a*
(+ sport/game) *4B*
el **jugo** juice *3B*
julio July *5B*
junio June *5B*
junto,-a together *8A*

K

el **kilo (kg.)** kilogram *8B*

L

la the (*f., s.*) *2A;* her, it, you
(*d.o.*) *5A; a la...* at...o'clock *2B*
el **lado** side *6B; al lado (de)* next
to, beside *6B; por todos lados*
everywhere *7B*

la **lámpara** lamp *6A*
la **lana** wool *9A*
la **langosta** lobster
lanzar to throw
el **lápiz** pencil (*pl. lápices*) *2A*
largo,-a long *9B*
las the (*f., pl.*) *2A;* them, you
(*d.o.*) *5A; a las...* at...o'clock *2B*
la **lástima** shame; *¡Qué lástima!*
What a shame! *5A*
la **lata** can *8B*
el **lavaplatos** dishwasher *6A*
lavar to wash *8A*
le (to, for) him, (to, for) her,
(to, for) it, (to, for) you
(formal)(*i.o.*) *3A*
lean: see *leer*
la **lección** lesson
la **leche** milk *8A*
la **lechuga** lettuce *8B*
la **lectura** reading
lee: see *leer*
leer to read *3B; lean* (*Uds.*
command) read; *lee* (*tú*
command) read
lejos (de) far (from) *3A*
la **lengua** language
lento,-a slow *4B*
les (to, for) them, (to, for) you
(*pl.*)(*i.o.*) *3A*
la **letra** letter
levantarse to get up, to rise;
levántate (*tú* command) get up;
levántense (*Uds.* command)
get up
levántate: see *levantarse*
levántense: see *levantarse*
la **libertad** liberty, freedom
la **libra** pound
libre free *4A*
la **librería** bookstore *5A*
el **libro** book *2A*
el **líder** leader
limitar to limit
limpiar to clean *8A*
limpio,-a clean *4A*
lindo,-a pretty *9B*
la **lista** list *7A*
listo,-a ready *7B,* smart *8A;*
estar listo,-a to be ready *7B; ser*
listo,-a to be smart *8A*
la **literatura** literature
llama: see *llamar*
llamar to call, to telephone *5A;*
¿Cómo se llama (Ud./él/ella)?
What is (your/his/her) name?

2A; ¿Cómo te llamas? What is
your name? *1A; llamaron* they
called (preterite of *llamar*); *me*
llamo my name is *1A; se*
llaman their names are; *te*
llamas your name is *1A;*
(*Ud./Él/Ella*) *se llama....*
(Your [formal]/His/Her)
name is.... *2A*
llamaron: see *llamar*
llamas: see *llamar*
llamo: see *llamar*
llegar to arrive *8A; llegó* arrived
(preterite of *llegar*)
llegó: see *llegar*
llevar to wear *2B;* to take, to
carry *5A*
llover (ue) to rain *7B*
la **lluvia** rain *7B*
lo him, it, you (*d.o.*) *5A; lo que,*
that which *6B; lo siento* I am
sorry *1B*
loco,-a crazy *4A*
lógicamente logically
lógico,-a logical
los the (*m., pl.*) *2A;* them, you
(*d.o.*) *5A*
luego then, later, soon *1A;*
hasta luego so long, see you
later *1A*
el **lugar** place *7B*
lunes Monday *2B; el lunes* on
Monday
la **luz** light (*pl. luces*) *6A*

la **madrastra** stepmother
la **madre** mother *4A*
maduro,-a ripe *8B*
el **maestro** teacher, master; *La*
práctica hace al maestro.
Practice makes perfect.
el **maíz** corn *8B*
mal badly *1B;* bad *7B*
la **maleta** suitcase *5A*
malo,-a bad *4B*
la **mamá** mother, mom
la **manera** manner, way
la **mano** hand *9A*
el **mantel** tablecloth *6A*
la **mantequilla** butter *6A*
la **manzana** apple *8B*
mañana tomorrow *1B; hasta*
mañana see you tomorrow *1B;*
pasado mañana the day after
tomorrow *5B*

la **mañana** morning *1B; de la mañana* A.M., in the morning *1B; por la mañana* in the morning *7A*

el **mapa** map *2A*

la **maravilla** wonder, marvel

mariachi popular Mexican music and orchestra

el **marisco** seafood, shellfish

marrón brown *9A*

martes Tuesday *2B; el martes* on Tuesday

marzo March *5B*

más more, else *4A; el/la/los/las* (+ noun) *más* (+ adjective) the most (+ adjective) *8B; lo más* (+ adverb) *posible* as (+ adverb + noun) as possible *8B; más* (+ noun/adjective/adverb) *que* more (+ noun/adjective/adverb) than *8B*

masculino,-a masculine

las **matemáticas** mathematics *2B*

el **material** material *9B*

máximo,-a maximum *7B*

maya Mayan

los **mayas** Mayans

mayo May *5B*

mayor older, oldest *5B*, greater, greatest *8B*

la **mayúscula** capital letter *1A*

me (to, for) me (*i.o.*) *4B*; me (*d.o.*) *5A; me llaman* they call me; *me llamo* my name is *1A*

mecánico,-a mechanic *9B; la escalera mecánica* escalator *9B*

la **medianoche** midnight *1B; Es medianoche.* It is midnight. *1B*

mediante by means of

las **medias** pantyhose, nylons *9A*

el **médico**, la **médica** doctor *3A*

medio,-a half; *y media* half past *1B*

medio tiempo (trabajo) part-time (work)

el **mediodía** noon; *Es mediodía.* It is noon. *1B*

mejor better *8B; el/la/los/las mejor/mejores* (+ noun) the best (+ noun) *8B*

menor younger, youngest *5B*, lesser, least *8B*

menos minus, until, before, to (to express time) *1B*, less *8B; el/la/los/las* (+ noun) *menos* (+ adjective) the least (+ adjective + noun) *8B; lo menos* (+ adverb) *posible* as (+ adverb) as possible *8B; menos* (+ noun/adjective/adverb) *que* less (+ noun/adjective/adverb) than *8B; por lo menos* at least

mentir (ie, i) to lie

la **mentira** lie *6B*

el **menú** menu *3B*

el **mercado** market *8B*

el **merengue** merengue (dance music)

el **mes** month *5B*

la **mesa** table *6A; poner la mesa* to set the table *6A; recoger la mesa* to clear the table *8A*

el **mesero**, la **mesara** food server *3B*

el **metro** subway *3A*

mexicano,-a Mexican

México Mexico *1A*

mi my *2A; (pl. mis)* my *4A*

mí me *4B;* (after a preposition) *4B*

el **miedo** fear *6B; tener miedo de* to be afraid of *6B*

el **miembro** member, part

mientras que while

miércoles Wednesday *2B; el miércoles* on Wednesday

mil thousand *5B*

mínimo,-a minimum *7B*

la **minúscula** lowercase *1A*

el **minuto** minute *7A*

mío,-a my, mine; *el gusto es mío* the pleasure is mine *3A*

mira: see *mirar*

mirar to look (at) *4B; mira* (*tú* command) look *2B*; hey, look (pause in speech); *miren* (*Uds.* command) look; hey, look (pause in speech)

miren: see *mirar*

mismo right (in the very moment, place, etc.) *7A; ahora mismo* right now *7A*

mismo,-a same *7A*

el **misterio** mystery

la **mochila** backpack *2A*

el **modelo** model

moderno,-a modern

el **momento** moment *3B*

el **mono** monkey

montar to ride *5A; montar en patineta* to skateboard *7B*

morado,-a purple *9A*

moreno,-a brunet, brunette, dark-haired, dark-skinned *4B*

la **moto(cicleta)** motorcycle *3A*

la **muchacha** girl, young woman *1A*

el **muchacho** boy, guy *1A*

muchísimo very much, a lot

mucho much, a lot of, very much *4A*

mucho,-a much, a lot of, very *3B; (pl. muchos,-as)* many *3B; con (mucho) gusto* I would be (very) glad to *1B; muchas gracias* thank you very much *1B; ¡Mucho gusto!* Glad to meet you! *1A*

la **mujer** woman *9A*

el **mundo** world; *todo el mundo* everyone, everybody

la **muralla** wall

el **museo** museum *3B*

la **música** music *2B*

muy very *1B*

la **nación** nation

nacional national

nada nothing *9A; de nada* you are welcome, not at all *1B*

nadar to swim *4B*

nadie nobody *9A*

la **naranja** orange *3B*

natal birth

la **Navidad** Christmas *5B*

la **neblina** mist *7B; hay neblina* it is misting *7B*

necesitar to need *2B*

negativo,-a negative

el **negocio** business; *el hombre de negocios* businessman; *la mujer de negocios* businesswoman

negro,-a black *2B*

nervioso,-a nervous *4A*

nevar (ie) to snow *7B*

ni not even *5B; ni...ni* neither...nor *9A*

Nicaragua Nicaragua *1A*

la **nieta** granddaughter *4A*

el **nieto** grandson *4A*

la **nieve** snow *7B*

ningún, ninguna none, not any *9A*

ninguno,-a none, not any *9A*

niño,-a child

no no *1A*

la **noche** night *1B; buenas noches* good night *1B; de la noche* P.M., at night *1B; esta noche* tonight *7A; por la noche* at night *6B*

el **nombre** name

el **norte** north

nos (to, for) us *(i.o.) 4B;* us *(d.o.) 5A*

nosotros,-as we *2A;* us (after a preposition) *4B*

la **nota** grade

la **noticia** news

novecientos,-as nine hundred *5B*

noveno,-a ninth *7B*

noventa ninety *1B*

la **novia** girlfriend

noviembre November *5B*

el **novio** boyfriend

nublado,-a cloudy *7B; está nublado* it is cloudy *7B*

nuestro,-a our *4A*

nueve nine *1A*

nuevo,-a new *2A; el Año Nuevo* New Year's Day *5B*

el **número** number *2B; número de teléfono/de fax/de teléfono celular* telephone/fax/cellular telephone number *2B, número equivocado* wrong number *2B*

nunca never *4A*

o or *2B; o...o* either...or *9A*

la **obra** work, play

ochenta eighty *1B*

ocho eight *1A*

ochocientos,-as eight hundred *5B*

octavo,-a eighth *7B*

octubre October *5B*

ocupado,-a busy, occupied *4A*

ocupar to occupy

la **odisea** odyssey

la **oferta** sale *9B; estar en oferta* to be on sale *9B*

oficial official

la **oficina** office *3A*

oigan hey, listen (pause in speech)

oigo hello (telephone greeting)

oír to hear, to listen *8A; oigan* hey, listen (pause in speech); *oigo* hello (telephone greeting); *oye* hey, listen (pause in speech) *3B*

la **olla** pot, saucepan *8A*

olvidar to forget *8B*

la **omisión** omission

once eleven *1A*

el **opuesto** opposite

la **oración** sentence

el **orden** order

la **organización** organization

el **órgano** organ

el **oro** gold *9B*

os (to, for) you (Spain, informal, *pl., i.o.*), you (Spain, informal, *pl., d.o.*)

el **otoño** autumn *7B*

otro,-a other, another *(pl. otros,-as) 4A; otra vez* again, another time *6A*

oye hey, listen (pause in speech) *3B*

el **Pacífico** Pacific (Ocean)

el **padrastro** stepfather

el **padre** father *4A; (pl. padres)* parents

la **paella** paella (traditional Spanish dish with rice, meat, seafood and vegetables) *8B*

pagar to pay *9B*

la **página** page *2A*

el **país** country *1A*

la **palabra** word *2A; palabra interrogativa* question word; *palabras antónimas* antonyms, opposite words

el **pan** bread *6A*

Panamá Panama *1A*

la **pantalla** screen *2B*

el **pantalón** pants *2B*

el **pañuelo** handkerchief, hanky *9B*

la **papa** potato *8B*

el **papá** father, dad

los **papás** parents

el **papel** paper *2A*, role; *haz el papel* play the role; *la hoja de papel* sheet of paper

para for, to, in order to *3A*

el **paraguas** umbrella *9B*

el **Paraguay** Paraguay *1A*

parecer to seem *8B*

la **pared** wall *2A*

la **pareja** pair, couple

el **pariente,** la **pariente** relative *4A*

parientes políticos in-laws

el **parque** park *3A*

el **párrafo** paragraph

la **parte** part

el **partido** game, match *4B; partidos empatados* games tied; *partidos ganados* games won; *partidos perdidos* games lost

pasado,-a past, last *5B; pasado mañana* the day after tomorrow *5B*

pásame: see *pasar*

pasar to pass, to spend (time) *5A*, to happen, to occur; *pásame* pass me *6A; pasar la aspiradora* to vacuum *8A; ¿Qué te pasa?* What is wrong with you?

el **pasatiempo** pastime, leisure activity *7A*

la **Pascua** Easter

el **paseo** walk, ride, trip *7B; dar un paseo* to go for a walk, to go for a ride *7B*

el **patinador,** la **patinadora** skater *7B*

patinar to skate *4B; patinar sobre ruedas* to in-line skate *4B; patinar sobre hielo* to ice skate *7B*

la **patineta** skateboard *7B*

el **patio** courtyard, patio, yard *6B*

pedir (i, i) to ask for, to order, to request *6B; pedir perdón* to say you are sorry *6B; pedir permiso (para)* to ask for permission (to do something) *6B; pedir prestado,-a* to borrow *6B*

la **película** movie, film *5A*

pelirrojo,-a red-haired *4B*

la **pelota** ball

pensar (ie) to think, to intend, to plan *6A; pensar de* to think about (i.e., to have an opinion) *6A; pensar en* to think about (i.e., to focus one's thoughts on) *6A; pensar en* (+ infinitive) to think about (doing something)

peor worse *8B; el/la/los/las peor/peores* (+ noun) the worst (+ noun) *8B*

pequeño,-a small *6B*

perder (ie) to lose; *los partidos perdidos* games lost

perdidos: see *perder*

perdón excuse me, pardon me *1B; pedir perdón* to say you are sorry *6B*

perezoso,-a lazy

perfecto,-a perfect *9B*

el **perfume** perfume *9B*

el **periódico** newspaper *2A*

el **periodista,** la **periodista** journalist, reporter

el **período** period

la **perla** pearl *9B*

el **permiso** permission, permit *7A; con permiso* excuse me (with your permission), may I *1B; pedir permiso (para)* to ask for permission (to do something) *6B*

permitir to permit *7A*

pero but *3B*

el **perro,** la **perra** dog *5A*

la **persona** person *8A*

personal personal; *el pronombre personal* subject pronoun

el **Perú** Peru *1A*

el **pescado** fish *3B*

el **petróleo** oil

el **piano** piano *4B*

el **pie** foot *9A; a pie* on foot *3A*

la **pierna** leg *9A*

el **pijama** pajamas *9A*

la **pimienta** pepper (seasoning) *6A*

el **pimiento** bell pepper *8B*

pintar to paint

la **pirámide** pyramid

la **piscina** swimming pool *6B*

el **piso** floor *6B; el primer piso* first floor *6B*

la **pista** clue

la **pizarra** blackboard *2A*

la **planta** plant *6B; planta baja* ground floor *6B*

la **plata** silver *9B*

el **plátano** banana *8B*

el **plato** dish, plate *6A; plato de sopa* soup bowl *6A*

la **playa** beach *4A*

la **plaza** plaza, public square *3B*

poco,-a not very, little, few *6B; un poco* a little (bit) *5A*

poder (ue) to be able *7A*

políticamente politically

el **pollo** chicken *3B*

poner to put, to place *6A;* to turn on (an appliance); *poner la mesa* to set the table *6A*

popular popular *4A*

un **poquito** a very little (bit)

por for *4A,* through, by *6B,* in *7A,* along *7B; por ejemplo* for example; *por favor* please *1B; por la mañana* in the morning *7A; por la noche* at night *6B; por la tarde* in the afternoon *7A; por teléfono* by telephone, on the telephone *6B; por todos lados* everywhere *7B; por lo general* generally

¿por qué? why? *3A*

porque because *3A*

la **posibilidad** possibility

la **posición** position, place

el **póster** poster

el **postre** dessert *6A*

la **práctica** practice *5A; La práctica hace al maestro.* Practice makes perfect.

el **precio** price *8B*

preferir (ie, i) to prefer *6A*

la **pregunta** question *3B; hacer una pregunta* to ask a question *3B*

preguntar to ask *3B*

el **premio** award, prize

la **preparación** preparation

preparar to prepare *8A*

el **preparativo** preparation

la **preposición** preposition

presenciar to witness

la **presentación** introduction

presentar to introduce, to present; *le presento a* let me introduce you (formal, s.) to *3A; les presento a* let me introduce you *(pl.)* to *3A; te presento a* let me introduce you (informal, s.) to *3A*

presente present

presento: see *presentar*

prestado,-a on loan *6B; pedir prestado,-a* to borrow *6B*

prestar to lend *8A*

la **primavera** spring *7B*

primer first (form of *primero* before a *m., s.* noun) *6B; el primer piso* first floor *6B*

primero,-a first *5B*

primero first (adverb) *5A*

el **primo,** la **prima** cousin *4A*

principal main

la **prisa** rush, hurry, haste *6B; tener prisa* to be in a hurry *6B*

el **problema** problem *3A*

produce produces

el **producto** product

el **profesor,** la **profesora** teacher *2A; el profe* teacher

el **programa** program, show *7A*

prometer to promise *9A*

el **pronombre** pronoun; *pronombre personal* subject pronoun

el **pronóstico** forecast

pronto soon, quickly *1B; hasta pronto* see you soon *1B*

la **pronunciación** pronunciation

el **propósito** aim, purpose; *A propósito* by the way *1A*

próximo,-a next

la **publicidad** publicity

público,-a public

la **puerta** door *2A*

Puerto Rico Puerto Rico *1A*

pues thus, well, so, then (pause in speech) *3B*

la **pulsera** bracelet *9B*

el **punto** point, dot *(term used in Internet addresses) 2B*

la **puntuación** punctuation

el **pupitre** desk *2A*

Q

que that, which *5A; lo que* what, that which *6B; más* (+ noun/adjective/adverb) *que* more (+ noun/adjective/adverb) than *8B; que viene* upcoming, next *5A*

¡qué (+ adjective)! how (+ adjective)! *4A*

¡qué (+ noun)! what a (+ noun)! *5A*

¿qué? what? *2A; ¿a qué hora?* at what time? *2B; ¿Qué comprendiste?* What did you understand?; *¿Qué hora es?*

What time is it? *1B; ¿Qué quiere decir...?* What is the meaning (of)...? *2A; ¿Qué tal?* How are you? *1B; ¿Qué te pasa?* What is wrong with you?; *¿Qué temperatura hace?* What is the temperature? *7B; ¿Qué (+ tener)?* What is wrong with (someone)? *6B; ¿Qué tiempo hace?* How is the weather? *7B*

quedar to remain, to stay *9A; quedarle bien a uno* to fit, to be becoming *9A*

el **quehacer** chore *8A*

el **quemador de discos compactos (CDs)** compact disc (CD) burner *5A*

querer (ie) to love, to want, to like *6A; ¿Qué quiere decir...?* What is the meaning (of)...? *2A; querer decir* to mean *6B; quiere decir* it means *2A; quiero* I love *4A;* I want *3A*

querido,-a dear *6B*

el **queso** cheese *8B*

¿quién? who? *2A; (pl. ¿quiénes?)* who? *3A*

quiere: see *querer*

quiero: see *querer*

la **química** chemistry

quince fifteen *1A*

quinientos,-as five hundred *5B*

quinto,-a fifth *7B*

quisiera would like

quizás perhaps *8A*

R

la **radio** radio (broadcast) *4B; el radio* radio (apparatus)

rápidamente rapidly *5B*

rápido,-a rapid, fast *4B*

el **rascacielos** skyscraper

el **ratón** mouse (pl. *ratones*) *2B*

la **razón** reason

real royal

la **realidad** reality

la **receta** recipe *8B*

recibir to receive *9B*

el **recibo** receipt *9B*

recoger to pick up *8A; recoger la mesa* to clear the table *8A*

recordar (ue) to remember *7A*

redondo,-a round

el **refresco** soft drink, refreshment *3B*

el **refrigerador** refrigerator *6A*

el **regalo** gift *9B*

regañar to scold

regatear to bargain, to haggle

la **regla** ruler *2A*

regresar to return, to go back

regular average, okay, so-so, regular *1B*

relacionado,-a related

el **reloj** clock, watch *2A*

remoto,-a remote *7A*

repasar to reexamine, to review

el **repaso** review

repetir (i, i) to repeat *6B; repitan (Uds.* command) repeat; *repite (tú* command) repeat

repitan: see *repetir*

repite: see *repetir*

reportando reporting

el **reproductor** player *5A; reproductor de CDs* CD player *5A; reproductor de DVDs* DVD player *5A; reproductor de MP3* MP3 player *5A*

la **República Dominicana** Dominican Republic *1A*

resolver (ue) to resolve, to solve

responder to answer

la **respuesta** answer

el **restaurante** restaurant *3A*

el **resultado** result

el **resumen** summary; *en resumen* in short

la **reunión** meeting

la **revista** magazine *2A*

rico,-a rich

el **riel** rail

el **río** river

el **ritmo** rhythm

rojo,-a red *2B*

la **ropa** clothing *2B; ropa interior* underwear *9A*

rosado,-a pink *9A*

rubio,-a blond, blonde *4B*

la **rutina** routine

S

sábado Saturday *2B; el sábado* on Saturday

saber to know *3B; sabes* you know *3B; sé* I know *2A*

sabes: see *saber*

el **sacapuntas** pencil sharpener *2A*

sacar to take out *8A; sacar fotos* to take photographs

la **sal** salt *6A*

la **sala** living room *6B*

salir to go out *4A*

la **salsa** salsa (dance music)

la **salud** health

el **saludo** greeting

el **salvavidas** lifeguard

la **sangre** blood

el **santo** saint's day; *Todos los Santos* All Saints' Day

el **saxofón** saxophone

se *¿Cómo se dice...?* How do you say...? *2A; ¿Cómo se escribe...?* How do you write (spell)...? *1A; ¿Cómo se llama (Ud./él/ ella)?* What is (your/his/her) name? *2A; se considera* it is considered; *se dice* one says *2A; se escribe* it is written *1A; Se habla español.* Spanish is spoken.; *se llaman* their names are; *(Ud./Él/Ella) se llama....* (Your [formal]/His/ Her) name is.... *2A*

sé: see *saber*

sea: see *ser*

la **sed** thirst *6B; tener sed* to be thirsty *6B*

la **seda** silk *9A*

seguir (i, i) to follow, to continue, to keep on; *sigan (Uds.* command) follow; *sigue (tú* command) follow

según according to

el **segundo** second *7B*

segundo,-a second *7A*

seguro,-a safe

seis six *1A*

seiscientos,-as six hundred *5B*

selecciona select (*tú* command)

la **selva** jungle; *selva tropical* tropical rain forest

la **semana** week *5A; el fin de semana* weekend *5A; Semana Santa* Holy Week

sentarse (ie) to sit (down); *siéntate (tú* command) sit (down); *siéntense (Uds.* command) sit (down)

sentir (ie, i) to be sorry, to feel sorry, to regret *6A; lo siento* I am sorry *1B*

señalar to point to, to point at, to point out; *señalen (Uds.* command) point to

señalen: see *señalar*

el **señor** gentleman, sir, Mr. *1B*

la **señora** lady, madame, Mrs. *1B*

la **señorita** young lady, Miss *1B*

septiembre September *5B*

séptimo,-a seventh *7B*

ser to be *2A*; *eres* you are *1A*; *¿Eres (tú) de...?* Are you from...? *1A*; *es* you (formal) are, he/she/it is *1B*; *es la una* it is one o'clock *1B*; *Es medianoche.* It is midnight. *1B*; *Es mediodía.* It is noon. *1B*; *fue* you (formal) were, he/she/it was (preterite of *ser*) *5B*; *¿Qué hora es?* What time is it? *1B*; *sea* it is; *son* they are *1B*; *son las* (+ number) it is (+ number) o'clock *1B*; *soy* I am *1A*

serio,-a serious

la **servilleta** napkin *6A*

sesenta sixty *1B*

setecientos,-as seven hundred *5B*

setenta seventy *1B*

sexto,-a sixth *7B*

si if *5A*

sí yes *1A*

siempre always *3B*

siéntate: see *sentarse*

siéntense: see *sentarse*

siento: see *sentir*

siete seven *1A*

sigan: see *seguir*

el **siglo** century *7A*

los **signos de puntuación** punctuation marks

sigue: see *seguir*

siguiente following; *lo siguiente* the following

la **silabificación** syllabification

el **silencio** silence

la **silla** chair *2A*

el **símbolo** symbol

similar alike, similar

simpático,-a nice, pleasant *3A*

sin without *8B*

sintético,-a synthetic *9B*

la **situación** situation

sobre on, over, on top of *2B*, about; *patinar sobre hielo* to ice skate *4B*; *patinar sobre ruedas* in-line skate *4B*

la **sobrina** niece *4A*

el **sobrino** nephew *4A*

el **sol** sun *7B*; *hace sol, hay sol* it is sunny *7B*

solamente only

soleado,-a sunny *7B*; *está soleado* it is sunny *7B*

solo, -a alone

sólo only, just *8A*

el **sombrero** hat *9A*

son: see *ser*

el **sondeo** poll

el **sonido** sound; *equipo de sonido* sound system *5A*

la **sopa** soup *6A*

la **sorpresa** surprise *5A*

soy: see *ser*

Sr. abbreviation for *señor* *1B*

Sra. abbreviation for *señora* *1B*

Srta. abbreviation for *señorita* *1B*

su, sus his, her, its, your (*Ud./Uds.*), their *4A*

suave smooth, soft

el **subdesarrollo** underdevelopment

subir to climb, to go up, to go upstairs, to take up, to bring up, to carry up *8A*

el **suceso** happening

sucio,-a dirty *4A*

el **sueño** sleep *6B*; *tener sueño* to be sleepy *6B*

el **suéter** sweater *9A*

el **supermercado** supermarket *8B*

el **sur** south

el **sustantivo** noun

tal such, as, so; *¿Qué tal?* How are you? *1B*

el **tamal** tamale

el **tamaño** size *9B*

también also, too *3A*

el **tambor** drum

tampoco either, neither *2B*

tan so *5A*; *tan* (+ adjective/ adverb) *como* (+ person/item) as (+ adjective/adverb) as (+ person/item) *8B*

tanto,-a so much *3A*; *tanto,-a* (+ noun) *como* (+ person/ item) as much/many (+ noun) as (+ person/item) *8B*; *tanto como* as much as *8B*; *Tanto gusto.* So glad to meet you. *3A*

la **tapa** tidbit, appetizer

la **tarde** afternoon *1B*; *buenas tardes* good afternoon *1A*; *de la tarde* P.M., in the afternoon *1B*; *por la tarde* in the afternoon *7A*; late

la **tarea** homework *4B*

la **tarjeta** card *9B*; *tarjeta de crédito* credit card *9B*

el **taxi** taxi *3A*

la **taza** cup *6A*

te (to, for) you (i.o.) *3A*; you (d.o.) *5A*; *¿Cómo te llamas?* What is your name? *1A*; *te llamas* your name is *1A*

el **teatro** theater *3B*

el **teclado** keyboard *2B*

el **teléfono** telephone *2B*; *el número de teléfono* telephone number *2B*; *por teléfono* by the telephone, on the telephone *6B*

la **telenovela** soap opera *7A*

la **televisión** television *4B*; *ver la televisión* to watch television *4B*

el **televisor** television set *7A*

el **tema** theme, topic

la **temperatura** temperature *7B*; *¿Qué temperatura hace?* What is the temperature? *7B*

temprano early *5B*

el **tenedor** fork *6A*

tener to have *5A*; *¿Cuántos años tienes?* How old are you? *1A*; *¿Qué (+ tener)?* What is wrong with (person)? *6B*; *tener calor* to be hot *6B*; *tener frío* to be cold *6B*; *tener ganas de* to feel like *6B*; *tener hambre* to be hungry *6B*; *tener miedo de* to be afraid *6B*; *tener* (+ number) *años* to be (+ number) years old *5A*; *tener prisa* to be in a hurry *6B*; *tener que* to have to *6A*; *tener sed* to be thirsty *6B*; *tener sueño* to be sleepy *6B*; *tengo* I have *1A*; *tengo* (+ number) *años* I am (+ number) years old *1A*; *tiene* it has; *tienes* you have *1A*

tengo: see *tener*

el **tenis** tennis *4B*

el **tenista,** la **tenista** tennis player *7B*

tercer third (form of *tercero* before a *m., s.* noun) *7B*

tercero,-a third *7B*

terminar to end, to finish *2B*
ti you (after a preposition) *4B*
la **tía** aunt *4A*
el **tiempo** time *4A*, weather *7B*, verb tense; *Hace buen (mal) tiempo.* The weather is nice (bad). *7B; ¿Qué tiempo hace?* How is the weather? *7B*
la **tienda** store *3B*
tiene: see *tener*
tienes: see *tener*
el **tío** uncle *4A*
típico,-a typical
el **tipo** type, kind
la **tiza** chalk *2A*
toca: see *tocar*
tocar to play (a musical instrument) *4B*, to touch; *toca (tú* command) touch; *toquen (Uds.* command) touch
todavía yet *7A*, still *7B*
todo,-a all, every, whole, entire *4A; de todos los días* everyday *6A; por todos lados* everywhere *7B; todo el mundo* everyone, everybody; *todos los días* every day *5A*
todos,-as everyone, everybody
tolerante tolerant
tomar to take *3A*, to drink, to have *3B*
el **tomate** tomato *8B*
tonto,-a silly *4B*
el **tópico** theme
toquen: see *tocar*
trabajar to work *8A; trabajando en parejas* working in pairs
el **trabajo** work *8A*
traer to bring *8A*
el **traje** suit *9A; traje de baño* swimsuit *9A*
el **transporte** transportation *3A*
tratar (de) to try (to do something)
trece thirteen *1A*
treinta thirty *1B*
el **tren** train *3A*
tres three *1A*
trescientos,-as three hundred *5B*
triste sad *4A*
el **trombón** trombone

la **trompeta** trumpet
tu your (informal) *2B; (pl. tus)* your (informal) *4A*
tú you (informal) *1A*
la **tumba** tomb
el **turista,** la **turista** tourist

u or (used before a word that starts with *o* or *ho*) *6B*
Ud. you (abbreviation of *usted*) *1B*; you (after a preposition) *4B; Ud. se llama....* Your name is.... *2A*
Uds. you (abbreviation of *ustedes*) *1B*; you (after a preposition) *4B*
último,-a last
un, una a, an, one *2A*
único,-a only, unique *4A*
unido,-a united
la **universidad** university
uno one *1A*
unos, unas some, any, a few *2A*
el **Uruguay** Uruguay *1A*
usar to use *9B*
usted you (formal, *s.*) *1B*; you (after a preposition) *4B*
ustedes you *(pl.) 1B*; you (after a preposition) *4B*
la **uva** grape *8B*

las **vacaciones** vacation *9A*
Vallenato a combination of African, European and Colombian folkloric sounds
¡vamos! let's go! *3A; ¡vamos a* (+ infinitive)*!* let's (+ infinitive)*! 3B*
varios,-as several
el **vaso** glass *6A*
vayan: see *ir*
ve: see *ir*
veinte twenty *1A*
veinticinco twenty-five *1B*
veinticuatro twenty-four *1B*
veintidós twenty-two *1B*
veintinueve twenty-nine *1B*
veintiocho twenty-eight *1B*
veintiséis twenty-six *1B*
veintisiete twenty-seven *1B*

veintitrés twenty-three *1B*
veintiuno twenty-one *1B*
vender to sell *9A*
Venezuela Venezuela *1A*
vengan: see *venir*
venir to come *5B; vengan (Uds.* command) come
la **ventana** window *2A*
ver to see, to watch *3B; a ver* let's see, hello (telephone greeting); *ver la televisión* to watch television *4B*
el **verano** summer *4A*
el **verbo** verb
verdad true
la **verdad** truth *6B*
¿verdad? right? *3A*
verde green *2B*
la **verdura** greens, vegetables *8B*
ves: see *ver*
el **vestido** dress *9A*
la **vez** time *(pl. veces) 5B; a veces* at times, sometimes *5B;* (number +) *vez/veces al/a la* (+ time expression) (number +) time(s) per (+ time expression) *7A; otra vez* again, another time *6A*
viajar to travel *6A*
el **viaje** trip *5A; hacer un viaje* to take a trip *5A; la agencia de viajes* travel agency
la **vida** life *7A*
el **videojuego** video game *7A*
viejo,-a old *5B*
el **viento** wind *7B; hace viento* it is windy *7B*
viernes Friday *2B; el viernes* on Friday
el **vinagre** vinegar *8B*
la **vista** view; *hasta la vista* so long, see you later
vivir to live *4A*
el **vocabulario** vocabulary
la **vocal** vowel; *vocales abiertas* open vowels; *vocales cerradas* closed vowels
el **voleibol** volleyball *7A*
volver (ue) to return, to go back, to come back *7A*
vosotros,-as you (Spain, informal, *pl.*) *1B*

vuestro,-a,-os,-as your (Spain, informal, *pl.*)

y and *1A; y cuarto* a quarter past, a quarter after *1B; y media* half past *1B*

ya already *6A; ¡ya lo veo!* I see it!

yo I *1A*

la **zanahoria** carrot *8B*

el **zapato** shoe *2B; zapato bajo* flats *9A; zapato de tacón* high-heel shoe *9A*

Vocabulary English / Spanish

A

a un, una *1B*; *a few* unos, unas *1B*; *a lot (of)* mucho *4B*, muchísimo

about sobre

accent el acento *1A*

activity la actividad *5A*

to add añadir *8B*

address la dirección *2B*

to adopt adoptar

aerobics los aeróbicos *7A*; *to do aerobics* hacer aeróbicos *7A*

affectionate cariñoso,-a *4A*

afraid asustado,-a; *to be afraid of* tener miedo de *6B*

after después de *7A*

afternoon la tarde *1B*; *good afternoon* buenas tardes *1A*; *in the afternoon* de la tarde *1B*; por la tarde *7A*

afterwards después *7A*

again otra vez *6A*

age la edad

agency la agencia; *travel agency* agencia de viajes

ago hace (+ *time expression*) que *7A*

agreed de acuerdo *3B*

airplane el avión *3A*; *by airplane* en avión *3A*

airport el aeropuerto

algebra el álgebra

all todo,-a *4A*

almost casi *7A*

alone solo,-a

along por *7B*

already ya *6A*

also también *3A*

alternate alterna (tú *command*); alternen (Uds. *command*)

although aunque

always siempre *3B*

American americano,-a *7A*

an un, una *2A*

and y *1A*; e *(used before a word beginning with i or hi)* *6B*

another otro,-a *2A*; *another time* otra vez *4B*

answer la respuesta

to answer contestar *4B*

any unos, unas *2A*; alguno,-a, algún, alguna *8A*, cualquier

anybody alguien *9A*

anyone alguien *9A*

anything algo *9A*

apartment el apartamento

apple la manzana *8B*

April abril *5B*

Argentina la Argentina *1A*

arm el brazo *9A*

to arrange arreglar *8A*

to arrive llegar *8A*

art el arte *2B*

article el artículo *5A*

artist el artista, la artista

as tal *1B*, como; *as (+ adverb) as possible* lo más/menos (+ *adverb*) posible *8B*; *as (+ adjective/adverb) as (+ person/item)* tan (+ *adjective/adverb*) como (+ *person/item*) *8B*; *as much/many (+ noun) as (+ person/item)* tanto,-a (+ *noun*) como (+ *person/item*) *8B*; *as much as* tanto como *8B*

to ask preguntar *3B*; *to ask a question* hacer una pregunta *3B*; *to ask for* pedir (i, i) *6B*; pedir permiso (para) *to ask for permission (to do something)* *6B*

at en; *(@) symbol for e-mail address* arroba *2B*; *at home* en casa *9B*; *at night* de la noche *1B*, por la noche *6B*; *at... o'clock* a la(s)... *2B*; *at times* a veces *5B*; *at what time?* ¿a qué hora? *2B*

athlete el deportista, la deportista *7B*

to attain conseguir (i, i)

attractive bonito,-a, guapo,-a *4A*

August agosto *5B*

aunt la tía *4A*

autumn el otoño *7B*

avenue la avenida *3B*

average regular *1B*

avocado el aguacate *8B*

award el premio

B

backpack la mochila *2A*

bad malo,-a *4B*

bald calvo,-a *4B*

ball pelota, bola; *to bowl* jugar a los bolos

banana el plátano *8B*

bank el banco *3A*

to bargain regatear

baseball el béisbol *4B*

basketball el básquetbol *7A*, el baloncesto; *basketball player* el basquetbolista, la basquetbolista *7B*

bathroom el baño *6B*, el cuarto de baño

to be ser *2A*; *to be able to* poder (ue) *7A*; *to be afraid of* tener miedo de *6B*; *to be hot* tener calor *6B*; *to be hungry* tener hambre *6B*; *to be important* importar *8B*; *to be in a hurry* tener prisa *6B*; *to be lacking* hacer falta *8B*; *to be necessary* hacer falta *8B*; *to be (+ number) years old* tener (+ *number*) años *5A*; *to be pleasing to* gustar *4B*; *to be ready* estar listo,-a *7B*; *to be satisfied (with)* estar contento,-a (con) *4A*; *to be sleepy* tener sueño *6B*; *to be smart* ser listo,-a *8A*; *to be sorry* sentir *6A*; *to be thirsty* tener sed *6B*

beach la playa *4A*

beans los frijoles *3B*

because porque *3A*

to become cumplir *5B; to become
(+ number) years old* cumplir
(+ *number*) años *5B*
bed la cama *8A*
bedroom el cuarto *6B*, la
habitación
before antes de *7A*
to begin empezar *(ie) 6A*
to believe creer
belt el cinturón *9B*
beside al lado (de) *6B*
best mejor *8B; the best (+ noun)*
el/la/los/las mejor/mejores
(+ *noun*) *8B*
better mejor *8B*
between entre
bicycle la bicicleta *3A*
big grande *3B*, gran *(form of
grande before a m., s. noun)*
bike la bicicleta *3A*
biology la biología *2B*
birthday el cumpleaños *5B;
Happy birthday!* ¡Feliz
cumpleaños! *5B; to have a
birthday* cumplir años *5B*
black negro,-a *2B*
blackboard la pizarra *2A*
blond, blonde rubio,-a *4B*
blouse la blusa *2B*
blue azul *2B; blue jeans* los
jeans *2B*
boat el barco *3A*
body el cuerpo *9A*
Bolivia Bolivia *1A*
book el libro *2A*
bookstore la librería *5A*
boot la bota *9A*
bored aburrido,-a *4B*
boring aburrido,-a *4B*
to borrow pedir prestado,-a *6B*
boy el chico *2A*, el muchacho *1A*
boyfriend el novio
bracelet la pulsera *9B*
bread el pan *6A*
breakfast el desayuno
to bring traer *8A*
to bring up subir *8A*
brother el hermano *4A*
brown marrón *9A*
brunet, brunette moreno,-a *4B*
building el edificio *3B*
bus el autobús *3A*
busy ocupado,-a *4A*
but pero *3B*
butter la mantequilla *6A*
to buy comprar *4B*

by por *4A; by (+ vehicle)* en
(+ *vehicle*) *3A; by telephone* por
teléfono *6B; By the way* A
propósito; *by means of* mediante

cafeteria la cafetería
calendar el calendario
to call llamar *5A*
can la lata *8B*
capital la capital *1A*
car el carro *3A*, el coche; *by car*
en carro *3A*, en coche
card la tarjeta *9B; credit card*
tarjeta de crédito *9B; playing
card* la carta *7A*
carrot la zanahoria *8B*
to carry llevar *5A; to carry up*
subir *8A*
cash el efectivo *9B; in cash* en
efectivo *9B*
cash register la caja *9B*
cassette el casete *5A*
cat el gato, la gata *5A*
CD el CD, el disco compacto
2B; CD player el reproductor
de CDs *5A; CD burner* el
quemador de CDs *5A*
to celebrate celebrar *5B*
census el censo
center el centro *3B; shopping
center* centro comercial *9A*
century el siglo *7A*
chair la silla *2A*
chalk la tiza *2A*
change el cambio *9B*
to change cambiar *9B*
cheap barato,-a *9B*
checkers las damas *7A*
cheese el queso *8B*
chemistry la química
chess el ajedrez *7A*
chicken el pollo *3B*
child niño,-a
Chile Chile *1A*
chilly fresco,-a *7B*
chocolate el chocolate *8B*
to choose escoger *8B*
chore el quehacer *8A*
Christmas la Navidad *5B*
city la ciudad *3A*
clam la almeja
clarinet el clarinete
class la clase *2A*
classmate el compañero, la
compañera *5A*

clean limpio,-a *4A*
to clean limpiar *8A*
clerk el dependiente, la
dependienta *9B*
to climb subir *8A*; escalar
clock el reloj *2A*
to close cerrar *(ie) 6A*
closed cerrado,-a *4A*
clothing la ropa *2B*
cloudy nublado,-a *7B; it is
cloudy* está nublado *7B*
coat el abrigo *8A*
coffee el café *8B*
cold frío,-a *4A*; el frío *4A; it is
cold* hace frío *7B; to be cold*
tener frío *6B*
Colombia Colombia *1A*
color el color *7B*
to combine combinar *9A*
to come venir *5B; to come back*
volver *(ue) 7A; to come in*
entrar *5A*
comfort comodidad
comfortable cómodo,-a *6B*
comical cómico,-a *4B*
common común
compact disc el disco
compacto (CD) *2B; CD player*
el reproductor de discos
compactos (CDs) *5A; CD
burner* el quemador de discos
compactos (CDs) *5A*
competition la competencia
to complete completar, acabar *8A*
computer la computadora *2B*
computer science la
computación *2B*
concert el concierto *3B*
congratulations felicitaciones
to conquer conquistar
to continue continuar *7B*, seguir
(i, i)
to cook cocinar *8A*
cool el fresco *7B; it is cool* hace
fresco *7B*
to copy copiar *7B*
corn el maíz *8B*
to cost costar *(ue) 7A*
Costa Rica Costa Rica *1A*
cotton el algodón *9A*
to count contar
country el país *1A*
couple la pareja
courtyard el patio *6B*
cousin el primo, la prima *4A*
crazy loco,-a *4A*

to create crear
credit el crédito 9B; *credit card* la tarjeta de crédito 9B; *on credit* a crédito 9B
to cross cruzar
Cuba Cuba 1A
cup la taza 6A
cycling ciclismo

dad el papá
to dance bailar 4B
dark obscuro,-a; *dark-haired, dark-skinned* moreno,-a 4B
date la fecha 5B
daughter la hija 4A
day el día 2B; *every day* todos los días 6A; *the day after tomorrow* pasado mañana 5B; *the day before yesterday* anteayer 5B
dear querido,-a 5B
December diciembre 5B
to decorate adornar 8A
degree el grado 7B
delighted encantado,-a 3A
dentist el dentista, la dentista 3A
department el departamento 9A
desire la gana 6B
desk el escritorio, el pupitre 2A
dessert el postre 6A
difficult difícil 4B
dinner la comida
to direct dirigir
director el director, la directora
dirty sucio,-a 4A
disaster el desastre
disc el disco 2B; *compact disc (CD)* el disco compacto 2B; *CD player* el reproductor de discos compactos (CDs) 5A; *CD burner* el quemador de discos compactos (CDs) 5A
to discover descubrir
dish el plato 6A
dishwasher el lavaplatos 6A
diskette el diskette 2B
to do hacer 3B; *to do aerobics* hacer aeróbicos 7A
doctor el médico, la médica 3A, el doctor, la doctora
dog el perro, la perra 5A
dollar el dólar

Dominican Republic la República Dominicana 1A
door la puerta 2A
dot punto 2B
downtown el centro 3B
to draw dibujar 7A
drawing el dibujo 6B
dress el vestido 9A
drink el refresco 3B, la bebida
to drink tomar 3B
drum el tambor
during durante
DVD el DVD 5A; *DVD player* el reproductor de DVDs 5A

e-mail correo electrónico 2B
each cada 5A
early temprano 5B
earring el arete 2B
Easter la Pascua
easy fácil 4B
to eat comer 3B
Ecuador el Ecuador 1A
egg el huevo 8B
eight ocho 1A
eight hundred ochocientos, -as 5B
eighteen dieciocho 1A
eighth octavo,-a 7B
eighty ochenta 1B
either tampoco 2B; *either...or* o...o 9A
electric eléctrico,-a 6A
electronic electrónico,-a 2B
elevator el ascensor 9B
eleven once 1A
El Salvador El Salvador 1A
else más 4A
end el fin 5A
to end terminar 2B
English el inglés *(language)* 2B
to enjoy disfrutar
enough bastante 9B
to erase borrar
eraser el borrador 2A
escalator la escalera mecánica 9B
every todo,-a 4A, cada 5A; *every day* todos los días 5A
everybody todo el mundo, todos,-as
everyday de todos los días 5A
everyone todo el mundo, todos,-as
everywhere por todos lados 7B

exam el examen 5A
example el ejemplo; *for example* por ejemplo
excellent excelente 7B
to exchange cambiar 9B
excuse me perdón, con permiso 1B
expensive caro,-a 9B
to explain explicar, aclarar
explanation la explicación

face la cara
fairly bastante
family la familia 4A; *family tree* el árbol genealógico
famous famoso,-a
fantastic fantástico,-a 3A
far (from) lejos (de) 3A
fast rápido,-a 4B
fat gordo,-a 4B
father el padre 4A
favorite favorito,-a 3B
fear el miedo 6B; *to be afraid of* tener miedo de 6B
February febrero 5B
to feed dar de comer 8A
to feel like tener ganas de 6B
to feel sorry sentir (ie) 6A
few poco,-a 6A
fifteen quince 1A
fifth quinto,-a 7B
fifty cincuenta 1B
film la película 5A
to find encontrar (ue)
finger el dedo 9A
to finish terminar 2B, acabar 8A
first primero,-a 5B, primer *(form of primero before a m., s. noun)* 6B, primero *(adverb)* 5B; *first floor* el primer piso 6B
fish el pescado 3B
to fit quedarle bien a uno 9A
five cinco 1A
five hundred quinientos,-as 5B
to fix arreglar 8A
floor el piso 6B; *first floor* el primer piso 6B; *ground floor* la planta baja 6B
flower la flor 7B
flute la flauta
to fold doblar 8A
to follow seguir (i, i); *the following* lo siguiente
food la comida 3B; *food server* el mesero, la mesera 3B

foot el pie *9A*; *on foot* a pie *3A*

football el fútbol americano *7A*

for por, para *3A*; *for example* por ejemplo *1B*

to forget olvidar *8B*

fork el tenedor *6A*

forty cuarenta *1B*

four cuatro *1A*

four hundred cuatrocientos, -as *5B*

fourteen catorce *1A*

fourth cuarto,-a *7B*

free libre *4A*

fresh fresco,-a *8B*

Friday viernes *2B*; *on Friday* el viernes

friend el amigo, la amiga *2A*

from de *1A*, desde *6B*; *from the* de la/del (de + el) *3A*; *from where?* ¿de dónde? *1A*

fruit la fruta *8B*

fun divertido,-a *4A*

funny cómico,-a *4B*

game el partido *4B*, el juego

garage el garaje *6B*

garbage la basura *8A*

garden el jardín *8A*

garlic el ajo *8B*

generally generalmente

generous generoso,-a *4B*

geography la geografía

geometry la geometría

to get conseguir *(i, i)*

to get together reunir

gift el regalo *9B*

girl la chica *2A*, la muchacha *1A*

girlfriend la novia

to give dar *7A*

glad contento,-a *2A*; *Glad to meet you!* ¡Mucho gusto! *1A*; *I would be glad to* con (mucho) gusto *1A*; *So glad to meet you.* Tanto gusto. *1A*

glass el vaso *4B*

glove el guante *9A*

to go ir *3A*; *let's go!* ¡vamos! *3A*; *to be going to (do something)* ir a (+ *infinitive*) *3B*; *to go back* regresar, volver *(ue)* *7A*; *to go in* entrar *5A*; *to go out* salir *4A*; *to go shopping* ir de compras *4B*; *to go up* subir *8A*; *to go upstairs* subir *8A*

gold el oro *9B*

good bueno,-a *4B*, buen *(form of bueno before a m., s. noun)* *7B*; *good afternoon* buenas tardes *1B*; *good luck* buena suerte; *good morning* buenos días *1B*; *good night* buenas noches *1B*

good-bye adiós *1A*

good-looking guapo,-a *4A*, bonito,-a *4A*

gossip el chisme *6B*

grade la nota, la calificación

granddaughter la nieta *4A*

grandfather el abuelo *4A*

grandmother la abuela *4A*

grandson el nieto *4A*

grape la uva *8B*

gray gris *2B*

great fantástico,-a *3A*

greater mayor *8B*

greatest mayor *8B*

green verde *2B*

green bean la habichuela *8B*

greens la verdura *8B*

group el grupo; *musical group* grupo musical

Guatemala Guatemala *1A*

guitar la guitarra

guy el muchacho *1A*

gym el gimnasio

half medio,-a; *half past* y media *1B*

ham el jamón *8B*

hand la mano *9A*; *on the other hand* en cambio *7B*

handbag el bolso *9B*

handkerchief el pañuelo *9B*

handsome guapo,-a *4A*

to hang colgar *(ue)* *8A*

to happen pasar

happy contento,-a *4A*, feliz *(pl.* felices) *5B*, alegre; *Happy birthday!* ¡Feliz cumpleaños! *5B*

hard difícil *4B*

hat el sombrero *9A*

to have tomar *3B*, tener *5A*; *to have a birthday* cumplir años *5B*; *to have just* acabar de (+ *infinitive*) *8A*; *to have to* deber, tener que *6A*

he él *2A*

head la cabeza *9A*

health la salud

to hear oír *8A*

heat el calor *6B*

hello hola *1A*; *hello (telephone greeting)* aló *2B*, diga, oigo

help la ayuda

to help ayudar *6A*

her su, sus *4A*; la *(d.o.)* *5A*; le *(i.o.)* *1A*; *(after a preposition)* ella *4B*

here aquí *1A*

hey mira, miren, oye, oigan

hi hola *1A*

him lo *(d.o.)* *5A*; le *(i.o.)* *3A*; *(after a preposition)* él *4B*

his su, sus *4A*

hispanic hispano,-a

history la historia *2B*

hockey el hockey

home la casa *4A*; *at home* en casa

homework la tarea *4B*

Honduras Honduras *1A*

horrible horrible *4B*

horse el caballo *3A*; *on horseback* a caballo *3A*

hot caliente *4A*; *it is hot* hace calor *7B*; *to be hot* tener calor *6B*

hotel hotel *3A*

hour la hora *1B*

house la casa *4A*

how? ¿cómo? *1A*; *How are you?* ¿Qué tal? *1B*; *How are you (formal)?* ¿Cómo está (Ud.)? *1B*; *How are you (informal)?* ¿Cómo estás (tú)? *1B*; *How are you (pl.)?* ¿Cómo están (Uds.)? *1B*; *How do you say...?* ¿Cómo se dice...? *2A*; *How do you write (spell)...?* ¿Cómo se escribe...? *1A*; *How is the weather?* ¿Qué tiempo hace? *7B*; *How long...?* ¿Cuánto (+ *time expression*) hace que (+ *present tense of verb*)...? *7A*; *how many?* ¿cuántos,-as? *2B*; *how much?* ¿cuánto,-a? *2B*; *How old are you?* ¿Cuántos años tienes? *1A*

how (+ adjective)! ¡qué (+ *adjective*)! *4A*

hug el abrazo *6B*

hunger el hambre *f.* *6B*

hungry: to be hungry tener hambre *6B*

hurry la prisa *6B*; *in a hurry* apurado,-a *4A*; *to be in a hurry* tener prisa *6B*

husband el esposo *4A*

I

I yo *1A*
ice el hielo *7B*; *to ice skate* patinar sobre hielo *7B*
ice cream el helado *8B*
idea la idea *5B*
ideal ideal *4B*
if si *5A*
to imagine imaginar
important importante *4B*
in en *2A*, por *4A*
in-laws los parientes políticos
ingredient el ingrediente *8B*
in order to para *3A*
intelligent inteligente *4B*
to intend pensar *(ie) 6A*
interesting interesante *4B*
to introduce presentar *3A*; *let me introduce you (formal, s.) to* le presento a *3A*; *let me introduce you (informal, s.) to* te presento a *3A*; *let me introduce you (pl.) to* les presento a *3A*
invitation la invitación
to invite invitar
island la isla
it la *(d.o.)*, lo *(d.o.) 5A*
its su, sus *4A*

J

jacket la chaqueta *9A*
January enero *5B*
jeans los jeans *2B*
jersey la camiseta *2B*
jewel la joya *9B*
juice el jugo *3B*
July julio *5B*
June junio *5B*
just sólo

K

to keep on seguir *(i,i)*
keyboard el teclado *2B*
kilogram el kilo (kg.)
kind amable *4A*, el tipo
kitchen la cocina *6A*
knife el cuchillo *6A*
to know saber *3B*

L

lady la señora, Sra. *1B*, la dama; *young lady* la señorita *1B*
lamp la lámpara *6A*
language la lengua, el idioma
last pasado,-a *5B*, último,-a

late tarde
later luego *1A*, después *6A*; *see you later* hasta luego *1A*, hasta la vista
lazy perezoso,-a
to learn aprender
leather el cuero *9B*
to leave dejar *8A*
leg la pierna *9A*
to lend prestar *8B*
less menos *8B*; *less (+ noun/adjective/adverb) than* menos (+ noun/adjective/adverb) que *8B*; *the least (+ adjective + noun)* el/la/los/las (+ noun) menos (+ adjective) *8B*
let's (+ infinitive)! ¡vamos a (+ infinitive)! *3B*
let's go! ¡vamos! *3A*
letter la carta *6B*, la letra; *capital letter* la mayúscula *1A*; *lowercase letter* la minúscula *1A*
lettuce la lechuga *8B*
library la biblioteca *3A*
lie la mentira *6B*
to lie mentir *(ie, i)*
life la vida *7A*
light la luz *(pl. luces) 6A*
to light encender *(ie) 6A*
like como
to like gustar *4B*; querer *6A*; *I/you/he/she/it/we/they would like...* me/te/le/nos/vos/les gustaría... *6B*
list la lista *7A*
to listen (to) escuchar *4B*
little poco,-a *6B*; *a little (bit)* un poco *5A*; *a very little (bit)* un poquito
to live vivir *4A*
living room la sala *6B*
lobster la langosta
long largo,-a *9B*
to look (at) mirar *4B*; *to look for* buscar *3A*
to lose perder *(ie)*
love el amor *5A*
to love querer *6A*
lunch el almuerzo *2B*

M

magazine la revista *2A*
to make hacer *3B*
mall el centro comercial *9A*
man el hombre *9A*
many mucho,-a *3B*

map el mapa *2A*
March marzo *5B*
market el mercado *8B*
match el partido *4B*
material el material *9B*
mathematics las matemáticas *2B*
to matter importar *8B*
maximum máximo,-a *7B*
May mayo *5B*
me me *(i.o.) 4B*; me *(d.o.) 5A*; *they call me* me llaman; *(after a preposition)* mí
to mean querer decir *6B*; *it means* quiere decir *2A*; *What is the meaning (of)...?* ¿Qué quiere decir...? *2A*
meat la carne *8B*
mechanic mecánico,-a *9B*; la escalera mecánica *9B*
menu el menú *3B*
Mexico México *1A*
microwave oven horno microondas *6A*
midnight la medianoche *1B*; *It is midnight.* Es medianoche. *1B*
milk la leche *8A*
mine mío,-a; *the pleasure is mine* el gusto es mío *3A*
minimum mínimo,-a *7B*
minus menos *1B*
minute el minuto *7A*
Miss la señorita, Srta. *1B*
mist la neblina *7B*
mistaken equivocado
modern moderno,-a
mom la mamá
moment el momento *3B*
Monday lunes *2B*; *on Monday* el lunes
money el dinero *5A*
month el mes *5B*
more más *4A*; *more (+ noun/adjective/adverb) than* más (+ noun/adjective/adverb) que *8B*
morning la mañana *1B*; *good morning* buenos días *1B*; *in the morning* de la mañana *1B*, por la mañana *7A*
most: the most (+ adjective + noun) el/la/los/las (+ noun) más (+ adjective) *8B*
mother la madre *4A*
motorcycle la moto(cicleta) *3A*

mouse ratón (*pl.* ratones) *2B*

movie la película *5A*; *movie theater* el cine *3A*

Mr. el señor, Sr. *1B*

Mrs. la señora, Sra. *1B*

much mucho,-a, mucho *4B*; *very much* muchísimo

museum el museo *3B*

music la música *2B*

must deber *6A*

my mi *2A*, (*pl. my*) mis *4A*; *my name is* me llamo *1A*

name el nombre; *last name* el apellido; *my name is* me llamo *1A*; *their names are* se llaman; *What is your name?* ¿Cómo te llamas? *2A*; *What is (your/his/her) name?* ¿Cómo se llama (Ud./él/ella)? *1A*; *(Your [formal]/His/Her) name is....*(Ud./Él/Ella) se llama.... *2A*; *your name is* te llamas *1A*

napkin la servilleta *6A*

near cerca (de) *3A*

necklace el collar *9B*

to need necesitar *2B*

neither tampoco *2B*; *neither...nor* ni...ni *9A*

nephew el sobrino *4A*

nervous nervioso,-a *4A*

never nunca *4A*

new nuevo,-a *2A*; *New Year's Day* el Año Nuevo *5B*

news la noticia

newspaper el periódico *2A*

next próximo,-a, que viene *5A*; *next to* al lado (de) *6B*

Nicaragua Nicaragua *1A*

nice simpático,-a *3A*, amable *4A*; *the weather is nice* hace buen tiempo *7B*

nickname el apodo

niece la sobrina *4A*

night la noche *1B*; *at night* de la noche *1B*, por la noche *6B*; *good night* buenas noches *1B*

nine nueve *1A*

nine hundred novecientos, -as *5B*

nineteen diecinueve *1A*

ninety noventa *1B*

ninth noveno,-a *7B*

no no *1A*

nobody nadie *9A*

none ninguno,-a, ningún, ninguna *9A*

noon el mediodía; *It is noon.* Es mediodía. *1B*

north el norte

not: not any ninguno,-a, ningún, ninguna *9A*; *not even* ni *5B*; *not very* poco,-a *6B*

notebook el cuaderno *2A*

nothing nada *9A*

November noviembre *5B*

now ahora *2B*; *right now* ahora mismo *7A*

number el número *2B*; *telephone/fax/cellular telephone number* número de teléfono/de fax/de teléfono celular *2B*; *wrong number* número equivocado *2B*

to obtain conseguir (i, i)

occupied ocupado,-a *4A*

to occur pasar

October octubre *5B*

of de *1A*; *of the* de la/del (de + el) *1A*

of course! ¡claro! *3A*, ¡Cómo no! *3B*

office la oficina *3A*

official oficial

oh! ¡ay! *2A*

oil el aceite *6A*, el petróleo

okay de acuerdo *3B*, regular *1B*; *(pause in speech)* bueno *3B*

old viejo,-a *5B*; *How old are you?* ¿Cuántos años tienes? *1A*; *to be (+ number) years old* tener (+ number) años *5A*

older mayor *5B*

oldest el/la mayor *5B*

on en *2A*, sobre *2B*; *on credit* a crédito *9B*; *on foot* a pie *3A*; *on loan* prestado,-a *6B*; *on the other hand* en cambio *7B*; *on the telephone* por teléfono *6B*

one un, una, uno *2A*

one hundred cien *1B*; *(when followed by another number)* ciento *5B*

onion la cebolla *8B*

only único,-a *4A*, sólo *8A*, solamente

open abierto,-a *4A*

to open abrir *5A*

or o *2B*, u *(used before a word that starts with o or ho)* *6B*; *either...or* o...o *9A*

orange la naranja *3B*; anaranjado,-a *(color)* *9A*

to order pedir (i, i) *6B*

organ el órgano

other otro,-a *4A*

ought deber *6A*

our nuestro,-a *4A*

over sobre *2B*; *over there* allá *6A*

P

paella la paella *8B*

page la página *2A*

pair la pareja

pajamas el pijama *9A*

Panama Panamá *1A*

pants el pantalón *2B*

pantyhose las medias *9A*

paper el papel *2A*; *sheet of paper* la hoja de papel

Paraguay el Paraguay *1A*

pardon me perdón *1B*

parents los padres *2A*, los papás

park el parque *3A*

part-time (work) medio tiempo (trabajo)

partner el compañero, la compañera *5A*

party la fiesta *3A*

to pass pasar *5A*; *pass me* pásame *6A*

past pasado,-a *5B*; *half past* y media *1B*

pastime el pasatiempo *7A*

patio el patio *6B*

to pay pagar *9B*

pea el guisante *8B*

pearl la perla *9B*

pen el bolígrafo *2A*

pencil el lápiz (*pl.* lápices) *2A*; *pencil sharpener* el sacapuntas *2A*

people la gente *8A*

pepper la pimienta *(seasoning)* *6A*; *bell pepper* el pimiento *8B*

perfect perfecto,-a *9B*

perfume el perfume *9B*

perhaps quizás *8A*

permission el permiso *7A*; *to ask for permission (to do something)* pedir permiso (para) *6B*

permit el permiso *7A*

to permit permitir *7A*

person la persona 7A
personal personal
Perú el Perú 1A
philosophy la filosofía
photo la foto(grafía) 4A
physics la física 6A
piano el piano 4B
to pick up recoger 8A
pink rosado,-a 9A
place el lugar 7B, la posición
to place poner 6A
to plan pensar (ie) 6A
plant la planta 6B
plate el plato 6A
to play jugar (ue) 4B; (a musical instrument) tocar 4B; (+ a sport/game) jugar a 4B
player: el jugador, la jugadora 7B; CD player el reproductor de CDs 5A; DVD player el reproductor de DVDs 5A; MP3 player el reproductor de MP3 5A
playing card la carta 7A
plaza la plaza 3B
pleasant simpático,-a 3A
please por favor 1B
pleasure el gusto 3A; the pleasure is mine encantado,-a, el gusto es mío 3A
plural el plural
point el punto
to point apuntar; to point to (at, out) señalar
politically políticamente
pollution la contaminación ambiental
polo la camiseta 2B
popular popular 4A
pot la olla 8A
potato la papa 8B
pound la libra
practice la práctica 5A
to prefer preferir (ie, i) 6A
to prepare preparar 8A
pretty bonito,-a 2A, guapo,-a 2A, lindo,-a 8B
price el precio 8B
printer (laser) la impresora (láser) 2B
problem el problema 3A
program el programa 7A
to promise prometer 9A
public público,-a; public square la plaza 3B
Puerto Rico Puerto Rico 1A

purchase la compra 4B
purple morado,-a 9A
purpose el propósito
purse el bolso 9B
to put poner 6A

quality la calidad 9B
quarter el cuarto 1B; a quarter after, a quarter past y cuarto 1B; a quarter to, a quarter before menos cuarto 1B
question la pregunta 3B; to ask a question hacer una pregunta 3B
quickly pronto 1B

radio (broadcast) la radio 4B; el radio
rain la lluvia 7B
to rain llover (ue) 7B
raincoat el impermeable 9A
rapid rápido 4B
rapidly rápidamente 5B
rather bastante 9B
to reach cumplir 5B
to read leer 3B
reading la lectura
ready listo,-a 7B; to be ready estar listo,-a 7B
really? ¿de veras? 5B
receipt el recibo 9B
to receive recibir 9B
recipe la receta 8B
red rojo,-a 2B
red-haired pelirrojo,-a 4B
refreshment el refresco 3B
refrigerator el refrigerador 2B
to regret sentir (ie,i) 6A
regular regular 1B
relative el pariente, la pariente 4A
to remain quedar 9A
remains restos
to remember recordar (ue) 7A
remote remoto,-a 7A; remote control el control remoto 7A
to rent alquilar 7A
to repeat repetir (i, i) 6B
report el informe
reporter el periodista, la periodista
to request pedir (i,i) 6B
to resolve resolver (ue)
restaurant el restaurante 3A

to return volver (ue) 4A, regresar
to review repasar
rice el arroz 8B
ride el paseo 7B; to go for a ride dar un paseo 7B
to ride montar 5A
right correcto,-a; right now ahora mismo 7A
right? ¿verdad? 3A
ring el anillo 9B
ripe maduro,-a 8B
river el río
room el cuarto 6B; dining room el comedor 6A; living room la sala 6B
ruler la regla 2A
to run correr 6B
runner el corredor, la corredora 7B
rush la prisa 6B

sad triste 4A
safe seguro,-a
saint's day el santo; All Saints' Day Todos los Santos
salad la ensalada 3B
sale la oferta 9B; to be on sale estar en oferta 9B
salt la sal 6A
same mismo,-a 7A
satisfied: to be satisfied (with) estar contento,-a (con) 4A
Saturday sábado 2B; on Saturday el sábado
saucepan la olla 8A
sausage el chorizo (seasoned with red peppers) 8B
to save ahorrar 9B
saxophone el saxofón
to say decir 6B; How do you say...? ¿Cómo se dice...? 2A; one says se dice 2A; to say you are sorry pedir perdón 6B
scarf la bufanda 9B
schedule el horario 2B
school el colegio 2B, la escuela 3A
science la ciencia
to scold regañar
screen la pantalla 2B
season la estación 7B
second el segundo 7B; segundo,-a 7A
to see ver 3B; I see it! ¡ya lo veo!; let's see a ver; see you later

hasta la vista, hasta luego 1A; *see you soon* hasta pronto 1B; *see you tomorrow* hasta mañana 1B; *you see* ves

to seem parecer 8B

selfish egoísta 4B

to sell vender 9A

to send enviar 7B

sentence la oración, la frase

September septiembre 5B

settled down establecieron

seven siete 1A

seven hundred setecientos,-as 5B

seventeen diecisiete 1A

seventh séptimo,-a 7B

seventy setenta 1B

several varios,-as

shame la lástima; *What a shame!* ¡Qué lástima! 5A

she ella 2A

sheet la hoja; *sheet of paper* hoja de papel

ship el barco 3A

shirt la camisa 2B

shoe el zapato 2B; *high-heel shoe* zapato de tacón 9A; *low-heel shoe* zapato bajo 8A

short bajo,-a *(not tall)* 4B, corto,-a *(not long)* 9B; *in short* en resumen

should deber 6A

show el programa 7A

to show enseñar

shrimp el camarón

sick enfermo,-a 4A

side el lado 6B

silk la seda 9A

silly tonto,-a 4B

silver la plata 9B

silverware los cubiertos 6A

since desde 6B, como

to sing cantar 4B

singer el cantante, la cantante 3B

sink el fregadero 6A

sir el señor, Sr. 1B

sister la hermana 4A

six seis 1A

six hundred seiscientos,-a 5B

sixteen dieciséis 1A

sixth sexto,-a 7B

sixty sesenta 1B

size el tamaño 9B

to skate patinar 4B; *to ice skate* patinar sobre hielo 7B; *to in-line skate* patinar sobre ruedas 4B

skateboard la patineta 7B

to skateboard montar en patineta 7B

skater el patinador, la patinadora 7B

sketch el dibujo 6B

to sketch dibujar 7A

to ski esquiar 7B

skier el esquiador, la esquiadora 7B

skirt la falda 2B

skyscraper el rascacielos

sleep el sueño 6B

to sleep dormir *(ue, u)* 7A

slow lento,-a 4B

small pequeño,-a 6B

smart listo,-a 8A; *to be smart* ser listo,-a 8A

smooth suave

snow la nieve 7B

to snow nevar *(ie)* 7B

so tal, tan 5A

soap opera la telenovela 7A

soccer el fútbol 4B; *soccer player* el futbolista, la futbolista 7B

sock el calcetín 2B

soft suave; *soft drink* el refresco 3B

so long hasta luego 1A

to solve resolver *(ue)*

some unos, unas 2A; alguno,-a, algún, alguna 9A

somebody alguien 9A

someone alguien 9A

something algo 9A

sometimes a veces 5B

son el hijo 4A

song la canción 5A

soon luego 1A, pronto 1B; *see you soon* hasta pronto 1B

sorry: *I am sorry* lo siento 1B; *to feel sorry* sentir *(ie, i)* 6A; *to say you are sorry* pedir perdón 6B

so-so regular 1B

sound system el equipo de sonido 5A

soup la sopa 6A; *soup bowl* el plato de sopa 6A

south el sur

Spain España 1A

Spanish el español *(language)* 2B, español, española; *Spanish-speaking* hispanohablante

to speak hablar 2B

special especial 6A

to spend (time) pasar 5A

sport el deporte 5A

spouse el esposo, la esposa 4A

spring la primavera 7B

stadium el estadio

stairway la escalera 6B

to start empezar *(ie)* 6A

to stay quedar 9A

stepfather el padrastro

stepmother la madrastra

stereo el estéreo

still todavía 7B

store la tienda 3B

stove la estufa 6A

to straighten arreglar 8A

strawberry la fresa 8B

street la calle 3B

strong fuerte

student el estudiante, la estudiante 2A

study el estudio

to study estudiar 2B

subject la asignatura 8A

subway el metro 3A

such tal

sufficient bastante 9B

sufficiently bastante

sugar el azúcar 6A

suit el traje 9A

suitcase la maleta 5A

summer el verano 4A

sun el sol 7B

Sunday domingo 2B; *on Sunday* el domingo

sunny soleado,-a 7B; *it is sunny* está soleado 7B, hay sol 7B, hace sol 7B

supermarket el supermercado 8B

surprise la sorpresa 5A

sweater el suéter 9A

to sweep barrer 8A

to swim nadar 4B

swimming pool la piscina 6B

swimsuit el traje de baño 9A

synthetic sintético,-a 9B

table la mesa 6A; *to clear the table* recoger la mesa 8A; *to set the table* poner la mesa 6A

tablecloth el mantel 6A

tablespoon la cuchara 6A

to take tomar *3A*, llevar *5A*; *take turns* alterna *(tú command)*; alternen *(Uds. command)*; *to take a trip* hacer un viaje *5A*; *to take out* sacar *8A*; *to take up* subir *8A*

tall alto,-a *4B*

tape recorder la grabadora *5A*

taste gusto

to taste probar

to teach enseñar

teacher el profesor, la profesora *2A*

team el equipo *7A*

teaspoon la cucharita *6A*

telephone el teléfono *2B*; *by the telephone, on the telephone* por teléfono *6B*; *telephone number* el número de teléfono *2B*; *cellular telephone number* número de teléfono celular

to telephone llamar *5A*

television la televisión *4B*; *to watch television* ver la televisión *4B*

television set el televisor *7A*

to tell decir *6B*; *(a story)* contar *(ue) 9A*; *tell me* dígame *(Ud. command)*

temperature la temperatura *7B*; *What is the temperature?* ¿Qué temperatura hace? *7B*

ten diez *1A*

tennis el tenis *4B*

tennis player el tenista, la tenista *7B*

tenth décimo,-a *7B*

to terminate acabar *8A*

test el examen *2B*

than: more (+ noun/ adjective/adverb) than más *(+ noun/adjective/adverb)* que *8B*

thanks gracias *1B*; *thank you very much* muchas gracias *1B*

that que *5A*, ese, esa *6A*, *(far away)* aquel, aquella *6A*, *(neuter form)* eso; *that which* lo que *6B*

the el *(m., s.) 2A*, la *(f., s.) 2A*, las *(f., pl.) 2A*, los *(m., pl.) 2A*; *to the* al *3A*

theater el teatro *3B*

their su, sus *4A*

them les *(i.o.) 3A*; los/las *(d.o.) 5A*; *(after a preposition)* ellos,-as *4B*

theme el tema, el tópico

then luego *1A*, después *6A*, entonces *6A*; *(pause in speech)* pues *3B*

there allí *2A*; *there is, there are* hay *2A*; *over there* allá *6A*

these estos, estas *6A*

they ellos,-as *2A*; *they are* son *2A*; *they were* fueron

thin delgado,-a *4B*

thing la cosa *6A*

to think pensar *(ie) 6A*; *to think about (i.e., to have an opinion)* pensar de *6A*; *to think about (i.e., to focus one's thoughts)* pensar en *6A*; *to think about (doing something)* pensar en *(+ infinitive)*

third tercero,-a, tercer *(form of tercero before a m., s. noun) 7B*

thirst la sed *6B*; *to be thirsty* tener sed *6B*

thirteen trece *1A*

thirty treinta *1B*

this este *(m., s.)*, esta *(f., s.) 6A*

those esos, esas *6A*, *(far away)* aquellos, aquellas *6A*

thousand mil *5B*

three tres *1A*

three hundred trescientos,-as *5B*

through por *6B*

to throw lanzar

Thursday jueves *2B*; *on Thursday* el jueves

thus pues *3B*

tie la corbata *9A*

time el tiempo *4A*, la vez (pl. veces) *5B*; *at times, sometimes* a veces *5B*; *at what time?* ¿a qué hora? *2B*; *(number +) time(s) per (+ time expression)* (number +) vez/veces al/a la (+ time expression) *7A*; *What time is it?* ¿Qué hora es? *1B*

tired cansado,-a *4A*

to a *2B*

today hoy *3B*

toe el dedo *9A*

together junto,-a

tomato el tomate *8B*

tomorrow mañana *1B*; *see you tomorrow* hasta mañana *1B*; *the day after tomorrow* pasado mañana *5B*

tonight esta noche *7A*

too también *3A*, *too (much)* demasiado *9B*

to touch tocar

train el tren *3A*

transportation el transporte *3A*

to travel viajar *6A*

tree el árbol; *family tree* árbol genealógico

trip el paseo *7B*, el viaje *5A*; *to take a trip* hacer un viaje *5A*

trombone el trombón

truck el camión

trumpet la trompeta

truth la verdad *6B*

to try (to do something) tratar (de)

t-shirt la camiseta *2B*

Tuesday martes *2B*; *on Tuesday* el martes

to turn off apagar *7A*

to turn on encender *(ie) 6A*, poner

twelve doce *1A*

twenty veinte *1A*

twenty-eight veintiocho *1B*

twenty-five veinticinco *1B*

twenty-four veinticuatro *1B*

twenty-nine veintinueve *1B*

twenty-one veintiuno *1B*

twenty-seven veintisiete *1B*

twenty-six veintiséis *1B*

twenty-three veintitrés *1B*

twenty-two veintidós *1B*

two dos *1A*

two hundred doscientos,-as *5B*

typical típico, -a

ugly feo,-a *4B*

umbrella el paraguas *9B*

uncle el tío *4A*

to understand comprender *2A*; *I understand* comprendo *2A*

underwear la ropa interior *9A*

unique único,-a *4A*

united unido,-a

United States of America los Estados Unidos *1A*

university la universidad

until hasta *1A*, *(to express time)* menos *1B*

upcoming que viene *5A*

Uruguay el Uruguay *1A*

us nos *(i.o.)* 4B; nos *(d.o.)* 5A; *(after a preposition)* nosotros 4B
to use usar 9B

vacation las vacaciones 9A
vacuum la aspiradora 7A; *to vacuum* pasar la aspiradora 8A
vegetable la verdura 8B
Venezuela Venezuela 1A
verb el verbo
very muy, mucho,-a 3B; *very much* mucho, muchísimo 4A; *not very* poco,-a 6B
video game el videojuego 7A
vinegar el vinagre 8B
volleyball el voleibol 7A

walk el paseo 7B; *to go for a walk* dar un paseo 7B; *to walk* caminar 3A
wall la pared 2A, la muralla
wallet la billetera 9B
to want querer 6A
to wash lavar 8A
wastebasket el cesto de papeles 2A
watch el reloj 2A
to watch ver 3B; *to watch television* ver la televisión
water el agua *f.* 4B; *mineral water* agua mineral 3B
way la manera; *By the way* A propósito 1A
we nosotros 2A
to wear llevar 2B
weather el tiempo 7B; *How is the weather?* ¿Qué tiempo hace? 7B; *the weather is nice (bad)* hace buen (mal) tiempo 7B
Wednesday miércoles 2B; *on Wednesday* el miércoles
week la semana 5A
weekend el fin de semana 5A
welcome bienvenido,-a; *you are welcome* de nada 1B
well bien 1B; *(pause in speech)* bueno, este, pues 3B

what a (+ noun)! ¡qué (+ *noun*)! 5A
what? ¿qué? 2A, ¿cuál? 2B; *at what time?* ¿a qué hora? 2B; *What is the meaning (of)...?* ¿Qué quiere decir...? 2A; *What is the temperature?* ¿Qué temperatura hace? 7B; *What is wrong with (someone)?* ¿Qué (+ *tener*)? 6B; *What is wrong with you?* ¿Qué te pasa?; *What is your name?* ¿Cómo te llamas? 2A; *What is (your/his/her) name?* ¿Cómo se llama (Ud./él/ella)? 1A; *What time is it?* ¿Qué hora es? 1B
when cuando 6B
when? ¿cuándo? 3A
where donde 6B
where? ¿dónde? 1A; *from where?* ¿de dónde? 1A; *(to) where?* ¿adónde? 3A
which que 5A; *that which* lo que 6B
which? ¿cuál? 2B; *which one?* ¿cuál? 2B; *which ones?* ¿cuáles? 2B
white blanco,-a 2B
white-haired canoso,-a 4B
who? ¿quién? 2A, *(pl.)* ¿quiénes? 3A
whole entero,-a
why? ¿por qué? 3A
wife la esposa 4A
to win ganar; *games won* los partidos ganados
wind el viento 7B; *it is windy* hace viento 7B
window la ventana 2A
winter el invierno 7B
to wish desear
with con 1A; *with me* conmigo 9B; *with you* (tú) contigo 9B
without sin 8B
to witness presenciar
woman la mujer 9A
wonderful estupendo,-a 7A
wool la lana 9A
word la palabra 2A
work el trabajo 8A, la obra

to work trabajar 8A
world el mundo
worse peor 8B
worst: the worst (+ noun) el/la/los/las peor/peores 8B
wow! ¡caramba! 5A
to write escribir 6B; *How do you write...?* ¿Cómo se escribe...? 1A; *it is written* se escribe 1A

yard el patio 6B
year el año 5B; *New Year's Day* el Año Nuevo 5B; *to be (+ number) years old* tener (+ *number*) años 5A
yellow amarillo,-a 8A
yes sí 1A
yesterday ayer 5B; *the day before yesterday* anteayer 5B
yet todavía 7A
you tú *(informal)* 1A, usted (Ud.) *(formal, s.)* 1B, ustedes (Uds.) *(pl.)* 1B, vosotros,-as *(Spain, informal, pl.)* 1B; *(after a preposition)* ti 4B, usted (Ud.), ustedes (Uds.), vosotros,-as 1B; la, lo, *(d.o.)* 5A, las, los, *(d.o.)* 5A, te *(d.o.)* 6A, os *(Spain, informal, pl., d.o.)*, le *(formal, i.o.)*, les *(pl., i.o.)* 1A, os *(Spain, informal, pl., i.o.)*, te *(i.o.)* 3A; *Are you from...?* ¿Eres (tú) de...? 1A; *you are* eres 1A; *you (formal) are* es 1B; *you (pl.) were* fueron
young joven 5B; *young lady* la señorita 1B; *young woman* la muchacha 3A
younger menor 5B
youngest el/la menor 5B
your tu *(informal)* 2B, tus *(informal, pl.)* 4A, su, sus (Ud./Uds.) 4A, vuestro,-a,-os, -as *(Spain, informal, pl.)*

zero cero 1A

Index

Credits

Acknowledgments

The authors wish to thank the many people of the Caribbean Islands, Central America, South America, Spain, and the United States who assisted in the photography used in the textbook and videos. Also helpful in providing photos and materials were the National Tourist Offices of Argentina, Chile, Costa Rica, Colombia, Ecuador, Guatemala, the Dominican Republic, Honduras, Mexico, Nicaragua, Panamá, Perú, Puerto Rico, Spain, and Venezuela.

We would like to thank the Bilingual Press/Editorial Bilingüe, Arizona State University, Tempe, AZ, for permission to reprint *Coplas 1* and *9* from *Puentes y Fronteras/Bridges and Borders* (1996) by Gina Valdés, appearing on page 82 of this textbook.

We would also like to thank the following institutions for permission to reproduce the paintings by Frida Kahlo on page 127 (*Autorretrato con mono,* 1938, and *Raíces,* 1943):

Banco de México Diego Rivera and Frida Kahlo Museums Trust, Av. 5 de Mayo No. 2, Col. Centro, Del. Cuauhtémoc 06059, México, D.F.

Instituto Nacional de Bellas Artes y Literatura, Dirección de Asuntos Jurídicos, Edificio "La Nacional" 8° Piso, Av. Juárez No. 4 esq. Eje Central Lázaro Cárdenas, Col. Centro, 06050, México, D.F.

Photographs of these paintings are © Albright-Knox Art Gallery/CORBIS and © SuperStock, Inc., respectively.

Finally, we would like to thank Nicaraguan artist Rosa Delia López and her representatives, Americas' Arts L.L.C. [P.O. Box 4404, Gettysburg, PA, 17325], for permission to reproduce her painting *La Gritería* (© 1997), which appears on page 180.

Photo Credits

Anderson, Jennifer J.: 105 (#2), 185 (r), 219 (l, c), 301 (tl), 362 (l), 389 (tl), 407 (l, c)

AFP/CORBIS: xx (bl)

AP / Wide World Photos: v (t), xxi (br), xxii (tl), 15 (Penélope Cruz), 46 (Shakira), 78 (b), 82, 85 (Pablo Picasso), 132 (San Juan, Puerto Rico), 151 (Salma Hayek), 168 (Juan Pablo Montoya), 172 (Sammy Sosa), 174 (Pedro Martínez), 175 (t: Ramón Martínez; b: Ramón and Pedro Martínez), 211 (tl), 220, 310, 354 (c, r), 407 (r)

Arruza, Tony / CORBIS: 170 (#2)

Azzara, Steve / CORBIS: 170 (Jennifer López)

Bechara Baruque, Omar; Eye Ubiquitous / CORBIS: 247 (tl)

Béjar Latonda, Mónica: 30 (l, r), 58 (l), 80 (l), 92 (tl, tc, tr), 102 (tl, tc, tr), 112 (l, c, r), 118 (l, c, r), 124 (l), 172 (l), 216 (l), 228 (tl, tc, tr), 236 (tl, tc, tr), 246 (l, c, r), 254 (l, c, r), 260 (l), 272 (l, c, r), 278 (l, c, r), 292 (l, c, r), 300 (l, c, r), 308 (l), 320 (l, c, r), 330 (l, c, r), 331 (l), 340 (l, c, r), 341, 350 (l, c, r), 354 (l), 366 (l, c, r), 376 (l, c, r), 388 (l, c, r), 396 (tl, tc, tr), 402 (l), 422 (l), 424, 425

Bettmann / CORBIS: 126 (Frida Kahlo)

Charlier, Claude / CORBIS: 320 (b)

Chilean Ministry of Tourism (Ministerio de Turismo de Chile): x (t), 293 (tr)

Colita / CORBIS: 147 (Gabriel García Márquez)

Corbis Royalty-Free: vi (l), x (b), xxv (br), 7, 11 (tr), 23 (Activity 10, #2; Activity 11, #3), 47 ("Alicia," "tú," "Pablo"), 56 (tr), 56 (#8), 59 (l, r), 64, 65, 70, 74, 78 ("Josefina, Kathy, y yo"), 88–89, 99 (c), 100 ("en bicicleta"), 142, 148 (#2), 155 (A, B, C, E, F), 156 (b), 165 (#2, #6, #8), 171 (br), 189 (#2, #3, #4, #6), 193 (frog), 195 (t), 196, 204, 207 (bl, br), 223 (l, r), 228 (bl, bc, br), 229 (pearl in shell), 243 (l, r), 263 (l, r), 268–269, 271 (A, E), 275 (#1, #2), 277, 280, 281 (t), 287 (t), 289 (r), 292, 293 (tl), 297, 299 (A, B, E), 303 (Modelo, #3, #5, #6), 304, 327, 329 (Activity 19, C), 332, 336, 337 (l, r), 344, 346, 367 (b), 377 (tr), 384 (r), 396 (c), 401, 403 (r), 415 (b), 417 (b), 427 (l, r)

Corporación Nacional de Turismo-Colombia: xxvi (tr), 247 (tr)

Creatas Images: 10 (Modelo, #1, #2 in Activity 18), 23 (Activity 10, #3; Activity 11, #2), 76 (l), 77 (r), 78 ("Mi tía Sandra"), 81 (r), 165 (#7), 193 (r), 377 (tl)

Cummins, Jim / CORBIS: 302

Dias, Mark: 216 (r)

Digital Stock: 215

DigitalVision: 272 (b)

Duomo / CORBIS: 299 (D)

Dydynski, Krzysztof / Lonely Planet Images: xxvi (bl)